#기출지문
#반복훈련

처음 만나는 수능 어법

이 책을 쓰신 분들

홍정환 박주경 이승현
최영미 김민지 Enoch Chung

교재 검토에 도움을 주신 분들

강성옥 권기용 권예나 김대수 김도훈
김미영 김봉수 김순주 김재희 김정옥
김현미 남미지 손명진 송주영 신인숙
오택경 이명언 이민정 이서진 이용훈
이혜인 임해림 전미정 조운호 한지원

Chunjae Makes Chunjae

▼

기획총괄	김성희
편집개발	김보영, 최윤정, 조원재, 이시현
디자인총괄	김희정
표지디자인	윤순미, 안채리
내지디자인	디자인뮤제오, 박희춘, 임용준
제작	황성진, 조규영

발행일	2020년 12월 1일 초판 2020년 12월 1일 1쇄
발행인	(주)천재교육
주소	서울시 금천구 가산로9길 54
신고번호	제2001-000018호
고객센터	1577-0902

※ 정답 분실 시에는 천재교육 홈페이지에서 내려받으세요.
※ 이 책은 아모레퍼시픽의 아리따글꼴을 사용하여 디자인되었습니다.

기출지문으로 공략하는

처음 만나는 수능 어법

Workbook

Basic

기본

Preview

1

01 주어 동사 수 일치

- **문법 확인**
  문법 항목에 따른 기본 문법 용어 확인
- **개념 마무리 O X**
  문법의 기본 개념을 **O X** 퀴즈로 풀기
- **실전어법 개념확인**
  어법 Point 개념의 빈칸 채우고 기출문제 풀기

2

어법 REVIEW 1 문장 어법연습하기

A 다음 중 어법상 적절한 표현을 고른 후, 그 이유를 쓰시오.

e.g. In the 2002 Salt Lake City Games, the number of male athletes [was / were] more than twice that of female athletes.

1 To develop new things in big organizations [is / are] hard.

2 Moreover, how a person approaches the day [impact / impacts] everything else in that person's life.

3 Some of these practices, such as drinking alcohol during a marathon, [are / is] no longer recommended.

4 There [has / have] always been recommendations made to athletes about foods that could enhance athletic performance.

B 다음 밑줄 친 부분을 어법에 맞게 고친 후, 그 이유를 쓰시오.

e.g. Most of his landscapes was done in shades of black.

5 Limiting your access to everything from sandwiches to luxury cars help to reset your cheerometer.

6 Many of the traditional clues about identity — someone's physical appearance and presence — is replaced by machine-based checking of "credentials."

7 Basically, those who never make mistakes is perceived as being less attractive and "likable."

- **어법 REVIEW1 문장 어법연습하기**
  고1 학력평가 · 모의고사 기출 문제
  문장 단위 예문으로 어법 Point 문제 풀기

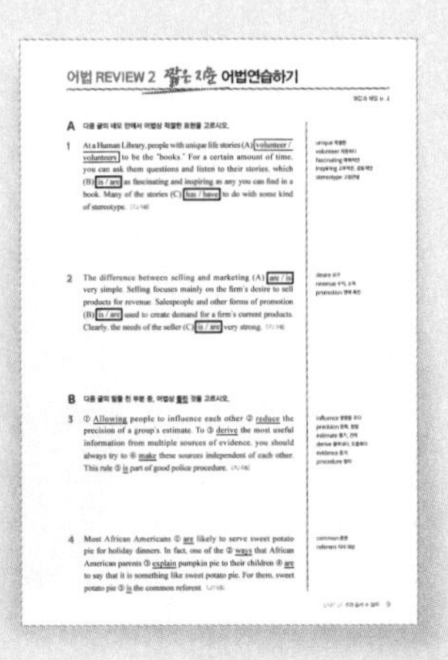

어법 REVIEW 2 짧은 지문 어법연습하기

A 다음 글의 네모 안에서 어법상 적절한 표현을 고르시오.

1 At a Human Library, people with unique life stories (A) [volunteer / volunteers] to be the "books." For a certain amount of time, you can ask them questions and listen to their stories, which (B) [is / are] as fascinating and inspiring as any you can find in a book. Many of the stories (C) [has / have] to do with some kind of stereotype.

2 The difference between selling and marketing (A) [are / is] very simple. Selling focuses mainly on the firm's desire to sell products for revenue. Salespeople and other forms of promotion (B) [is / are] used to create demand for a firm's current products. Clearly, the needs of the seller (C) [is / are] very strong.

B 다음 글의 밑줄 친 부분 중, 어법상 틀린 것을 고르시오.

3 ① Allowing people to influence each other ② reduce the precision of a group's estimate. To ③ derive the most useful information from multiple sources of evidence, you should always try to ④ make these sources independent of each other. This rule ⑤ is part of good police procedure.

4 Most African Americans ① are likely to serve sweet potato pie for holiday dinners. In fact, one of the ② ways that African American parents ③ explain pumpkin pie to their children ④ are to say that it is something like sweet potato pie. For them, sweet potato pie ⑤ is the common referent.

3

- **어법 REVIEW2 짧은 지문 어법연습하기**
  단문 단위로 주요 어법 Point 문제 풀기

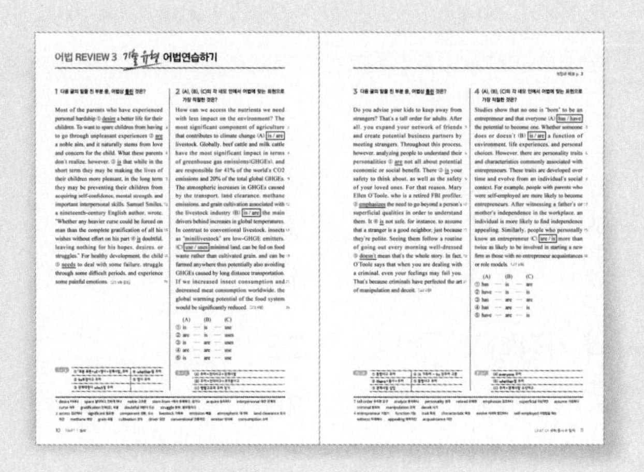

4

- **어법 REVIEW3 기출 유형 어법연습하기**

  기출 지문으로 주요 어법 Point 문제 풀기

  문제 풀이에 필요한 Point 요점 재확인

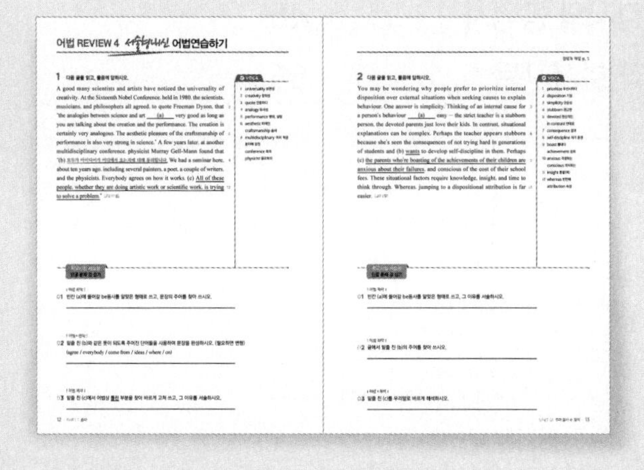

5

- **어법 REVIEW4 서술형 내신 어법연습하기**

  기출 지문으로 어법 위주의 서술형 문제 복습

- **학교시험 서술형 단골 문제 감 잡기**

  학교 내신 시험문제 유형의 서술형 문제 풀기

Contents

PART 1 동사

Unit 01 주어 동사 수 일치 6
Unit 02 시제 16
Unit 03 조동사와 가정법 26
Unit 04 태 36

PART 2 준동사

Unit 05 to부정사와 동명사 46
Unit 06 분사와 분사구문 56

PART 3 연결사

Unit 07 관계사 66
Unit 08 접속사 76

PART 4 품사

Unit 09 명사와 대명사 86
Unit 10 형용사와 부사 96

PART 5 기타구문

Unit 11 비교 106
Unit 12 특수구문 116

[책속책] 정답과 해설

UNIT 01 주어 동사 수 일치

Point 1 주어가 구일 때
Point 2 주어가 절일 때
Point 3 주어가 구의 수식을 받아 길어질 때
Point 4 주어가 절의 수식을 받아 길어질 때
Point 5 주어가 「부분 표현+of+명사」일 때
Point 6 도치구문에서 주어를 찾아야 할 때

문법 확인

주어 역할을 하는 것

주어란 동작이나 상태의 ❶________가 되는 말로, '~은(는)/~이(가)'로 해석한다.

명사	**Children** were waiting for their surprise present with excitement.
대명사	**It** may sound odd but peanut butter and jelly taste good together.

명사구

동명사구	**Exercising** twice a week is important for good health.
❷____________	**To win** the first prize in the contest is my goal.

명사절

❸____________	**Whether she is telling the truth or not** is no longer important.
의문사절	**Who you hang out with** affects your lifestyle and personality.
접속사 that절	**That the Earth revolves around the Sun** was discovered by Nicolaus Copernicus.
관계대명사 what절	**What Dr. Kim did during his service in Iraq** sets a good example for other doctors.

주어와 동사의 수 일치

- 주어가 단수이면 동사도 ❹________로, ❺________가 복수이면 동사도 복수로 맞춰야 한다. 이를 '주어와 동사의 수 일치'라고 한다.
- 주어와 동사 사이에 ❻________가 있어 문장이 길어질 경우, 핵심 주어를 정확히 파악하여 동사의 수를 일치시킨다.

단수 명사, 셀 수 없는 명사, 동명사구, to부정사구, 명사절	(+ 수식어구) + ❼__________ (is/was, makes ...)	복수 명사, and로 연결되는 어구	(+ 수식어구) + ❽__________ (are/were, make ...)

개념 마무리 OX

(1) 명사구와 명사절은 주어로 쓰일 수 있다. (○, ×)

(2) 단수 주어에는 단수 동사를, 복수 주어에는 복수 동사를 쓰는 것을 주어와 동사의 수 일치라고 한다. (○, ×)

(3) 수식어가 있는 주어의 경우, 수식어에 있는 명사에 동사의 수를 일치시킨다. (○, ×)

* 빈칸에 알맞은 말을 쓰고, 어법상 알맞은 것을 고르시오.

실전어법 개념확인

Point ①+② 주어가 구 또는 절일 때

- 동명사구나 to부정사구가 주어로 사용될 경우, ________ 취급하여 ________ 동사를 쓴다.
- whether절, 접속사 ________절, 의문사절이 주어로 사용될 경우, 단수 취급하여 단수 동사를 쓴다.
- 관계대명사 ________이 이끄는 절은 글의 맥락에 따라 ________나 ________로 받을 수 있으므로 문맥상 알맞은 동사의 수를 파악한다.

1 Getting in the habit of asking questions [transforms / transform] you into an active listener.

2 To put extra space between our car and the car in front of us [was / were] the only way to keep from crashing.

3 Whether someone does or doesn't [is / are] a function of environment, life experiences, and personal choices.

4 Actually, what they mean [is / are] not with but in proximity of their children.

Point ③+④ 주어가 구 또는 절의 수식을 받아 길어질 때

주어가 구 또는 절의 수식을 받아 길어질 때, 핵심 주어와 수식어구를 정확히 파악하여 핵심 주어의 수와 ________의 수를 일치시킨다. 수식어구에는 전치사구, ____________, 과거분사구, to부정사구, ____________, 관계사절 등이 있다. 수식어구의 일부인 동사 바로 ________의 ________를 주어로 착각하지 않도록 유의한다.

5 The acceleration of human migration toward the shores [is / are] a contemporary phenomenon.

6 The culture that we inhabit [shape / shapes] how we think, feel, and act in the most pervasive ways.

7 The parents who're boasting of the achievements of their children [is / are] anxious about their failures.

Point ⑤+⑥ 주어가 「부분 표현+of+명사」일 때 / 도치구문에서 주어를 찾아야 할 때

- 주어가 「부분 표현(all, most, some, part, the rest, half, 분수 등) + ________ + 명사」일 때, 부분 표현 뒤의 ________의 수에 동사의 수를 일치시킨다.
  〈단수 취급〉 one of, each of, the number of + 복수 명사
  〈복수 취급〉 both of, a number of + 복수 명사
- 도치란 강조하고자 하는 어구를 문장의 맨 ________에 두어 「강조어구 + ____________ + 주어」로 문장의 어순을 바꾸는 것을 뜻한다. 문두에 있는 강조어구를 주어로 혼동하지 않도록 유의한다.

8 With very low frequency vibration the rest of the body's sense of touch [starts / start] to take over.

9 Because most of the plastic particles in the ocean [is / are] so small, there is no practical way to clean up the ocean.

10 Standing behind them [was / were] Kathy, a beautiful five-year-old with long shiny brown hair and dark flashing eyes.

어법 REVIEW 1 문장 어법연습하기

정답과 해설 p. 2

A 다음 중 어법상 적절한 표현을 고른 후, 그 이유를 쓰시오.

e.g. In the 2002 Salt Lake City Games, the number of male athletes [was / were] more than twice that of female athletes. [고2 11월]

주어는 the number of male athletes이고, 「the number of+복수 명사」는 단수 취급하므로 단수 동사 was

1 To develop new things in big organizations [is / are] hard. [고2 9월 응용]

2 Moreover, how a person approaches the day [impact / impacts] everything else in that person's life. [고1 9월]

3 Some of these practices, such as drinking alcohol during a marathon, [are / is] no longer recommended. [고2 3월]

4 There [has / have] always been recommendations made to athletes about foods that could enhance athletic performance. [고2 3월]

B 다음 밑줄 친 부분을 어법에 맞게 고친 후, 그 이유를 쓰시오.

e.g. Most of his landscapes was done in shades of black. [고2 6월]

were / 주어가 「부분 표현+of+명사」일 때, 부분 표현 뒤의 명사의 수에 동사의 수를 일치시키므로 복수 동사 were

5 Limiting your access to everything from sandwiches to luxury cars help to reset your cheerometer. [고2 11월]

6 Many of the traditional clues about identity — someone's physical appearance and presence — is replaced by machine-based checking of "credentials." [고2 3월]

7 Basically, those who never make mistakes is perceived as being less attractive and "likable." [고2 3월]

1 organization 조직 2 impact 영향을 끼치다 3 recommend 추천하다 4 enhance 향상하다 athletic 운동의 5 access 접근 reset 재설정하다 cheerometer 활기 온도계 6 identity 신원 credential 신용 증명 7 perceive 인식하다

어법 REVIEW 2 짧은 지문 어법연습하기

정답과 해설 p. 2

A 다음 글의 네모 안에서 어법상 적절한 표현을 고르시오.

1 At a Human Library, people with unique life stories (A) [volunteer / volunteers] to be the "books." For a certain amount of time, you can ask them questions and listen to their stories, which (B) [is / are] as fascinating and inspiring as any you can find in a book. Many of the stories (C) [has / have] to do with some kind of stereotype. [고2 6월]

unique 특별한
volunteer 자원하다
fascinating 매력적인
inspiring 고무적인, 감동적인
stereotype 고정관념

2 The difference between selling and marketing (A) [are / is] very simple. Selling focuses mainly on the firm's desire to sell products for revenue. Salespeople and other forms of promotion (B) [is / are] used to create demand for a firm's current products. Clearly, the needs of the seller (C) [is / are] very strong. [고2 3월]

desire 요구
revenue 수익, 소득
promotion 판매 촉진

B 다음 글의 밑줄 친 부분 중, 어법상 틀린 것을 고르시오.

3 ① Allowing people to influence each other ② reduce the precision of a group's estimate. To ③ derive the most useful information from multiple sources of evidence, you should always try to ④ make these sources independent of each other. This rule ⑤ is part of good police procedure. [고2 6월]

influence 영향을 주다
precision 정확, 정밀
estimate 평가, 견적
derive 끌어내다, 도출하다
evidence 증거
procedure 절차

4 Most African Americans ① are likely to serve sweet potato pie for holiday dinners. In fact, one of the ② ways that African American parents ③ explain pumpkin pie to their children ④ are to say that it is something like sweet potato pie. For them, sweet potato pie ⑤ is the common referent. [고2 9월]

common 흔한
referent 지시 대상

어법 REVIEW 3 기출 유형 어법연습하기

1 다음 글의 밑줄 친 부분 중, 어법상 틀린 것은?

Most of the parents who have experienced personal hardship ① desire a better life for their children. To want to spare children from having to go through unpleasant experiences ② are a noble aim, and it naturally stems from love and concern for the child. What these parents don't realize, however, ③ is that while in the short term they may be making the lives of their children more pleasant, in the long term they may be preventing their children from acquiring self-confidence, mental strength, and important interpersonal skills. Samuel Smiles, a nineteenth-century English author, wrote, "Whether any heavier curse could be forced on man than the complete gratification of all his wishes without effort on his part ④ is doubtful, leaving nothing for his hopes, desires, or struggles." For healthy development, the child ⑤ needs to deal with some failure, struggle through some difficult periods, and experience some painful emotions. [고2 9월 응용]

Point

①「부분 표현+of+명사+관계사절」 주어	④ whether절 주어
② to부정사구 주어	⑤ 명사 주어
③ 관계대명사 what절 주어	

2 (A), (B), (C)의 각 네모 안에서 어법에 맞는 표현으로 가장 적절한 것은?

How can we access the nutrients we need with less impact on the environment? The most significant component of agriculture that contributes to climate change (A) [is / are] livestock. Globally, beef cattle and milk cattle have the most significant impact in terms of greenhouse gas emissions(GHGEs), and are responsible for 41% of the world's CO2 emissions and 20% of the total global GHGEs. The atmospheric increases in GHGEs caused by the transport, land clearance, methane emissions, and grain cultivation associated with the livestock industry (B) [is / are] the main drivers behind increases in global temperatures. In contrast to conventional livestock, insects as "minilivestock" are low-GHGE emitters, (C) [use / uses] minimal land, can be fed on food waste rather than cultivated grain, and can be farmed anywhere thus potentially also avoiding GHGEs caused by long distance transportation. If we increased insect consumption and decreased meat consumption worldwide, the global warming potential of the food system would be significantly reduced. [고2 6월]

	(A)	(B)	(C)
①	is	is	use
②	are	is	uses
③	is	are	uses
④	are	are	use
⑤	is	are	use

Point

(A) 주어+전치사구+관계사절
(B) 주어+전치사구+과거분사구
(C) 병렬구조의 주어 찾기

1 desire 바라다 spare 절약하다; 면하게 하다 noble 고귀한 stem from ~에서 유래하다, 생기다 acquire 습득하다 interpersonal 대인 관계의 curse 저주 gratification 만족(감), 희열 doubtful 의문이 드는 struggle 분투; 몸부림치다
2 access 접근하다 significant 중요한 component 성분, 요소 livestock 가축류 emission 배출 atmospheric 대기의 land clearance 토지 개간 methane 메탄 grain 곡물 cultivation 경작 driver 요인 conventional 전통적인 emitter 방사체 consumption 소비

3 다음 글의 밑줄 친 부분 중, 어법상 틀린 것은?

Do you advise your kids to keep away from strangers? That's a tall order for adults. After all, you expand your network of friends and create potential business partners by meeting strangers. Throughout this process, however, analyzing people to understand their personalities ① are not all about potential economic or social benefit. There ② is your safety to think about, as well as the safety of your loved ones. For that reason, Mary Ellen O'Toole, who is a retired FBI profiler, ③ emphasizes the need to go beyond a person's superficial qualities in order to understand them. It ④ is not safe, for instance, to assume that a stranger is a good neighbor, just because they're polite. Seeing them follow a routine of going out every morning well-dressed ⑤ doesn't mean that's the whole story. In fact, O'Toole says that when you are dealing with a criminal, even your feelings may fail you. That's because criminals have perfected the art of manipulation and deceit. [고2 6월]

4 (A), (B), (C)의 각 네모 안에서 어법에 맞는 표현으로 가장 적절한 것은?

Studies show that no one is "born" to be an entrepreneur and that everyone (A) [has / have] the potential to become one. Whether someone does or doesn't (B) [is / are] a function of environment, life experiences, and personal choices. However, there are personality traits and characteristics commonly associated with entrepreneurs. These traits are developed over time and evolve from an individual's social context. For example, people with parents who were self-employed are more likely to become entrepreneurs. After witnessing a father's or mother's independence in the workplace, an individual is more likely to find independence appealing. Similarly, people who personally know an entrepreneur (C) [is / are] more than twice as likely to be involved in starting a new firm as those with no entrepreneur acquaintances or role models. [고2 3월]

	(A)		(B)		(C)
①	has	……	is	……	are
②	have	……	is	……	is
③	has	……	are	……	are
④	has	……	are	……	is
⑤	have	……	are	……	is

Point

① 동명사구 주어	④ it 가주어 ~ to 진주어 구문
② there+동사+주어	⑤ 동명사구 주어
③ 관계사절 삽입	

Point

(A) everyone 주어
(B) whether절 주어
(C) 주어+관계사절 수식어구

3 tall order 무리한 요구 analyze 분석하다 personality 성격 retired 은퇴한 emphasize 강조하다 superficial 피상적인 assume 가정하다 criminal 범죄자 manipulation 조작 deceit 사기
4 entrepreneur 기업가 function 기능 trait 특성 characteristic 특징 evolve 서서히 발전하다 self-employed 자영업을 하는 witness 목격하다 appealing 매력적인 acquaintance 지인

어법 REVIEW 4 서술형내신 어법연습하기

1 다음 글을 읽고, 물음에 답하시오.

A good many scientists and artists have noticed the universality of creativity. At the Sixteenth Nobel Conference, held in 1980, the scientists, musicians, and philosophers all agreed, to quote Freeman Dyson, that "the analogies between science and art ___(a)___ very good as long as you are talking about the creation and the performance. The creation is certainly very analogous. The aesthetic pleasure of the craftsmanship of performance is also very strong in science." A few years later, at another multidisciplinary conference, physicist Murray Gell-Mann found that "(b) 모두가 아이디어가 어디에서 오는지에 대해 동의합니다. We had a seminar here, about ten years ago, including several painters, a poet, a couple of writers, and the physicists. Everybody agrees on how it works. (c) All of these people, whether they are doing artistic work or scientific work, is trying to solve a problem." [고2 11월]

VOCA

1 universality 보편성
2 creativity 창의성
3 quote 인용하다
4 analogy 유사성
5 performance 행위, 실행
6 aesthetic 미적인
craftsmanship 솜씨
8 multidisciplinary 여러 학문 분야에 걸친
conference 회의
physicist 물리학자

학교시험 서술형
단골 문제 감 잡기

| 어법 파악 |

01 빈칸 (a)에 들어갈 be동사를 알맞은 형태로 쓰고, 문장의 주어를 찾아 쓰시오.

____

| 어법+영작 |

02 밑줄 친 (b)와 같은 뜻이 되도록 주어진 단어들을 사용하여 문장을 완성하시오. (필요하면 변형)

(agree / everybody / come from / ideas / where / on)

____

| 어법 파악 |

03 밑줄 친 (c)에서 어법상 틀린 부분을 찾아 바르게 고쳐 쓰고, 그 이유를 서술하시오.

____

정답과 해설 p. 5

2 다음 글을 읽고, 물음에 답하시오.

You may be wondering why people prefer to prioritize internal disposition over external situations when seeking causes to explain behaviour. One answer is simplicity. Thinking of an internal cause for a person's behaviour ____(a)____ easy — the strict teacher is a stubborn person, the devoted parents just love their kids. In contrast, situational explanations can be complex. Perhaps the teacher appears stubborn because she's seen the consequences of not trying hard in generations of students and (b) wants to develop self-discipline in them. Perhaps (c) the parents who're boasting of the achievements of their children are anxious about their failures, and conscious of the cost of their school fees. These situational factors require knowledge, insight, and time to think through. Whereas, jumping to a dispositional attribution is far easier. [고2 6월]

VOCA

1 prioritize 우선시하다
2 disposition 기질
3 simplicity 단순성
4 stubborn 완고한
5 devoted 헌신적인
in contrast 반대로
7 consequence 결과
8 self-discipline 자기 훈련
9 boast 뽐내다
achievement 성취
10 anxious 걱정하는
conscious 의식하는
11 insight 통찰(력)
12 whereas 반면에
attribution 속성

학교시험 서술형
단골 문제 감 잡기

| 어법 파악 |

01 빈칸 (a)에 들어갈 be동사를 알맞은 형태로 쓰고, 그 이유를 서술하시오.

____

| 어법 파악 |

02 글에서 밑줄 친 (b)의 주어를 찾아 쓰시오.

____

| 어법+해석 |

03 밑줄 친 (c)를 우리말로 바르게 해석하시오.

____

어법 REVIEW 4 서술형내신 어법연습하기

3 다음 글을 읽고, 물음에 답하시오.

(a) 스포츠가 폭력을 감소시키는 방법이라는 일반적인 믿음이 있어 왔다. Richard Sipes who is an anthropologist tests his notion in a classic study of the relationship between ____(b)____ and ____(c)____. Focusing on what he calls "combative sports," those sports including actual body contact between opponents or simulated warfare, he hypothesizes that if sport is an alternative to violence, then one would expect to find an inverse correlation between the popularity of combative sports and the frequency and intensity of warfare. In other words, the more combative sports (e.g., football, boxing) the less likely warfare. Using the Human Relations Area Files and a sample of 20 societies, Sipes tests the hypothesis and ____(d)____ a significant relationship between combative sports and violence, but a direct one, not the inverse correlation of his hypothesis.

[고2 6월]

VOCA

- 2 anthropologist 인류학자
- notion 개념
- 4 combative 전투적인
- 5 opponent 상대
- simulated 모의의
- warfare 전투
- hypothesize 가설을 세우다
- 6 alternative 대체물
- inverse 역(반대)의
- 7 correlation 상관관계
- frequency 빈도
- 8 intensity 강도

학교시험 서술형 단골 문제 감 잡기

| 어법+영작 |

01 밑줄 친 (a)와 같은 뜻이 되도록 주어진 단어들을 알맞은 순서로 배열하시오.

(has / a general belief / been / there / violence / a way / that / sport / reducing / of / is)

____

| 내용 파악 |

02 글의 내용에 맞게 빈칸 (b)와 (c)에 알맞은 단어를 본문에서 찾아 쓰시오. (순서는 바뀌어도 상관 없음)

______________, ______________

| 어법 파악 |

03 빈칸 (d)에 '발견하다'라는 뜻의 동사를 알맞은 형태로 변형하여 쓰시오. (단, d로 시작하는 단어를 쓸 것)

____

정답과 해설 p. 5

4 다음 글을 읽고, 물음에 답하시오.

In this world, ______(a)______. People sometimes don't recognize talent when they see it. Their vision is clouded by the first impression we give and that can lose us the job we want, or the relationship we want. The way we present ourselves can speak more eloquently of the skills we bring to the table, if we actively cultivate that presentation. (b) Nobody like to be crossed off the list before be given the opportunity to show others who they are. Being able to tell your story from the moment you meet other people is a skill that must be actively cultivated, in order to send the message that you're someone to be considered and the right person for the position. For that reason, (c) it's important that we all learn how to say the appropriate things in the right way and to present ourselves in a way that appeals to other people — tailoring a great first impression. [고2 6월]

VOCA

1 competent 능숙한
5 eloquently 설득력 있게
cultivate 일구다, 기르다
6 cross off 지우다
11 appropriate 적절한
13 tailor 재단하다

학교시험 서술형 단골 문제 감 잡기

| 어법+영작 |

01 주어진 단어들을 사용하여 빈칸 (a)에 들어갈 말을 완성하시오.

(or competent / enough / being smart / isn't)

____

| 어법 파악 |

02 밑줄 친 (b)에서 어법상 틀린 부분을 두 군데 찾아 바르게 고쳐 문장을 다시 쓰시오.

____

| 어법 파악 |

03 밑줄 친 (c)를 다음 조건에 맞게 완성하시오.

〈조건〉 • that절 주어가 문장 맨 앞에 오게 할 것
• 의미 변화가 없게 할 것

____

UNIT 02 시제

Point 1 단순시제 vs. 진행시제
Point 2 미래시제 대용
Point 3 과거시제 vs. 현재완료 시제
Point 4 과거시제, 현재완료 시제 vs. 과거완료 시제

문법 확인

시제

시제	형태	개념 및 예문
현재	am/are/is, 동사원형/동사원형-(e)s	현재의 상태, 현재의 습관적 동작, 반복적 행동, 일반적 사실, 불변의 ❶________, 격언, 속담 등
과거	was/were, 동사원형-(e)d/불규칙형	과거의 동작 또는 상태, 과거의 습관적 동작, 과거의 역사적 사실
미래	will + ❷____________	미래에 발생할 동작, 사건, 주어의 ❸________
현재진행	am/are/is + -ing	현재 진행 중인 동작, 사건, 가까운 미래의 예정
과거진행	was/were + -ing	과거의 어느 시점에서 진행 중이던 동작, 사건
미래진행	will ❹________ + -ing	미래의 어느 시점에서 진행 중일 동작, 사건
현재완료	have/has + ❺________	과거에 일어난 일이 ❻________에 영향을 미칠 때 (동작의 완료, 현재까지의 경험, 현재까지의 계속, 현재에 영향을 준 결과)
과거완료	had + p.p.	과거 이전부터 과거의 어느 시점까지의 동작, 상태의 완료, 결과, 경험, 계속
미래완료	will ❼________ + p.p.	미래의 어느 시점까지 예상되는 완료, 결과, 경험, 계속
현재완료진행	have/has ❽________ + -ing	현재완료보다 동작이 ❾________되고 있음을 강조할 때
과거완료진행	had been + -ing	과거완료보다 동작이 계속되고 있음을 강조할 때
미래완료진행	will have been + -ing	❿____________보다 동작이 계속되고 있음을 강조할 때

개념 마무리 OX

(1) 미래를 나타내는 will 뒤에 오는 동사는 주어의 인칭과 수에 맞춰 쓴다. (○, ×)

(2) 과거에 일어난 일이 현재에 영향을 미칠 때 현재완료 시제로 표현한다. (○, ×)

(3) 완료시제보다 동작이 계속되고 있음을 강조할 때 완료진행 시제를 쓴다. (○, ×)

* 빈칸에 알맞은 말을 쓰고, 어법상 알맞은 것을 고르시오.

실전어법 개념확인

Point 1 단순시제 vs. 진행시제

- 현재의 상태, 현재의 습관적 동작, 반복적 행동, 일반적 사실, 불변의 진리, 격언, 속담 등은 ________ 시제를 쓴다.
- 과거의 동작 또는 상태, 과거의 습관적 동작, 과거의 역사적 사실 등은 ________ 시제를 쓴다.
- 소유, 상태, 감정, 인지, 지각 등의 뜻으로 쓰인 동사는 일반적으로 ____________을 쓰지 않는다.

〈소유〉 have, belong, own, possess ... 〈상태〉 seem, resemble, remain ... 〈감정〉 like, love, hate, want, dislike, doubt .. 〈인지〉 think, know, believe, remember, understand ... 〈지각〉 feel, taste, smell, sound, look ...

1 Male impalas [have / are having] long and pointed horns which can measure 90 centimeters in length.

Point 2 미래시제 대용

if, unless 등 ________을 나타내는 접속사나 when, before, after, until, as soon as 등 ________을 나타내는 접속사가 이끄는 ____________에서는 ________시제가 미래시제를 대신한다.

2 If he pioneer [survives / will survive], everyone else will follow suit.

3 You should give someone a second chance before you [shut / will shut] them out forever.

Point 3 과거시제 vs. 현재완료 시제

- **과거시제:** 과거의 특정 시점에 일어나 이미 끝난 일을 서술할 때 쓴다.
  주로, yesterday, ago, last, when, 「________ + 연도」 등과 함께 쓴다.
- **현재완료 시제:** 과거에 일어난 일이 ________에 영향을 미칠 때 쓴다.
  주로, 「____________ + 특정 과거 시점」, 「for + 기간」, before, so far, just, already, yet, ever, never 등과 함께 쓴다.

4 In 1958, he [has become / became] staff at the *Philadelphia Evening Bulletin*, a daily evening newspaper published in Philadelphia.

5 Since the nineteenth century, shopkeepers [took / have taken] advantage of this trick by choosing prices ending in a 9, to give the impression that a product is cheaper than it is.

Point 4 과거시제, 현재완료 시제 vs. 과거완료 시제

과거시제	과거에 일어난 일들을 발생 ________대로 나열할 때
과거완료 시제	과거보다 더 먼저 일어난 일인 '____________'를 표현할 때

현재완료 시제	과거에 일어난 일이 ________에 영향을 미칠 때
과거완료 시제	과거보다 ________ 일어난 일이 과거 어느 시점까지 영향을 미칠 때

6 Jason said he [filled / had filled] the stove with every piece of wood he could fit into it.

7 The growing field of genetics is showing us what many scientists [have suspected / had suspected] for years.

어법 REVIEW 1 문장 어법연습하기

정답과 해설 p. 8

A 다음 중 어법상 적절한 표현을 고른 후, 그 이유를 쓰시오.

e.g. When they arrived, the roaring fire [spreads / was spreading] through the whole building. [고2 9월]

과거의 어느 시점에서 진행 중이던 동작은 과거진행

1 When we make correct predictions, that [saves / saved] energy. [고2 11월]

2 As she opened the door, she [was / has been] surprised to find her son standing in the doorway. [고2 11월 응용]

3 Next month, we [have been / will be] holding a "parent-child" look-like contest. [고2 6월 응용]

4 These days, electric scooters [have quickly become / quickly became] a campus staple. [고2 9월]

B 다음 밑줄 친 부분을 어법에 맞게 고친 후, 그 이유를 쓰시오.

e.g. The growing field of genetics is showing us what many scientists <u>suspected</u> for years. [고2 3월]

have suspected / 「for+기간」과 함께 쓰여 과거에 일어난 일이 현재까지 계속될 때 현재완료

5 We will leave the cups untouched unless they <u>will need</u> to be cleaned. [고1 11월]

6 In turn, the farmer offered him lamb meat and cheese he <u>made</u>. [고1 11월]

7 When Theseus returned home after a war, the ship that <u>carried</u> him and his men was so treasured that the townspeople preserved it for years and years. [고2 3월]

1 prediction 예측 4 staple 주요 산물 B e.g. genetics 유전학 7 treasure 소중히 하다 townspeople 시민 preserve 보존하다

어법 REVIEW 2 짧은 지문 어법연습하기

정답과 해설 p. 8

A 다음 글의 네모 안에서 어법상 적절한 표현을 고르시오.

1 Father (A) [has / had] good reasons on his side, since few people can go through life listening to the birds sing, and the sooner the boy starts his "education" the better. Maybe he will be an ornithologist when he (B) [will grow / grows] up. [고2 3월]

ornithologist 조류학자

2 Isaac Newton and Gottfried von Leibniz independently (A) [discovered / has discovered] calculus in the last half of the seventeenth century. But a study of the history reveals that mathematicians (B) [thought / had thought] of all the essential elements of calculus before Newton or Leibniz came along. [고2 6월]

calculus 미적분학
reveal 드러내다, 보여 주다
essential 주요한
element 요소
come along 나타나다

B 다음 글의 밑줄 친 부분 중, 어법상 틀린 것을 고르시오.

3 This biological "struggle for existence" ① <u>bears</u> considerable resemblance to the human struggle between businessmen who ② <u>are striving</u> for economic success in competitive markets. Long before Darwin ③ <u>has published</u> his work, social scientist Adam Smith ④ <u>had already considered</u> that in business life, competition ⑤ <u>is</u> the driving force behind economic efficiency and adaptation. [고2 3월]

bear 지니다
resemblance 유사성, 닮음
strive 분투하다
driving force 추진력
efficiency 효율, 능률
adaptation 적응

4 In another example, during the housing market crash of 2008, a real estate website ① <u>conducted</u> a survey to see how homeowners ② <u>felt</u> the crash ③ <u>affected</u> the price of their homes. 92% of respondents, aware of nearby foreclosures, ④ <u>asserted</u> these ⑤ <u>have hurt</u> the price of homes in their neighborhood. [고2 11월]

real estate 부동산
conduct 실시하다
respondent 응답자
foreclosure 압류
assert 단언하다

어법 REVIEW 3 기출 유형 어법연습하기

1 다음 글의 밑줄 친 부분 중, 어법상 틀린 것은?

Dear Mr. Coleman,
I'm Aaron Brown, the director of TAC company. To celebrate our company's 10th anniversary and to boost further growth, we ① have arranged a small event. It ② will be an informative afternoon with enlightening discussions on business trends. I recently attended your lecture about recent issues in business and it ③ had been really impressive. I ④ am writing this letter to request that you be our guest speaker for the afternoon. Your experience and knowledge will benefit our businesses in many ways. It would be a pleasure to have you with us. The planned schedule includes a guest speaker's speech and a question and answer session on Thursday, the 21st of November, 2019 at 3:00 p.m. We would sincerely appreciate it if you could make some time for us. We ⑤ will be looking forward to hearing from you soon.
Yours Sincerely,
Aaron Brown

[고2 11월]

Point
① 과거에 일어난 일이 현재에 영향을 미칠 때
② 미래에 발생할 일
③ 과거에 일어난 일들을 발생 순서대로 나열할 때
④ 현재 진행 중인 동작
⑤ 미래에 진행 중일 동작

2 (A), (B), (C)의 각 네모 안에서 어법에 맞는 표현으로 가장 적절한 것은?

Ole Bull was born in Bergen, Norway, in 1810. He was a violinist and composer known for his unique performance method. His father wished for him to become a minister of the church, but he desired a musical career. At the age of five, he could play all of the songs he (A) [had heard / hears] his mother play on the violin. At age nine, he played first violin in the orchestra of Bergen's theater. His debut as a soloist came in 1819, and by 1828 he was made conductor of the Musical Lyceum. He is believed to have composed more than 70 works, but only about 10 (B) [remain / are remaining] today. In 1850, caught up in a rising tide of Norwegian romantic nationalism, Bull co-founded the first theater in which actors performed in Norwegian rather than Danish. Bull died from cancer in his home in 1880. He (C) [has held / had held] his last concert in Chicago the same year, despite his illness.

[고2 9월]

	(A)	(B)	(C)
①	had heard	are remaining	has held
②	hears	remain	had held
③	had heard	are remaining	had held
④	hears	are remaining	has held
⑤	had heard	remain	had held

Point
(A) 과거완료 vs. 현재시제
(B) 단순시제 vs. 진행시제
(C) 현재완료 vs. 과거완료 (대과거)

1 director 이사 celebrate 기념하다 boost 촉진시키다 informative 유익한 enlightening 깨우침을 주는 trend 동향 impressive 인상적인 sincerely 진심으로 appreciate 감사하다
2 composer 작곡가 minister 성직자 career 직업 debut 데뷔 soloist 독주자 conductor 지휘자 tide 흐름; 경향 nationalism 민족주의 co-found 공동 창립하다 despite ~에도 불구하고

3 다음 글의 밑줄 친 부분 중, 어법상 틀린 것은?

If you ① will apply all your extra money to paying off debt without saving for the things that are guaranteed to happen, you ② will feel like ③ you've failed when something does happen. You will end up going further into debt. Let's use an example of an unexpected auto repair bill of $500. If you don't save for this, you'll end up with another debt to pay off. You'll feel frustrated that you ④ have been working so hard to pay things off and yet you just added more debt to your list. On the other hand, if you ⑤ are saving for auto repairs and pay down your debt a little slower, you will feel proud that you planned for the auto repair. You will have cash to pay for it, and you are still paying down your debt uninterrupted and on schedule. Instead of frustration and disappointment from the unexpected auto repair, you feel proud and excited. [고2 3월]

Point
① 조건의 접속사 if 부사절
② 미래에 발생할 일
③ 과거에 일어난 일이 현재에 영향을 미칠 때
④ 현재완료보다 동작이 계속되고 있음을 강조할 때
⑤ 현재 진행 중인 동작, 사건

4 (A), (B), (C)의 각 네모 안에서 어법에 맞는 표현으로 가장 적절한 것은?

The liberalization of capital markets, where funds for investment can be borrowed, has been an important contributor to the pace of globalization. Since the 1970s there (A) [was / has been] a trend towards a freer flow of capital across borders. Current economic theory suggests that this should aid development. Developing countries (B) [have / are having] limited domestic savings with which to invest in growth, and liberalization allows them to tap into a global pool of funds. A global capital market also allows investors greater scope to manage and spread their risks. However, some say that a freer flow of capital has raised the risk of financial instability. The East Asian crisis of the late 1990s (C) [has come / came] in the wake of this kind of liberalization. Without a strong financial system and a sound regulatory environment, capital market globalization can sow the seeds of instability in economies rather than growth. [고2 11월]

	(A)		(B)		(C)
①	was	……	have	……	has come
②	has been	……	have	……	has come
③	has been	……	are having	……	came
④	has been	……	have	……	came
⑤	was	……	are having	……	came

Point
(A) 과거시제 vs. 현재완료
(B) 단순시제 vs. 진행시제
(C) 현재완료 vs. 과거시제

3 debt 빚 guarantee 보장하다 uninterrupted 중단되지 않는, 방해받지 않는 frustration 좌절 disappointment 실망
4 liberalization 자유화 capital 자본 fund 자금 contributor 기여 요인 pace 속도 globalization 세계화 trend 추세 flow 흐름 domestic 국내의 tap into ~을 활용하다 scope 범위 instability 불안정성 sound 건전한 regulatory 규제력을 지닌

어법 REVIEW 4 서술형내신 어법연습하기

1 다음 글을 읽고, 물음에 답하시오.

(a) In 1944 the German rocket-bomb attacks on London suddenly had escalated. Over two thousand V-1 flying bombs fell on the city, killing more than five thousand people and wounding many more. Somehow, however, the Germans consistently missed their targets. Bombs that were intended for Tower Bridge, or Piccadilly, would fall well short of the city, landing in the less populated suburbs. This was because, in fixing their targets, (b) 독일군은 그들이 영국에 심어 놓은 비밀 요원들에게 의지했다. (c) They did not know that these agents had been discovered, and that in their place, English-controlled agents were giving them subtly deceptive information. The bombs would hit farther and farther from their targets every time they fell. By the end of the attack they were landing on cows in the country. By feeding the enemy wrong information, the English army gained a strong advantage. [고2 3월]

VOCA

- 2 escalate 증가하다, 확대되다
- 3 somehow 왜 그런지
- 4 consistently 끊임없이, 계속해서
- target 목표물
- 6 suburb 교외
- 7 rely on ~에 의지하다
- agent 요원
- 9 subtly 교묘하게
- deceptive 기만하는
- 13 advantage 이점, 이득

학교시험 서술형 단골 문제 감 잡기

| 어법 파악 |

01 밑줄 친 (a)에서 어법상 틀린 부분을 찾아 바르게 고쳐 쓰고, 그 이유를 서술하시오.

____

| 어법+영작 |

02 밑줄 친 (b)와 같은 뜻이 되도록 주어진 단어들을 모두 사용하여 문장을 완성하시오. (시제를 변형할 것)

(rely on / they / in England / the Germans / secret agents / plant)

____

| 어법+해석 |

03 밑줄 친 (c)를 우리말로 바르게 해석하시오.

____

정답과 해설 p. 11

2 다음 글을 읽고, 물음에 답하시오.

(a) Trade will not occur unless both parties will want what the other party has to offer. This is referred to as the double coincidence of wants. Suppose a farmer wants to trade eggs with a baker for a loaf of bread. If the baker has no need or desire for eggs, then the farmer is out of luck and does not get any bread. However, if the farmer is enterprising and utilizes his network of village friends, he might discover that the baker is in need of some new cast-iron trivets for cooling his bread, and it just so happens that the blacksmith needs a new lamb's wool sweater. Upon further investigation, the farmer discovers that (b) 직조공이 지난주 내내 오믈렛을 원하고 있었다. The farmer will then trade the eggs for the sweater, the sweater for the trivets, and the trivets for his fresh-baked ____(c)____.

[고1 9월]

VOCA

1 occur 발생하다
2 coincidence (우연의) 일치
3 suppose 가정하다
4 desire 욕구
out of luck 운이 없는
5 enterprising 진취력이 있는
6 utilize 활용하다
7 cast-iron trivet 무쇠 주철 삼각 거치대
8 blacksmith 대장장이
9 investigation 조사
weaver 직조공

학교시험 서술형 단골 문제 감 잡기

| 어법 파악 |

01 밑줄 친 (a)에서 어법상 틀린 부분을 찾아 바르게 고쳐 문장을 다시 쓰시오.

____

| 어법+영작 |

02 밑줄 친 (b)와 같은 뜻이 되도록 주어진 단어들을 모두 사용하여 문장을 완성하시오. (현재완료진행 시제로 쓸 것)

(an omelet / for the past week / the weaver / want)

____

| 내용 파악 |

03 빈칸 (c)에 들어갈 말을 본문에서 찾아 쓰시오. (3단어로 쓸 것)

____

3 다음 글을 읽고, 물음에 답하시오.

Many years ago I (a) visit the chief investment officer of a large financial firm, who had just invested some tens of millions of dollars in the stock of the ABC Motor Company. When I asked how he had made that decision, he replied that (b) he recently attended an automobile show and was impressed. He said, "Boy, they do know how to make a car!" His response made it very clear that he trusted his gut feeling and was satisfied with himself and with his decision. I found it remarkable that he had apparently not considered the one question that an economist would call relevant: Is the ABC stock currently underpriced? Instead, he had listened to his intuition; he liked the cars, he liked the company, and he liked the idea of owning its stock. From what we know about the accuracy of stock picking, (c) it is reasonable to believe that he did not know what he was doing. [고2 6월]

VOCA

1 investment 투자
2 financial firm 금융 회사
3 stock 주식
5 impress 깊은 인상을 주다
6 response 반응
gut feeling 직감
7 remarkable 놀랄 만한
8 apparently 명백히, 분명히
9 relevant 적절한
10 intuition 직감
12 accuracy 정확도
reasonable 당연한

학교시험 서술형 단골 문제 감 잡기

| 어법 파악 |

01 밑줄 친 (a) visit를 어법에 맞게 변형하여 쓰시오.

| 어법 파악 |

02 밑줄 친 (b)에서 어법상 틀린 부분을 두 군데 찾아 바르게 고쳐 문장을 다시 쓰시오.

| 어법+해석 |

03 밑줄 친 (c)를 우리말로 바르게 해석하시오.

정답과 해설 p. 11

4 다음 글을 읽고, 물음에 답하시오.

Dear Mr. Spencer,
I (a) live in this apartment for ten years as of this coming April. I have enjoyed living here and hope to continue doing so. When I first 3 (b) [moved / have moved] into the Greenfield Apartments, I was told that the apartment (c) [has been / had been] recently painted. (d) Since that time, I have never touched the walls or the ceiling. Looking around 6 over the past month has made me realize how old and dull the paint has become. I would like to update the apartment with a new coat of paint. I understand that this would be at my own expense, and that I must get 9 permission to do so as per the lease agreement. Please advise at your earliest convenience.
Sincerely, 12
Howard James

[고2 3월]

VOCA

2 as of ~ 현재로
6 ceiling 천장
7 realize 깨닫다
dull 흐릿한
8 coat 칠, 도금
9 at one's own expense 자비로
10 permission 허락
as per (이미 결정된) ~에 따라
lease agreement 임대차 계약
advise 알리다
11 at your earliest convenience 가급적 빨리, 형편 닿는 대로 빨리

학교시험 서술형 단골 문제 감 잡기

| 어법+해석 |

01 밑줄 친 (a) live를 미래완료 시제로 변형하여 쓴 후, 문장을 우리말로 바르게 해석하시오.

| 어법 파악 |

02 (b)와 (c)의 각 네모 안에서 알맞은 것을 고르고, 그 이유를 쓰시오.

| 어법+해석 |

03 밑줄 친 (d)를 우리말로 바르게 해석하시오.

UNIT 03 조동사와 가정법

Point 1 조동사 should의 생략
Point 2 조동사 + have p.p.
Point 3 가정법
Point 4 다양한 가정법 표현

문법 확인

조동사

❶______를 도와주는 동사로, 문법적인 기능을 도와주거나 ❷______를 더하는 역할

be	be + -ing (진행시제)	do	do + not + 동사원형 (부정문)
	be + p.p. (수동태)		do + 주어 + 동사원형 ~? (의문문)
have	have + p.p. (완료시제)		동사의 반복을 피할 때, 부가의문문, 동사 강조

must (have to)	가능성, 추측 (❸______________)	shall / should (❻__________)	가능성, 추측 (~일 것이다)
	의무 (~해야 한다)		제안 (~하는 게 좋다) 의무, 당위 (~해야 한다)
will / would	가능성, 추측 (당연히 ~일 것이다)	can / could (be able to)	가능성, 추측 (~일 수 있다)
	❹______ (~할 것이다)		능력 (~할 수 있다)
	의지 (~하겠다)		허가 (~해도 된다)
	과거의 ❺______ (~하곤 했다) (=used to)	may / ❼__________	가능성, 추측 (~일지도 모른다)
	공손한 부탁 / 질문 (~해 주시지 않겠습니까?)		허가 (~해도 된다)
			기원 (~하기를 바란다)

가정법

어떤 일을 사실 그대로 표현하는 것이 아니라, ❽______하거나 상상, 소망하는 표현

	개념	형태	의미
가정법 과거	현재 사실에 반대되는 일, 실현 가능성이 희박한 일을 가정하거나 상상	If + 주어 + 동사의 과거형 ~, 주어 + ❾__________의 과거형 + 동사원형 …	만일 ~라면, …할 텐데
가정법 과거완료	과거 사실에 반대되는 일, 실현 가능성이 희박한 일을 가정하거나 상상	If + 주어 + had p.p. ~, 주어 + 조동사의 과거형 + have ❿______ …	만일 ~했다면, …했을 텐데

개념 마무리 OX

(1) 조동사는 문법적 기능을 도와줄 뿐만 아니라 본동사에 의미를 더하기도 한다. (○, ×)

(2) 조동사 역할을 하는 have to, be able to 등은 격 변화나 시제 변화 등이 없다. (○, ×)

(3) 가정법 과거는 과거 사실에 반대되는 일, 실현 가능성이 희박한 일을 가정하거나 상상한다. (○, ×)

* 빈칸에 알맞은 말을 쓰고, 어법상 알맞은 것을 고르시오.

실전어법 개념확인

Point 1 조동사 should의 생략

- 요구, 제안, 주장, 명령 등을 나타내는 어구 뒤에 오는 that절의 내용이 당위성(~해야 한다)을 나타낼 때는, that절의 동사를 「should + 동사원형」 형태로 쓴다. 이때 should는 일반적으로 ________ 할 수 있다.

that절에 당위의 should를 쓰는 주요 동사 및 형용사
a__________(조언하다), command(명령하다), demand(요구하다), insist(주장하다), propose(제안하다), recommend(추천하다), r__________(필요로 하다), s__________(제안하다), order(명령하다), r__________(요청하다) *형용사 essential, necessary(필수적인)

1 He requested that they [join / joined] him at a specific location in three days.

2 A nurse on the floor repeatedly suggested that the twins [be / are] kept together in one incubator.

Point 2 조동사 + have p.p.

- 추측, 가능성의 조동사가 have p.p.와 함께 쓰이면 과거 사실에 대한 추측이나 ________, 유감을 나타낸다.

must have p.p.	~했음에 틀림없다(강한 추측)	__________ **have p.p.**	~했어야 한다(유감, 후회)
may(might) have p.p.	~했을지도 모른다(약한 추측)	**shouldn't have p.p.**	~하지 말았어야 한다(부정 유감, 후회)
cannot have p.p.	__________(부정 추측)	**could have p.p.**	~했을 수도 있다(가능성)

3 Desired objects are perceived as physically nearer to people than they really are, which [might have motivated / cannot have motivated] people to pursue them.

Point 3 가정법

- 가정법 ________: 현재 사실에 반대되는 일, 실현 가능성이 희박한 일을 가정하거나 상상할 때 사용
  If + 주어 + 동사의 __________ / were(was) ~, 주어 + 조동사의 과거형 + 동사원형 …
  (만일 ~라면 …할 텐데)
- 가정법 __________: 과거 사실에 반대되는 일, 실현 가능성이 희박한 일을 가정하거나 상상할 때 사용
  If + 주어 + had p.p. ~, 주어 + 조동사의 과거형 + __________ … (만일 ~했다면, …했을 텐데)

4 If we had that telescope, we [might be / might have been] able to see the beginning.

5 If Wills had allowed himself to become frustrated by his outs, he [would never set / would have never set] any records.

Point 4 다양한 가정법 표현

- __________ + 가정법 과거(주어 + 동사의 과거형): 현재의 실현 불가능한 소망이나 사실에 대한 ________을 표현
  I wish + 가정법 과거완료(주어 + had p.p.): 과거에 이루지 못한 일에 대한 아쉬움이나 유감을 표현
- as if(though) + 가정법 과거(주어 + 동사의 과거형): 주절과 같은 시간대에 일어난, 사실에 반대되는 상황을 가정
  as if(though) + __________(주어 + had p.p.): 주절보다 앞선 시간대에 일어난, 사실에 반대되는 상황을 가정

6 She lay there, listening to the empty thunder that brought no rain, and whispered, "I wish the drought [will / would] end."

7 Some students even walked with their shoulders bent forwards, dragging their feet as they left, as if they [are / were] 50 years older than they actually were.

어법 REVIEW 1 문장 어법연습하기

정답과 해설 p. 14

A 다음 중 어법상 적절한 표현을 고른 후, 그 이유를 쓰시오.

e.g. A nurse on the floor repeatedly suggested that the twins [are / be] kept together in one incubator. [고2 6월]

제안의 동사 suggest 뒤에 당위성의 that절이 오면 동사는 (should) 동사원형

1 So, he recommended to his son that he [go ask / goes ask] the question to the elephant trainer. [교과서]

2 [Without / As though] such passion, they would have achieved nothing. [고1 3월]

3 Often they [may / should] be passive spectators of entertainment provided by television, movies, or other forms of electronic amusement. [고2 3월]

B 다음 밑줄 친 부분을 어법에 맞게 고친 후, 그 이유를 쓰시오.

e.g. It is required that hikers <u>are wearing</u> comfortable hiking shoes or boots and bring their own lunch. [고1 9월 응용]

wear

요구의 동사 require 뒤에 당위성의 that절이 오면 동사는 (should) 동사원형

4 When the staff ordered meat, the cafeteria assistant was supposed to ask them whether they <u>will like to</u> have some gravy. [고2 9월]

5 Sport has the essential nature of being unreliable, which requires that its marketing strategy <u>features</u> products and services more than just the sports match. [고1 11월]

6 Many of us live day to day as if the opposite <u>is</u> true. [고2 11월]

1 recommend 추천하다, 권하다 2 achieve 이루다, 성취하다 3 passive 수동적인 spectator 구경꾼, 방관자 amusement 즐길 거리, 놀이
4 assistant 보조자, 점원 gravy 육즙 소스 5 unreliable 신뢰할 수 없는 feature 특징을 이루다

어법 REVIEW 2 짧은 지문 어법연습하기

정답과 해설 p. 14

A 다음 글의 네모 안에서 어법상 적절한 표현을 고르시오.

1 We cannot help (A) [think / thinking] that our situation should be this way or that way, or at least different from the way it is. Gratitude is not about expectations, but about being thankful for our situation no matter what our expectations (B) [may / should] be. [고2 11월 응용]

situation 상황
gratitude 감사
expectation 기대

2 In one experiment, children were told they (A) [can / could] have one marshmallow treat if they chose to eat it immediately, but two treats if they (B) [waited / had waited]. [고2 3월]

experiment 실험
treat 간식

B 다음 글의 밑줄 친 부분 중, 어법상 틀린 것을 고르시오.

3 Some habits become bad, because a behavior that ① has rewarding elements to it at one time also ② has negative consequences that ③ may not be obvious when the habit began. Overeating is one such habit. You ④ may know conceptually that eating too much ⑤ is a problem. [고2 6월]

rewarding 보상이 되는
element 요소
consequence 결과
conceptually 개념적으로

4 Mary ① is an interior designer. A friend of hers bought a house that needed to be renovated, and had asked her to do the interior decoration. Mary ② wanted the interior of the house to look attractive. However, she ③ would ignore safety standards and ④ will not listen to other contractors, if she ⑤ did not think their proposals fit her ideals. [고2 3월]

renovate 개조하다
ignore 무시하다
contractor 계약자
proposal 제안
ideal 이상

어법 REVIEW 3 기출 유형 어법연습하기

1 다음 글의 밑줄 친 부분 중, 어법상 틀린 것은?

Achieving focus in a movie ① is easy. Directors ② can simply point the camera at whatever they want the audience to look at. Close-ups and slow camera shots can emphasize a killer's hand or a character's brief glance of guilt. On stage, focus is much more difficult because the audience is free to look wherever they like. It is necessary that the stage director ③ gains the audience's attention and direct their eyes to a particular spot or actor. This ④ can be done through lighting, costumes, scenery, voice, and movements. Focus can be gained by simply putting a spotlight on one actor, by having one actor in red and everyone else in gray, or by having one actor move while the others remain still. All these techniques ⑤ will quickly draw the audience's attention to the actor whom the director wants to be in focus. [고1 11월 응용]

Point		
	① 동명사구 주어의 수	④ 조동사의 수동태
	② 조동사 can	⑤ 조동사 will
	③ necessary 뒤의 that절	

2 (A), (B), (C)의 각 네모 안에서 어법에 맞는 표현으로 가장 적절한 것은?

Take the choice of which kind of soup to buy. There's too much data here for you to struggle with: calories, price, salt content, taste, packaging, and so on. If you (A) [were / are] a robot, you'd be stuck here all day trying to make a decision, with no obvious way to trade off which details matter more. To land on a choice, you need a summary of some sort. And that's what the feedback from your body is able (B) [give / to give] you. Thinking about your budget might make your palms sweat, or your mouth might water thinking about the last time you consumed the chicken noodle soup, or noting the excessive creaminess of the other soup (C) [might / must] give you a stomachache. You simulate your experience with one soup, and then the other. Your bodily experience helps your brain to quickly place a value on soup A, and another on soup B, allowing you to tip the balance in one direction or the other. You don't just extract the data from the soup cans, you feel the data. [고2 6월]

	(A)		(B)		(C)
①	were	……	give	……	might
②	are	……	give	……	must
③	are	……	give	……	might
④	were	……	to give	……	must
⑤	were	……	to give	……	might

Point	
	(A) 가정법 과거 vs. 조건절
	(B) '~할 수 있다'를 나타내는 말
	(C) 조동사 might vs. must / 병렬구조

1 achieve 얻다; 성취하다 audience 청중, 관객 emphasize 강조하다 glance 눈짓 guilt 죄책감; 유죄 gain 얻다 scenery 배경
2 stuck 꼼짝 못하는 obvious 분명한 trade off 균형을 유지하다 budget 예산, 비용 excessive 지나친 simulate 모의실험하다 extract 추출하다

정답과 해설 p. 15

3 다음 글의 밑줄 친 부분 중, 어법상 틀린 것은?

We often assume we see our physical surroundings as they actually are. But new research suggests that how we see the world ① depends on what we want from it. When a group of psychologists asked people to estimate how far away a bottle of water was, those who were thirsty ② guessed it was closer than non-thirsty people did. This difference in perception showed up in a physical challenge, too. When people ③ were told to toss a beanbag at a $25 gift card, and that the closest ④ will win it, people threw their beanbags nine inches short on average. But when the gift card's value was $0, people threw their beanbags past the card by an inch. As the brain evolved, people who saw distances to goals as shorter ⑤ might have gone after what they wanted more often. This error in perception was actually an advantage, leading people to get what they needed. [고2 9월]

Point	
① suggest that절의 내용	④ 주절의 시제
② 주절의 시제	⑤ 조동사 + have p.p.
③ 수동태 과거	

4 (A), (B), (C)의 각 네모 안에서 어법에 맞는 표현으로 가장 적절한 것은?

The rain was more than a quick spring shower because in the last ten minutes, it had only gotten louder and heavier. The thunder was getting even closer. Sadie and Lauren were out there with no rain gear. No shelter. And standing in the midst of too many tall trees — or lightning rods. Sadie looked up, trying to see if the black cloud was moving. But it was no longer just one cloud. It appeared (A) though / as though the entire sky had turned dark. Their innocent spring shower had turned into a raging thunderstorm. "Maybe we (B) don't have to / should go back the direction we came from," Sadie said, panicked. "Do you know which way we came?" Lauren asked, her eyes darting around. Sadie's heart fell. Sadie realized with anxiety that she didn't even know where she (C) have taken / had taken her last ten steps from. Every angle looked exactly the same. Every tree a twin to the one beside it. Every fallen limb mimicking ten others. [고2 9월]

	(A)		(B)		(C)
①	though	……	don't have to	……	have taken
②	though	……	should	……	have taken
③	as though	……	should	……	had taken
④	as though	……	should	……	have taken
⑤	as though	……	don't have to	……	had taken

Point
(A) though 양보의 접속사 vs. as though + 가정법
(B) 조동사 have to vs. 조동사 should
(C) 현재완료 vs. 과거완료

3 assume 가정하다 psychologist 심리학자 estimate 추정하다 perception 인식, 지각 evolve 진화하다 go after 뒤쫓다 advantage 이점
4 rain gear 우비 lightning rod 피뢰침 raging 격렬한, 맹렬한 dart around 재빨리 둘러보다 limb 나뭇가지 mimic 흉내내다, 모방하다

어법 REVIEW 4 서술형내신 어법연습하기

1 **다음 글을 읽고, 물음에 답하시오.**

(a) Without money, people could only barter. Many of us barter to a small extent, when we return favors. A man might offer to mend his neighbor's broken door in return for a few hours of babysitting, for instance. Yet it is hard to imagine these personal exchanges working on a larger scale. (b) What would happen if you wanted a loaf of bread and all you had to trade was your new car? Barter depends on the double coincidence of wants, where not only does the other person happen to have what I want, but I also have what he wants. ___(c)___ solves all these problems. There is no need to find someone who wants what you have to trade; you simply pay for your goods with money. The seller can then take the money and buy from someone else. Money is transferable and deferrable — the seller can hold on to it and buy when the time is right. [고2 6월]

VOCA

- 1 barter 물물 교환하다; 물물 교환
- 2 mend 수리하다
- 3 for instance 예를 들어
- 6 coincidence 우연의 일치
- 11 transferable 이동(양도) 가능한
- deferrable 유예할 수 있는

학교시험 서술형 단골 문제 감 잡기

| 어법+영작 |

01 밑줄 친 (a)를 다른 형태의 가정법으로 바꿔 쓰시오.

| 어법+해석 |

02 밑줄 친 (b)를 우리말로 바르게 해석하시오.

| 내용 파악 |

03 글의 내용에 맞게 빈칸 (c)에 들어갈 알맞은 한 단어를 본문에서 찾아 쓰시오.

정답과 해설 p. 17

2 다음 글을 읽고, 물음에 답하시오.

(a) Benjamin Franklin once suggested that a newcomer to a neighborhood asks a new neighbor to do him or her a favor, citing an old maxim: He that has once done you a kindness will be more ready to do you another than he whom you yourself have obliged. In Franklin's opinion, ____(b)____ someone for something was the most useful and immediate invitation to social interaction. Such ____(c)____ on the part of the newcomer provided the neighbor with an opportunity to show himself or herself as a good person, at first encounter. It also meant that the latter could now ask the former for a favor, in return, increasing the familiarity and trust. In that manner, (d) 양쪽은 당연한 망설임과 낯선 사람에 대한 상호간의 두려움을 극복할 수 있을 것이다. [고1 9월]

VOCA

1 newcomer 새로 온 사람
2 cite 인용하다
3 maxim 격언
4 oblige 의무적으로 ~하다, 베풀다
6 interaction 상호 작용
8 encounter 만남, 조우
9 latter 후자
former 전자
10 familiarity 친밀함
hesitancy 주저, 망설임
11 mutual 상호간의
overcome 극복하다

학교시험 서술형 단골 문제 감 잡기

| 어법 파악 |

01 밑줄 친 (a)에서 어법상 틀린 부분을 바르게 고쳐 쓰고, 그 이유를 서술하시오.

| 어법 파악 |

02 글의 내용에 맞게 빈칸 (b)와 (c)에 공통으로 들어갈 한 단어를 쓰시오.

| 어법+영작 |

03 밑줄 친 (d)와 같은 뜻이 되도록 주어진 단어들을 알맞은 순서로 배열하시오.

(and mutual fear / could overcome / their natural hesitancy / of the stranger / both parties)

어법 REVIEW 4 서술형내신 어법연습하기

3 다음 글을 읽고, 물음에 답하시오.

How can we access the nutrients we need with less impact on the environment? The most significant component of agriculture that contributes to climate change is livestock. Globally, beef cattle and milk cattle have the most significant impact in terms of greenhouse gas emissions(GHGEs), and are responsible for 41% of the world's CO2 emissions and 20% of the total global GHGEs. The atmospheric increases in GHGEs caused by the transport, land clearance, methane emissions, and grain cultivation associated with the livestock industry are the main drivers behind increases in global temperatures. In contrast to conventional livestock, (a) insects as "minilivestock" are low-GHGE emitters, use minimal land, can be fed on food waste rather than cultivated grain, and can be farmed anywhere thus potentially also avoiding GHGEs caused by long distance transportation. If we increased (b) i__________ consumption and decreased (c) m__________ consumption worldwide, the global warming potential of the food system (d) will be significantly reduced. [고2 6월]

VOCA

1 access 접근하다
nutrient 영양분
2 component 요소, 성분
3 livestock 가축류
4 greenhouse gas emissions 온실가스 배출
6 atmospheric 대기의
7 land clearance 토지 개간
8 cultivation 경작
10 conventional 전통적인
11 emitter 방사체
12 potentially 잠재적으로
14 consumption 소비

학교시험 서술형
단골 문제 감 잡기

| 어법+해석 |

01 밑줄 친 (a)를 우리말로 해석할 때 제시된 해석에 이어서 빈칸에 알맞은 말을 쓰시오.

'minilivestock'인 곤충들은 온실가스를 적게 배출하고 최소한의 땅을 사용하며

____

| 내용 파악 |

02 빈칸 (b)와 (c)에 들어갈 알맞은 단어를 첫 철자를 활용하여 쓰시오.

(b) i__________ (c) m__________

| 어법 파악 |

03 밑줄 친 (d)를 어법상 바르게 고쳐 쓰시오.

____

정답과 해설 p. 17

4 다음 글을 읽고, 물음에 답하시오.

If a food contains more sugar than any other ingredient, government regulations require that sugar (a) ______ listed first on the label. But if a food contains several different kinds of sweeteners, they can be listed separately, which pushes each one farther down the list. This requirement has led the food industry to put in three different sources of sugar so that (b) 그 식품에 설탕이 그렇게 많이 들어 있다고 말할 필요가 없다. So sugar doesn't appear first. Whatever the true motive, (c) ingredient labeling still does not fully convey the amount of sugar being added to food, certainly not in a language that's easy for consumers to understand. A world-famous cereal brand's label, for example, indicates that the cereal has 11 grams of sugar per serving. But nowhere does it tell consumers that more than one-third of the box contains added sugar. [고2 3월]

VOCA

1 contain 함유하다
ingredient 성분
2 regulation 규정
3 sweetener 감미료
4 requirement 요구
7 motive 동기
8 convey 전달하다
9 consumer 소비자
10 indicate 나타내다, 보여 주다

학교시험 서술형 단골 문제 감 잡기

| 어법 파악 |

01 밑줄 친 문장이 '정부 규정은 설탕이 라벨에 첫 번째로 기재될 것을 요구한다'의 의미가 되도록 빈칸 (a)에 알맞은 동사를 쓰시오.

____

| 어법+영작 |

02 밑줄 친 (b)와 같은 뜻이 되도록 주어진 단어에서 알맞은 것을 골라 문장을 완성하시오.

(the food / they / has / say / don't have to / that much sugar)

____

| 어법+영작 |

03 밑줄 친 (c)를 참고하여 다음 우리말을 영작하시오. (가정법 과거 문장으로 쓸 것)

성분 라벨 표기가 설탕의 양을 충분히 전달한다면, 그것은 소비자들이 이해하기 쉬울 텐데.

____

UNIT 04 태

Point 1 능동 vs. 수동
Point 2 주어를 잘 찾아야 하는 능동 vs. 수동
Point 3 be used to + 동사원형 vs. be used to + 동명사
Point 4 수동태로 쓸 수 없는 동사

문법 확인

수동태

- 수동태는 동작의 주체보다 동작의 대상인 ❶__________에 초점을 맞춘다.

	형태		형태
현재	am / are / is + p.p.	현재진행	am / are / is + being + p.p.
과거	❷__________ + p.p.	과거진행	was / were + being + p.p.
미래	will be + p.p.	현재완료	have / has + ❸__________ + p.p.
to부정사	to be + p.p.	과거완료	had + been + p.p.
동명사	being + p.p.	부정문	be + not / never + p.p.
조동사	조동사 + be + p.p.	구동사	be + 구동사 p.p.

수동태 문장 만들기

- ❹__________ 문장과 2형식 문장은 목적어가 없으므로 수동태로 바꿔 쓸 수 ❺______.

3형식	능동태	주어	동사	목적어
	수동태	목적어	be + p.p.	by + 행위자

* 행위자가 일반인일 경우, 또는 불명확하거나 밝힐 필요가 없을 경우에는 「by + 행위자」를 ❻______할 수 있다.

4형식	능동태	주어	동사	간접목적어	직접목적어
	수동태 1	직접목적어	be + p.p.	❼______ / for / of + 간접목적어	by + 행위자
	수동태 2	❽__________	be + p.p.	직접목적어	by + 행위자

5형식	능동태	주어	동사	목적어	목적격보어
	수동태	목적어	be + p.p.	목적격보어	by + 행위자
	능동태	주어	지각동사 / 사역동사	목적어	목적격보어 (동사원형)
	수동태	목적어	be + p.p.	❾__________	by + 행위자

개념 마무리 OX

(1) 주어가 동사의 동작을 하는 경우 능동태, 주어가 동사의 동작을 받는 경우 수동태로 나타낸다. (○, ×)

(2) 목적어를 취하지 않는 자동사는 수동태로 바꿔 쓸 수 없다. (○, ×)

(3) 5형식 문장을 수동태로 전환할 때 목적격보어가 동사원형인 경우에는 동사원형을 그대로 쓴다. (○, ×)

* 빈칸에 알맞은 말을 쓰고, 어법상 알맞은 것을 고르시오.

실전어법 개념확인

Point 1 능동 vs. 수동

- 동사의 형태를 '태'라고 한다. 주어가 동작을 하는 경우 능동태, 주어가 동작을 받거나 당하는 경우 ____________로 표현한다.
  〈능동태〉 주어 + 동사 + 목적어 〈수동태〉 주어 + be + ________ (+ by + 행위자)
- 사람의 감정 상태를 나타낼 때는 외부 요인으로부터 감정의 자극을 받는 것이므로 수동태로 쓴다.
  감정을 나타내는 동사: amaze, astonish, bore, confuse, depress, embarrass, excite, frighten, frustrate, impress, interest, satisfy, surprise, please, puzzle, tire, worry 등

1 Any moral or ethical opinions [affects / are affected] by an individual's cultural perspective.

Point 2 주어를 잘 찾아야 하는 능동 vs. 수동

- 복잡한 구조의 문장에 수동태가 쓰인 경우, 먼저 ________를 찾는다. 특히, 주어를 수식하는 수식어구를 파악하여 핵심 주어를 찾아야 한다. 이때, 수동태의 ________에 주의한다.

2 Here is an excellent example of how the biological process of digestion [influenced / was influenced] by a cultural idea.

Point 3 be used to + 동사원형 vs. be used to + 동명사

- 형태는 비슷하나 뒤에 오는 동사의 형태에 따라 다른 의미이므로, 쓰임과 의미를 구분하여 알아둔다.
  be used to + 동사원형: ~하는 데 ____________
  be used to + 동명사: ~하는 데 익숙하다 (= be accustomed to + 동명사)
  cf. ____________ + 동사원형: (과거에) ~하곤 했다 〈규칙적 습관〉, (지금은 아니지만 과거에) ~이었다 〈상태〉

3 The profits from reselling the shoes will be used to [build / building] schools in Africa.

Point 4 수동태로 쓸 수 없는 동사

- 자동사는 ____________를 취하지 않으므로 수동태로 쓸 수 없다.

____________ / disappear	나타나다 / 사라지다	arrive	도착하다
come	오다	consist of	~으로 구성되다
exist	존재하다	fall	떨어지다
look like / seem	~처럼 보이다	rely on	~에 의존하다
occur / happen / take place	일어나다, 발생하다	____________	여전히 ~이다, 남아 있다
result	(~의 결과로서) 생기다	turn out	~으로 판명되다

- ____________이지만 주어의 의지와 상관없는 동사, 상태나 소유의 동사, 상호 관계를 나타내는 동사 등은 수동태로 쓸 수 없다.

____________	어울리다	cost	(비용이) ~이다
equal	동등하다	escape	탈출하다
have	가지고 있다	lack	부족하다
meet	만나다	possess	소유하다
____________	닮다	suit	적합하게 하다

4 Medical services are still not well distributed, and accessibility [remains / is remained] a problem in many parts of the world.

어법 REVIEW 1 문장 어법연습하기

정답과 해설 p. 20

A 다음 중 어법상 적절한 표현을 고른 후, 그 이유를 쓰시오.

e.g. Scooter companies provide safety regulations, but the regulations [don't always follow / aren't always followed] by the riders. [고2 9월]

주어 the regulations(규정들)가 '지키는' 것이 아니라 '지켜지는' 것이므로 수동태 필요

1 The public growth of the Internet began in the 1990s, as increasing numbers of computers [came / were come] into homes and workplaces. [고2 3월]

2 When I asked how he had made that decision, he replied that he had recently attended an automobile show and [had been impressed / had impressed]. [고2 6월]

3 In many ways, such treatment [is seemed / seems] completely paradoxical. [고2 11월]

4 A 2016 study from Columbia University in New York City found that 59 percent of the news from links shared on social media [didn't read / wasn't read] first. [고2 9월]

B 다음 밑줄 친 부분이 어법상 맞으면 ○표 하고, 틀리면 바르게 고친 후, 그 이유를 쓰시오.

e.g. Consider identical twins; both individuals <u>give</u> the same genes. [고2 3월]

are given / '똑같은 유전자'를 '부여하는' 것이 아니라 '부여받는' 것이므로 수동태

5 He soon began conducting research toward a Ph.D., but his path <u>interrupted</u> by the outbreak of World War II. [고2 11월]

6 Would you expect the physical expression of pride <u>to be biologically based</u> or culturally specific? [고2 3월]

7 The joy in the simple things, such as making a home-cooked meal, <u>has been removed</u> because we perceive them as difficult and time-consuming. [고2 11월]

A e.g. regulation 규정　3 treatment 처치, 치료　paradoxical 모순된, 역설적인　B e.g. identical twins 일란성 쌍둥이　gene 유전자　5 conduct 하다, 행동하다　interrupt 방해하다, 중단하다　6 biologically 생물학적으로　7 remove 제거하다　perceive 인식하다　time-consuming 시간 소모가 큰

정답과 해설 p. 21

A 다음 글의 네모 안에서 어법상 적절한 표현을 고르시오.

1 Medical services are still not well distributed, and accessibility (A) [is remained / remains] a problem in many parts of the world. Improvements in medical technology tie up money and resources in facilities and trained people, costing more money, and affecting what (B) [can be spent / can spent] on other things. [고2 3월 응용]

distribute 분배하다
accessibility 접근성
improvement 향상
facility 시설
affect 영향을 주다

2 Show off your pictures taken in this beautiful town. All the winning entries (A) [will be included / will include] in the official Springfield tour guide book! Photos should be in color (black-and-white photos (B) [are not accepted / do not accept]). [고2 11월]

show off 뽐내다
entry 출품작

B 다음 글의 밑줄 친 부분 중, 어법상 틀린 것을 고르시오.

3 The desire for fame ① has its roots in the experience of neglect. No one ② would want to be famous who hadn't also, somewhere in the past, ③ been made to feel extremely insignificant. We ④ sense the need for a great deal of admiring attention when we ⑤ have painfully exposed to earlier deprivation. [고2 3월]

desire 욕망
fame 명성
neglect 무시; 방치
insignificant 하찮은
expose 노출시키다
deprivation 박탈감

4 Most importantly, money needs to be scarce in a predictable way. Precious metals have been desirable as money across the millennia not only because they ① have intrinsic beauty but also because they ② are existed in fixed quantities. Gold and silver enter society at the rate at which they ③ are discovered and ④ mined; additional precious metals ⑤ cannot be produced, at least not cheaply. [고2 3월]

scarce 부족한, 희소성이 있는
predictable 예측 가능한
millennia 천 년(간)
intrinsic 본질적인, 내재적인
quantity 양
mine 채굴하다

어법 REVIEW 3 기출 유형 어법연습하기

1 다음 글의 밑줄 친 부분 중, 어법상 틀린 것은?

The difference between selling and marketing is very simple. Selling focuses mainly on the firm's desire to sell products for revenue. Salespeople and other forms of promotion ① are used to creating demand for a firm's current products. Clearly, the needs of the seller are very strong. Marketing, however, ② focuses on the needs of the consumer, ultimately benefiting the seller as well. When a product or service ③ is truly marketed, the needs of the consumer are considered from the very beginning of the new product development process, and the product-service mix ④ is designed to meet the unsatisfied needs of the consuming public. When a product or service is marketed in the proper manner, very little selling is necessary because the consumer need already exists and the product or service ⑤ is merely being produced to satisfy the need.

[고2 3월]

Point	
① 「be used to + 동사원형/동명사」	④ 수동태 현재
② 주어와 동사의 관계	⑤ 수동태 현재진행
③ 수동태 현재	

2 (A), (B), (C)의 각 네모 안에서 어법에 맞는 표현으로 가장 적절한 것은?

In an experiment, researchers presented participants with two photos of faces and asked participants to choose the photo that they thought was more attractive, and then handed participants that photo. Using a clever trick inspired by stage magic, when participants received the photo, it (A) [had switched / had been switched] to the photo not chosen by the participant — the less attractive photo. Remarkably, most participants accepted this photo as their own choice and then proceeded to give arguments for why they had chosen that face in the first place. This (B) [revealed / was revealed] a striking mismatch between our choices and our ability to rationalize outcomes. This same finding has since (C) [been observed / observed] in various domains including taste for jam and financial decisions. [고1 9월]

	(A)		(B)		(C)
①	had switched	……	revealed	……	been observed
②	had switched	……	revealed	……	observed
③	had been switched	……	revealed	……	been observed
④	had been switched	……	was revealed	……	been observed
⑤	had been switched	……	was revealed	……	observed

Point
(A) 수동태 과거완료
(B) 타동사의 능동태
(C) 수동태 현재완료

1 firm 회사 desire 요구, 욕구 revenue 수익 promotion 판촉 demand 요구 ultimately 궁극적으로 exist 존재하다 merely 단지
2 trick 속임수 inspire 영감을 주다 remarkably 놀랍게도 proceed 계속해서 ~하다 argument 논거 reveal 드러내다 striking 놀라운 mismatch 불일치 rationalize 합리화하다 outcome 결과 domain 분야

정답과 해설 p. 21

3 다음 글의 밑줄 친 부분 중, 어법상 틀린 것은?

A dramatic example of how culture can influence our biological processes ① was provided by anthropologist Clyde Kluckhohn, who spent much of his career in the American Southwest studying the Navajo culture. Kluckhohn tells of a non-Navajo woman he knew in Arizona who took a somewhat perverse pleasure in causing a cultural response to food. At luncheon parties she often ② served sandwiches filled with a light meat that ③ was resembled tuna or chicken but had a distinctive taste. Only after everyone had finished lunch would the hostess inform her guests that what they had just eaten was neither tuna salad nor chicken salad but rather rattlesnake salad. Invariably, someone would vomit upon learning what they had eaten. Here, then, is an excellent example of how the biological process of digestion ④ was influenced by a cultural idea. Not only was the process influenced, it ⑤ was reversed: the culturally based *idea* that rattlesnake meat is a disgusting thing to eat triggered a violent reversal of the normal digestive process. [고2 3월]

4 (A), (B), (C)의 각 네모 안에서 어법에 맞는 표현으로 가장 적절한 것은?

For example, Pierre de Fermat issued a set of mathematical challenges in 1657, many on prime numbers and divisibility. The solution to what is now known as Fermat's Last Theorem (A) [did not establish / was not established] until the late 1990s by Andrew Wiles. David Hilbert, a German mathematician, identified 23 unsolved problems in 1900 with the hope that these problems would be solved in the twenty-first century. Although some of the problems were solved, others remain unsolved to this day. More recently, in 2000, the Clay Mathematics Institute named seven mathematical problems that (B) [had not been solved / had not solved] with the hope that they could be solved in the twenty-first century. A $1 million prize (C) [will award / will be awarded] for solving each of these seven problems. [고2 9월 응용]

	(A)		(B)		(C)
①	did not establish	……	had not been solved	……	will award
②	did not establish	……	had not solved	……	will be awarded
③	was not established	……	had not been solved	……	will award
④	was not established	……	had not been solved	……	will be awarded
⑤	was not established	……	had not solved	……	will be awarded

Point (3)

① 수동태 과거	④ 수동태 과거
② 타동사의 능동태	⑤ 수동태 과거
③ 수동태 불가 동사	

Point (4)

(A) 수동태 과거의 부정
(B) 수동태 과거완료의 부정
(C) 수동태 미래

3 anthropologist 인류학자 perverse 심술궂은 luncheon 오찬 resemble 비슷하다 distinctive 독특한 hostess 여주인 rattlesnake 방울뱀 invariably 어김없이 vomit 토하다 reverse 반전시키다 disgusting 혐오스러운 trigger 촉발하다 reversal 반전
4 issue 제시하다 challenge 도전, 과제 prime number 소수 divisibility 가분성 establish 확립하다, 규명하다 identify 규정하다

어법 REVIEW 4 서술형내신 어법연습하기

1 다음 글을 읽고, 물음에 답하시오.

George Boole ⓐ was born in Lincoln, England in 1815. (a) Boole forced to leave school at the age of sixteen after his father's business collapsed. He taught himself mathematics, natural philosophy and various languages. He began to produce original mathematical research and ⓑ was made important contributions to areas of mathematics. For those contributions, in 1844, he ⓒ was awarded a gold medal for mathematics by the Royal Society. Boole ⓓ was deeply interesting in expressing the workings of the human mind in symbolic form, and his two books on this subject, *The Mathematical Analysis of Logic* and *An Investigation of the Laws of Thought* form the basis of today's computer science. In 1849, (b) 그는 Queen's College에서 최초의 수학 교수로 임명되었다 in Cork, Ireland and ⓔ taught there until his death in 1864. [고1 11월]

VOCA
- 2 collapse 파산하다
- 5 contribution 공헌
- 6 award 수여하다
- 9 investigation 연구, 조사
- 11 appoint 임명하다

학교시험 서술형 단골 문제 감 잡기

| 어법 파악 |

01 밑줄 친 (a)에서 어법상 틀린 부분을 찾아 바르게 고쳐 쓰고, 그 이유를 서술하시오.

____

| 어법 파악 |

02 밑줄 친 ⓐ~ⓔ 중, 어법상 틀린 것을 두 개 골라 바르게 고쳐 쓰시오.

______________ → ______________

______________ → ______________

| 어법+영작 |

03 밑줄 친 우리말 (b)를 다음 조건에 맞게 영작하시오.

〈조건〉 • appoint, professor, mathematics, of, at을 활용할 것
• 필요시 위의 단어를 어법에 맞게 변형할 것
• 11단어로 완성할 것

____

정답과 해설 p. 23

2 다음 글을 읽고, 물음에 답하시오.

Our culture is biased toward the fine arts — those creative products that have no function other than pleasure. Craft objects are less worthy; because they serve an everyday function, they're not purely creative. 3
(a) But this division is been culturally and historically relative. Most contemporary high art began as some sort of craft. The composition and performance of what we now call "classical music" began as a form of 6
craft music satisfying required functions in the Catholic mass, or the specific entertainment needs of royal patrons. For example, chamber music really (b) 연주되도록 설계되었다 in chambers — small intimate rooms 9
in wealthy homes — often as background music. The dances composed by famous composers from Bach to Chopin originally did indeed accompany dancing. But today, with the contexts and functions they 12
(c) compose for gone, we listen to these works as fine art. [고2 6월]

VOCA

1 bias 편향하다
4 division 구분
relative 상대적인
5 contemporary 현대의
composition 작곡
8 royal 왕실의
patron 후원자
chamber 실내
9 intimate 친밀한
12 accompany 동반하다
context 맥락

학교시험 서술형
단골 문제 감 잡기

| 어법 파악 |

01 밑줄 친 (a)에서 어법상 틀린 부분을 찾아 바르게 고쳐 쓰시오.

| 어법+영작 |

02 밑줄 친 우리말 (b)를 다음 조건에 맞게 영작하시오.

〈조건〉 • 동사 design, perform을 활용할 것
• 필요시 위의 단어를 어법에 맞게 변형할 것
• 5단어로 완성할 것

| 어법 파악 |

03 밑줄 친 (c)를 어법에 맞게 고쳐 쓰고, 그 이유를 서술하시오.

3 다음 글을 읽고, 물음에 답하시오.

James Francis was born in England and emigrated to the United States at age 18. One of his first contributions to water engineering was the invention of the sprinkler system now widely used in buildings for 3 fire protection. Francis's design involved a series of perforated pipes running throughout the building. It had two defects: (a) 그것은 손으로 켜지게 해야 했으며, 단지 '하나'의 밸브만 있었다. Once the system was activated by 6 opening the valve, water (b) would flow out everywhere. If the building did not burn down, it would certainly be completely flooded. Only some years later, when other engineers perfected the kind of sprinkler heads 9 in use nowadays, did the concept become popular. (c) They turned on automatically and activated only where actually needed. [고2 3월]

VOCA

1 emigrate 이주하다
3 sprinkler 스프링클러
4 perforate 구멍을 뚫다
5 defect 결점
manually 손으로
6 activate 작동하다
10 concept 개념

학교시험 서술형
단골 문제 감 잡기

| 어법+영작 |

01 밑줄 (a)와 같은 뜻이 되도록 주어진 단어들을 알맞은 순서로 배열하시오. (필요하면 변형)
(have to / it / turn on / only / have / and it / valve / *one* / manually,)

| 어법 파악 |

02 밑줄 친 (b)를 같은 뜻의 두 단어로 쓰시오.

| 어법 파악 |

03 밑줄 친 (c)에서 어법상 틀린 부분을 찾아 바르게 고쳐 쓰고, 그 이유를 서술하시오.

정답과 해설 p. 23

4 다음 글을 읽고, 물음에 답하시오.

It was time for the results of the speech contest. I was still skeptical whether I would win a prize or not. My hands were ⓐ trembled due to the anxiety. I thought to myself, 'Did I work hard enough to outperform the other participants?' After a long wait, (a) 봉투가 사회자에게 전달되었다. She tore open the envelope to pull out the winner's name. My hands ⓑ were now sweating and my heart started pounding really hard and fast. "The winner of the speech contest is Josh Brown!" the announcer ⓒ declared. As I ⓓ realized my name ⓔ had called, I jumped with joy. "I can't believe it. I did it!" I exclaimed. I felt like I was in heaven. Almost everybody gathered around me and started congratulating me for my victory. [고2 6월]

VOCA

1 skeptical 회의적인
2 tremble 떨다, 떨리다
3 outperform ~보다 우수하다
4 participant 참가자
6 pound 연타하다, 마구 치다
7 declare 발표하다
9 exclaim 외치다
10 congratulate 축하하다

학교시험 서술형 단골 문제 감 잡기

| 어법 파악 |

01 밑줄 친 ⓐ~ⓔ 중, 어법상 틀린 것을 두 개 골라 바르게 고쳐 쓰시오.

________________ → ________________

________________ → ________________

| 어법+영작 |

02 밑줄 친 우리말 (a)를 다음 조건에 맞게 영작하시오.

〈조건〉 • an envelope, hand, announcer를 활용할 것
• 수동태로 쓸 것
• 7단어로 완성할 것

____

| 심경 파악 |

03 글쓴이의 심경 변화를 10어절 전후의 우리말로 쓰시오.

____

UNIT 05 to부정사와 동명사

Point 1 동사와 준동사
Point 2 동사의 목적어: to부정사/동명사
Point 3 to부정사/동명사 형태의 의미 구분
Point 4 동사의 목적격보어: to부정사/원형부정사

문법 확인

준동사

준동사는 동사가 변형되어 ❶________, 형용사, 부사 역할을 하는 것을 말한다.
준동사에는 to부정사, ❷____________, 분사가 있다.

to부정사(to + V)	Any businessperson wants to increase their personal network. increase → to increase
동명사(V-ing)	Memory means storing what you have learned. store → storing
분사(V-ing / p.p.)	The door opened and Mom's smiling face appeared. smile → smiling

to부정사와 동명사

to부정사: 문장에서 명사나 형용사, ❸_______ 역할을 한다.

명사 역할 (주어, ❹____________, 보어)	They didn't like to vote quickly and efficiently. 동사 like의 목적어
형용사 역할 (명사 수식, 주어 서술)	Our ability to adjust to the weather can decline. 명사 ability 수식
부사 역할 (목적, 이유, 원인 등을 나타냄)	Press the power button once to turn the projector on. 목적을 나타냄(~하기 위하여)

동명사: 문장에서 명사 역할을 한다. ❺____________ 뒤에는 동사원형이 아닌 동명사가 온다.

명사 역할 (주어, 목적어, 보어, 전치사의 목적어)	In this world, being smart or competent isn't enough. 문장의 주어
	Young Nast showed an early talent for drawing. 전치사 for의 목적어

개념 마무리 OX

(1) to부정사는 문장에서 주어 역할을 할 수 없다. (○, ×)

(2) 동명사는 문장에서 명사의 역할을 한다. (○, ×)

(3) 전치사 뒤에는 동명사나 to부정사가 올 수 있다. (○, ×)

* 빈칸에 알맞은 말을 쓰고, 어법상 알맞은 것을 고르시오.

실전어법 개념확인

Point 1 동사와 준동사

- 동사가 다른 품사, 즉 ________, 형용사, ________의 역할을 해야 할 때 준동사의 형태로 쓴다.
- 동사는 문장 또는 절에서 ____________ 역할을 하고, 준동사는 동사로부터 파생되었으나 동사의 역할은 하지 못한다.

1 I decided [walk / to walk] only at night until I was far from the town.

2 Impalas [feed / feeding] upon grass, fruits, and leaves from trees.

Point 2 동사의 목적어: to부정사/동명사

- to부정사와 동명사는 명사의 역할을 하면서 타동사의 ____________로 사용될 수 있다. 이때 to부정사만을 목적어로 취하는 동사, 동명사만을 목적어로 취하는 동사가 있다.

to부정사	wish, hope, prepare, promise, want, decide, agree, manage, choose 등
동명사	finish, admit, forgive, enjoy, mind, practice, consider, understand, keep 등
to부정사와 동명사 모두	begin, continue, hate, intend, like, love, prefer, start 등

3 Commanders wanted [to reinforce / reinforcing] those areas because they seemed to get hit most often.

4 I have enjoyed [to live / living] here and hope to continue doing so.

Point 3 to부정사/동명사 형태의 의미 구분

	to부정사	동명사		to부정사	동명사
remember	~할 것을 기억하다	~한 것을 기억하다	**stop**	~하기 위해 멈추다	____________
forget	____________	~한 것을 잊다	**try**	____________	(시험 삼아) ~해보다
regret	~하게 되어 유감이다	~한 것을 후회하다			

5 Whenever someone stops [to listen / listening] to you, an element of unspoken trust exists.

6 One day, irritated, she was tempted to stop [to bake / baking] extra bread, but soon changed her mind.

Point 4 동사의 목적격보어: to부정사/원형부정사

- 일반동사가 사용된 5형식 문장에서는 동사의 목적격보어로 ____________를 사용할 수 있다.
- 지각동사나 사역동사의 경우 목적격보어로 ____________(동사원형)나 분사를 사용한다.

7 He allowed her [tell / to tell] as much of the story as she could and helped to fill in the details.

8 When the boy saw the trainer [passing / to pass] by, he asked why the beast didn't try to escape.

어법 REVIEW 1 문장 어법연습하기

정답과 해설 p. 26

A 다음 중 어법상 적절한 표현을 고른 후, 그 이유를 쓰시오.

e.g. You hope [to get / getting] lost in a story or be transported into someone else's life. [고2 6월]

hope는 to부정사를 목적어로 취한다.

1 She spends hours each day working on her skill, but she keeps [to be / being] asked about her Instagram following. [고2 6월]

2 You don't eat many of these foods at home, and you want [to try / trying] them all. [고2 3월]

3 Continuing [repeat / to repeat] the name throughout conversation will further cement it in your memory. [고2 6월]

4 Attitude [allows / allowing] you to anticipate, excuse, forgive and forget, without being naive or stupid. [고2 11월]

B 다음 밑줄 친 부분을 어법에 맞게 고친 후, 그 이유를 쓰시오.

e.g. The siren kept <u>to scream</u> and the roar of planes was heard in the sky. [고2 11월]

screaming

keep은 동명사를 목적어로 취한다.

5 When you can do it "good enough" automatically, you stop <u>think</u> about how to do it better. [고2 3월]

6 That value is what causes you <u>repeat</u> the behavior often enough to create the habit. [고2 6월]

7 He could choose <u>spending</u> his time elsewhere, yet he has stopped to respect your part in a conversation. [고2 3월]

A e.g. transport 이동시키다 3 cement 굳히다 4 attitude 태도 anticipate 기대하다 excuse 양해하다 naive 순진한 B e.g. roar 으르렁거림 6 behavior 행동 7 conversation 대화

어법 REVIEW 2 짧은 지문 어법연습하기

정답과 해설 p. 27

A 다음 글의 네모 안에서 어법상 적절한 표현을 고르시오.

1 He says to himself, "They say there's fire here," and he begins (A) [rub / rubbing] energetically. He rubs on and on, but he's very impatient. He wants to have that fire, but the fire doesn't come. So he gets discouraged and (B) [stops / stopping] to rest for a while. [고2 3월]

rub 비비다
energetically 활기차게
impatient 성급한
discourage 좌절시키다

2 It chilled me greatly to think that they would capture me and take me back to that awful place. So, I decided (A) [to walk / walking] only at night until I was far from the town. After three nights' walking, I felt sure that they had stopped (B) [to chase / chasing] me. [고2 3월]

chill 오싹하게 만들다
capture 잡다

B 다음 글의 밑줄 친 부분 중, 어법상 틀린 것을 고르시오.

3 It can be helpful to read your own essay aloud to hear how it sounds, and it can sometimes be even more beneficial to hear someone else ① to read it. Either ② reading will help you ③ to hear things that you otherwise might not notice when editing silently. If you feel uncomfortable having someone ④ read to you, however, or if you simply don't have someone you can ask ⑤ to do it, you can have your computer read your essay to you. [고2 3월]

beneficial 유익한
edit 편집하다

4 I will have lived in this apartment for ten years as of this coming April. I have enjoyed ① living here and hope ② continuing ③ doing so. When I first moved into the Greenfield Apartments, I was told that the apartment had been recently painted. Since that time, I have never touched the walls or the ceiling. ④ Looking around over the past month has made me realize how old and dull the paint has become. [고2 3월]

dull 흐린

어법 REVIEW 3 기출 유형 어법연습하기

1 다음 글의 밑줄 친 부분 중, 어법상 틀린 것은?

Every farmer knows that the hard part is getting the field prepared. ① Inserting seeds and ② watching them grow is easy. In the case of science and industry, the community prepares the field, yet society tends to give all the credit to the individual who happens to plant a successful seed. We need ③ to give more credit to the community in science, politics, business, and daily life. Martin Luther King Jr. was a great man. Perhaps his greatest strength was his ability to inspire people to work together to achieve, against all odds, revolutionary changes in society's perception of race and in the fairness of the law. But to really understand what he accomplished requires ④ look beyond the man. Instead of treating him as the manifestation of everything great, we should appreciate his role in allowing America ⑤ to show that it can be great. [고2 6월 응용]

Point	
① 동사와 준동사	④ 동사와 준동사
② 동사와 준동사	⑤ 동사의 목적격보어: to부정사/원형부정사
③ 동사의 목적어: to부정사/동명사	

2 (A), (B), (C)의 각 네모 안에서 어법에 맞는 표현으로 가장 적절한 것은?

When is the right time for the predator to consume the fruit? The plant (A) [uses / using] the color of the fruit to signal to predators that it is ripe, which means that the seed's hull has hardened — and therefore the sugar content is at its height. Incredibly, the plant has chosen (B) [to manufacture / manufacturing] fructose, instead of glucose, as the sugar in the fruit. Glucose raises insulin levels in primates and humans, which initially raises levels of leptin, a hunger-blocking hormone — but fructose does not. As a result, the predator never receives the normal message that it is full. That makes for a win-win for predator and prey. The animal obtains more calories, and because it keeps (C) [to eat / eating] more and more fruit and therefore more seeds, the plant has a better chance of distributing more of its babies. [고2 6월]

	(A)		(B)		(C)
①	uses	……	to manufacture	……	to eat
②	uses	……	to manufacture	……	eating
③	using	……	manufacturing	……	to eat
④	using	……	manufacturing	……	eating
⑤	using	……	to manufacture	……	eating

Point
(A) 동사와 준동사
(B) 동사의 목적어: to부정사/동명사
(C) 동사의 목적어: to부정사/동명사

1 insert 넣다 community 지역 사회 inspire 영감을 주다 revolutionary 혁명적인 fairness 공정함 accomplish 성취하다 manifestation 징후, 나타남

2 predator 포식자 signal 신호하다 manufacture 생산하다 fructose 과당 glucose 포도당 insulin 인슐린 primate 영장류 leptin 렙틴 distribute 퍼뜨리다, 뿌리다

정답과 해설 p. 27

3 다음 글의 밑줄 친 부분 중, 어법상 틀린 것은?

① Translating academic language into everyday language can be an essential tool for you as a writer ② to clarify your ideas to yourself. For, as writing theorists often note, writing is generally not a process in which we start with a fully formed idea in our heads that we then simply transcribe in an unchanged state onto the page. On the contrary, writing is more often a means of discovery in which we use the writing process ③ to figure out what our idea is. This is why writers are often surprised to find that what they end up with on the page is quite different from what they thought it would be when they started. What we are trying ④ to say here is that everyday language is often crucial for this discovery process. Translating your ideas into more common, simpler terms can help you ⑤ figuring out what your ideas really are, as opposed to what you initially imagined they were. [고2 3월]

Point		
	① 동사와 준동사	④ 동사의 목적어: to부정사/동명사
	② 동사와 준동사	⑤ 동사의 목적격보어: to부정사/원형부정사
	③ 동사와 준동사	

4 (A), (B), (C)의 각 네모 안에서 어법에 맞는 표현으로 가장 적절한 것은?

I rode my bicycle alone from work on the very quiet road of my hometown. Suddenly, I noticed a man with long hair secretly riding behind me. I felt my heart jump. I quickened my legs pushing the pedals, hoping (A) [to ride / riding] faster. He kept following me through the dark, across the field. At last, I got home and tried to reach the bell. The man reached for me. I turned my head around and saw the oddest face in the world. From deep in his throat, I heard him (B) [say / to say], "Excuse me, you dropped your bag," giving the bag back to me. I couldn't say anything, but was full of shame and regret for (C) [to misunderstand / misunderstanding] him.

[고2 3월]

	(A)		(B)		(C)
①	to ride	……	say	……	misunderstanding
②	riding	……	to say	……	to misunderstand
③	to ride	……	to say	……	to misunderstand
④	riding	……	say	……	misunderstanding
⑤	to ride	……	say	……	to misunderstand

Point
(A) 동사의 목적어: to부정사/동명사
(B) 동사의 목적격보어: to부정사/원형부정사
(C) 전치사의 목적어

3 translate 번역하다 academic 학문적인 clarify 명확하게 하다 transcribe 기록하다 figure out 이해하다 crucial 중대한 term 용어
4 quicken 더 빠르게 하다 misunderstand 오해하다

어법 REVIEW 4 서술형내신 어법연습하기

1 다음 글을 읽고, 물음에 답하시오.

Dear Mr. Stanton:
We at the Future Music School have been providing music education to talented children for 10 years. We hold an annual festival (a) to give our students a chance to share their music with the community and we always invite a famous musician to perform in the opening event. Your reputation as a world-class violinist precedes you and the students consider you the musician who has influenced them the most. (b) 그것이 우리가 당신이 연주하도록 요청하고 싶어 하는 이유입니다 at the opening event of the festival. It would be an honor for them to watch one of the most famous violinists of all time (c) [play / to play] at the show. It would make the festival more colorful and splendid. We look forward to receiving a positive reply.
Sincerely,
Steven Forman [고2 6월]

VOCA

- 3 talented 재능 있는
- annual 연례의
- 6 reputation 명성
- precede 앞서다
- 7 influence 영향을 주다
- 9 honor 영광
- 11 splendid 멋진
- 12 positive 긍정적인

학교시험 서술형
단골 문제 감 잡기

| 어법+해석 |

01 밑줄 친 (a)를 우리말로 바르게 해석하시오.

____

| 어법+영작 |

02 밑줄 친 (b)와 같은 뜻이 되도록 주어진 단어들을 알맞은 순서로 배열하시오.

(why / to ask / to perform / want / you / that's / we)

____

| 어법 파악 |

03 (c)의 네모 안에서 어법상 맞는 것을 고르고, 그 이유를 서술하시오.

____

정답과 해설 p. 29

2 다음 글을 읽고, 물음에 답하시오.

Application of Buddhist-style mindfulness to Western psychology came primarily from the research of Jon Kabat-Zinn at the University of Massachusetts Medical Center. He initially took on the difficult task of treating chronic-pain patients, many of whom had not responded well to traditional pain-management therapy. In many ways, such treatment seems completely paradoxical — you teach people (a) deal with pain by helping them (b) becoming more aware of it! However, (c) the key is to help people to let go of the constant tension that accompanies their fighting of pain, a struggle that actually prolongs their awareness of pain. (d) 마음 챙김 명상은 이 사람들 중 많은 이들이 행복감을 증가시키게 했다 and to experience a better quality of life. How so? Because such meditation is based on the principle that if we try to ignore or repress unpleasant thoughts or sensations, then we only end up increasing their intensity.

[고2 11월]

VOCA

1 mindfulness 마음 챙김
3 initially 처음에
4 respond 반응하다
6 paradoxical 역설의
8 tension 긴장
accompany 동반하다
9 prolong 연장시키다
11 meditation 명상
12 repress 억누르다
13 sensation 감각
intensity 강렬함

학교시험 서술형 단골 문제 감 잡기

| 어법 파악 |

01 밑줄 친 (a)와 (b)를 어법에 맞게 고쳐 쓰시오.

____

| 어법+해석 |

02 밑줄 친 (c)를 우리말로 바르게 해석하시오.

____

| 어법+영작 |

03 밑줄 친 (d)와 같은 뜻이 되도록 주어진 단어들을 알맞은 순서로 배열하시오.

(mindfulness meditation / to increase / sense of well-being / allowed / their / many of these people)

____

어법 REVIEW 4 서술형내신 어법연습하기

3 **다음 글을 읽고, 물음에 답하시오.**

A story is only as believable as the storyteller. For story to be effective, trust must be established. Yes, trust. (a) 누군가가 당신의 이야기를 듣기 위해 멈출 때마다, an element of unspoken trust exists. Your listener unconsciously trusts you to say something worthwhile to him, something that will not waste his time. The few minutes of attention he is giving you is sacrificial. He could choose (b) spend his time elsewhere, yet he has stopped (c) respect your part in a conversation. This is where story comes in. Because a story illustrates points clearly and often bridges topics easily, trust can be established quickly, and recognizing this time element to story is essential to trust. (d) Respect your listener's time is the capital letter at the beginning of your sentence. [고2 11월]

VOCA

- 2 establish 수립하다
- 3 element 요소
  - unconsciously 무의식적으로
- 4 worthwhile 가치 있는
- 6 sacrificial 희생적인
- 8 illustrate 설명하다
  - bridge 연결하다
- 9 recognize 인정하다
- 10 capital letter 대문자

학교시험 서술형
단골 문제 감 잡기

| 어법+영작 |

01 밑줄 친 (a)와 같은 뜻이 되도록 주어진 단어들을 알맞은 순서로 배열하시오.

(to / whenever / stops / listen / someone / you / to)

____

| 어법 파악 |

02 밑줄 친 (b)와 (c)를 어법에 맞게 고쳐 쓰시오.

____

| 어법 파악 |

03 밑줄 친 (d)에서 어법상 틀린 부분을 찾아 바르게 고쳐 쓰고, 그 이유를 서술하시오.

____

정답과 해설 p. 29

4 다음 글을 읽고, 물음에 답하시오.

Attitude is your psychological disposition, a proactive way to approach life. It is a personal predetermination not to let anything or anyone take control of your life or manipulate your mood. Attitude allows you (a) [to anticipate / anticipating], excuse, forgive and forget, without being naive or stupid. It is a personal decision to stay in control and not to lose your temper. Attitude provides safe conduct through all kinds of storms. (b) 그것은 당신이 매일 아침 행복하고 단호한 상태로 일어나도록 돕는다 to get the most out of a brand new day. Whatever happens — good or bad — the proper attitude makes the difference. It may not always be easy to have a positive attitude; nevertheless, (c) you need to remember you can face a kind or cruel world based on your perception and your actions. [고2 11월]

VOCA

1 psychological 심리적인
disposition 성향
proactive 앞서 주도하는
2 predetermination 미리 결정함
3 manipulate 조종하다
4 anticipate 기대하다
excuse 양해하다
5 naive 순진한
6 safe conduct 안전 통행증
11 perception 인식

학교시험 서술형 단골 문제 감 잡기

| 어법+영작 |

01 (a)의 네모 안에서 어법상 알맞은 것을 고르고, 그 이유를 서술하시오.

____

| 어법+영작 |

02 밑줄 친 (b)와 같은 뜻이 되도록 주어진 단어들을 알맞은 순서로 배열하시오.

(and / you / helps / to / happy / it / determined / get up every morning)

____

| 어법+해석 |

03 밑줄 친 (c)를 우리말로 바르게 해석하시오.

____

UNIT

06 분사와 분사구문

Point 1 명사를 수식하는 현재분사와 과거분사
Point 2 보어로 사용되는 현재분사와 과거분사
Point 3 감정 동사의 현재분사와 과거분사
Point 4 분사구문(현재분사/과거분사)

문법 확인

현재분사와 과거분사

- 분사는 준동사의 일종으로 ❶_______를 앞뒤에서 수식하거나, ❷____________ 또는 목적격보어로 쓰인다.
- 분사의 종류로는 현재분사(-ing)와 과거분사(p.p.)가 있다. 능동과 진행의 의미일 때는 ❸____________(-ing), 수동과 완료의 의미일 때는 과거분사(p.p.)를 쓴다.

현재분사 (능동/진행)	The exam was very challenging to the students. The dog's presence was a calming influence on patients.
과거분사 (수동/완료)	The mountain is covered with fallen leaves. She took care of the injured people all night.

분사구문

- ❹____________은 분사구문으로 간략히 표현될 수 있다. 분사구문은 부사처럼 문장 전체를 수식한다.
- 분사구문은 시간, 이유, 동시동작, 조건, 양보 등의 의미로 해석할 수 있다.

〈부사절을 분사구문으로 바꾸는 방법〉
When he played soccer with his friend, he hurt his knee.
① ② ③
→ **Playing** soccer with his friend, he hurt his knee.
① 접속사: 생략할 수 있다.(정확한 의미 전달을 위해 남겨 두기도 한다.)
② 주어: ❺_______의 주어와 같을 때 생략한다.(같지 않으면 그대로 둔다.)
③ 동사: 의미상 주절의 주어와의 관계가 ❻_______일 때는 현재분사(-ing), ❼_______일 때는 과거분사(p.p.)로 바꾼다.

개념 마무리 OX

(1) 분사는 명사를 수식하는 역할을 할 수 있다. (○, ×)
(2) 현재분사는 수동과 완료의 의미를 가진다. (○, ×)
(3) 주절의 주어와 부사절의 주어가 같을 때, 분사구문의 주어를 생략할 수 있다. (○, ×)

* 빈칸에 알맞은 말을 쓰고, 어법상 알맞은 것을 고르시오.

실전어법 개념확인

Point 1 명사를 수식하는 현재분사와 과거분사

- 분사는 명사의 앞이나 뒤에서 명사를 수식할 수 있다. ________이나 진행의 뜻을 나타날 때는 현재분사(-ing)를, ________이나 완료의 뜻을 나타낼 때는 과거분사(p.p.)를 사용한다.
- 분사 홀로 명사를 수식하면 명사의 ________에 위치하고, 분사구 형태로 수식하면 명사의 ________에 위치한다.

1 When we see an adorable creature, we must fight an [overwhelming / overwhelmed] urge to squeeze that cuteness.

2 After victory, the behaviors [displaying / displayed] by sighted and blind athletes were very similar.

Point 2 보어로 사용되는 현재분사와 과거분사

- 분사는 주어나 ____________의 상태, 동작을 보충 설명하는 ____________와 목적격보어로 사용될 수 있다.
- 지각동사와 사역동사는 목적격보어로 분사가 아닌 ____________가 올 수도 있다.

3 Although some of the problems were solved, others remain [unsolving / unsolved] to this day.

4 It is not uncommon to hear talk about how lucky we are to live in this age of medical advancement where antibiotics and vaccinations keep us [living / lived] longer.

Point 3 감정 동사의 현재분사와 과거분사

감정이나 상태를 나타내는 동사는 현재분사나 과거분사의 형태로 쓰일 수 있다. '~한 감정을 느끼게 하는'이라는 뜻의 능동의 의미일 때는 ____________(-ing)를, '~한 감정을 느끼는'이라는 뜻의 수동의 의미일 때는 ____________(p.p.)를 사용한다.

5 The composition and performance of what we now call "classical music" began as a form of craft music [satisfying / satisfied] required functions.

6 His response made it very clear that he trusted his gut feeling and was [satisfying / satisfied] with himself and with his decision.

Point 4 분사구문(현재분사/과거분사)

분사구문에 쓰인 분사와 주절의 ________의 관계가 ________이면 현재분사(-ing)를, 수동이면 being p.p.를 쓴다. 이때 being은 생략할 수 있다.

7 [Traveling / Traveled] by train across northern Ontario, A. Y. and several other artists painted everything they saw.

8 One of his first inventions was, although much [needing / needed], a failure.

어법 REVIEW 1 문장 어법연습하기

정답과 해설 p. 32

A 다음 중 어법상 적절한 표현을 고른 후, 그 이유를 쓰시오.

e.g. She was [surprising / surprised] to find her son standing in the doorway. [고2 11월 응용]

주어(she)가 그녀의 아들에 의해 '놀란' 것이므로 수동의 과거분사

1 A man might offer to mend his neighbor's [breaking / broken] door in return for a few hours of babysitting, for instance. [고2 6월]

2 Suddenly, I noticed a man with long hair secretly [riding / ridden] behind me. [고2 3월]

3 [Working / Worked] in a print shop, he became interested in art, and he began to paint landscapes in a fresh new style. [고2 3월]

4 I found a [deserting / deserted] cottage and walked into it. [고2 3월]

B 다음 밑줄 친 부분을 어법에 맞게 고친 후, 그 이유를 쓰시오.

e.g. Smiled brightly, she looked at the familiar faces in the front row. [고2 3월]
Smiling

주어(she)가 '미소를 짓는' 것이므로 능동의 현재분사

5 Dive into the ocean and discover thousands of amazed aquatic creatures right in the heart of Bristol. [고2 6월]

6 Although some of the problems were solved, others remain unsolving to this day. [고2 9월]

7 However, when asking about the price of their own home, 62% believed it had increased. [고2 11월]

1 mend 고치다 3 landscape 풍경 4 desert (어떤 장소를) 버리다 cottage 오두막 5 aquatic creature 수생 동물 6 remain ~한 채로 남아있다

어법 REVIEW 2 짧은 지문 어법연습하기

정답과 해설 p. 32

A 다음 글의 네모 안에서 어법상 적절한 표현을 고르시오.

1 (A) [Tiring / Tired], I lay down on the floor and fell asleep. I awoke to the sound of a far away church clock, softly (B) [ringing / rung] seven times and noticed that the sun was slowly rising. [고2 3월]

far away 멀리 있는

2 Rowe jumps for joy when he finds a cave because he loves being in places where so few have ventured. At the entrance he keeps taking photos with his cell phone to show off his new adventure later. Coming to a stop on a rock a few meters from the entrance, he sees the icy cave's (A) [glittering / glittered] view. He says, "Incredibly beautiful!" (B) [stretching / stretched] his hand out to touch the icy wall. [고2 6월]

venture (위험을 무릅쓰고 모험하듯) 가다
glitter 반짝반짝 빛나다

B 다음 글의 밑줄 친 부분 중, 어법상 틀린 것을 고르시오.

3 Most dyes will permeate fabric in hot temperatures, ① made the color stick. The natural indigo dye ② used in the first jeans, on the other hand, would stick only to the outside of the threads. When the indigo-dyed denim is washed, tiny amounts of that dye get ③ washed away, and the thread comes with them. The more denim was washed, the softer it would get, eventually ④ achieving that worn-in, made-just-for-me feeling you probably get with your favorite jeans. [고2 9월]

dye 염료
permeate 스며들다
fabric 천
stick 달라붙다
indigo 남색
thread 실

4 Your concepts are a primary tool for your brain to guess the meaning of ① incoming sensory inputs. For example, concepts give meaning to changes in sound pressure so you hear them as words or music instead of random noise. In Western culture, most music is based on an octave ② divided into twelve equally ③ spacing pitches: the equal-tempered scale ④ codified by Johann Sebastian Bach in the 17th century. [고2 9월]

concept 개념
primary 주요한
sensory 감각의
sound pressure 음압
octave 옥타브
space 간격을 두다
pitch 음의 높낮이
codify 집대성하다

어법 REVIEW 3 기출 유형 어법연습하기

1 (A), (B), (C)의 각 네모 안에서 어법에 맞는 표현으로 가장 적절한 것은?

The sun caught the ends of the hairs along the bear's back. (A) [Shining / Shone] black and silky, it stood on its hind legs, half up, and studied Brian, just studied him. Then it lowered itself and moved slowly to the left, eating berries as it rolled along, delicately (B) [using / used] its mouth to lift each berry from the stem. His tongue was stuck to the top of his mouth, the tip half out, and his eyes were wide. Then Brian made a low sound, "Nnnnnnnggg." It made no sense. It was just a sound of fear, of his disbelief that something that large could have come so close to him without his knowing. Brian couldn't stop shivering, (C) [thinking / thought] that the bear could return and attack him anytime. [고2 9월 응용]

	(A)		(B)		(C)
①	Shining	……	using	……	thinking
②	Shining	……	used	……	thought
③	Shone	……	using	……	thinking
④	Shone	……	using	……	thought
⑤	Shining	……	used	……	thinking

Point
(A) 분사구문(현재분사/과거분사)
(B) 분사구문(현재분사/과거분사)
(C) 분사구문(현재분사/과거분사)

2 다음 글의 밑줄 친 부분 중, 어법상 틀린 것은?

One night, my family was having a party with a couple from another city who had two daughters. The girls were just a few years older than I, and I played lots of fun games together with them. The father of the family had an ① amusing, jolly, witty character, and I had a memorable night full of laughter and joy. While we laughed, joked, and had our dinner, the TV suddenly broadcast an air attack, and a screeching siren started to scream, ② announcing the "red" situation. We all stopped dinner, and we squeezed into the basement. The siren kept screaming and the roar of planes was heard in the sky. The terror of war was ③ overwhelmed. ④ Shivering with fear, I murmured a ⑤ panicked prayer that this desperate situation would end quickly. [고1 9월]

Point
① 명사를 수식하는 현재분사와 과거분사
② 분사구문(현재분사/과거분사)
③ 보어로 사용되는 현재분사와 과거분사
④ 분사구문(현재분사/과거분사)
⑤ 명사를 수식하는 현재분사와 과거분사

1 hind 뒤쪽의 lower 낮추다 delicately 섬세하게 stem 줄기 sense 의미 disbelief 불신, 믿기지 않음 shiver 떨다
2 jolly 유쾌한 witty 재치 있는 memorable 기억할 만한 broadcast 방송하다 screech 날카로운 소리를 내다 overwhelm 압도하다 murmur 중얼거리다 desperate 절박한

정답과 해설 p. 33

3 다음 글의 밑줄 친 부분 중, 어법상 틀린 것은?

Children develop the capacity for solitude in the presence of an attentive other. Consider the silences that fall when you take a young boy on a quiet walk in nature. The child comes to feel increasingly aware of what it is to be alone in nature, ① supported by being "with" someone who is introducing him to this experience. Gradually, the child takes walks alone. Or imagine a mother ② giving her two-year-old daughter a bath, ③ allowing the girl's reverie with her bath toys as she makes up stories and learns to be alone with her thoughts, all the while ④ knowing her mother is present and available to her. Gradually, the bath, ⑤ taking alone, is a time when the child is comfortable with her imagination. Attachment enables solitude. [고2 9월]

Point
- ① 분사구문(현재분사/과거분사)
- ② 명사를 수식하는 현재분사와 과거분사
- ③ 분사구문(현재분사/과거분사)
- ④ 분사구문(현재분사/과거분사)
- ⑤ 분사구문(현재분사/과거분사)

4 (A), (B), (C)의 각 네모 안에서 어법에 맞는 표현으로 가장 적절한 것은?

Our culture is biased toward the fine arts — those creative products that have no function other than pleasure. Craft objects are less worthy; because they serve an everyday function, they're not purely creative. But this division is culturally and historically relative. Most contemporary high art began as some sort of craft. The composition and performance of what we now call "classical music" began as a form of craft music (A) [satisfying / satisfied] required functions in the Catholic mass, or the specific entertainment needs of royal patrons. For example, chamber music really was designed to be performed in chambers — small intimate rooms in wealthy homes — often as background music. The dances (B) [composing / composed] by famous composers from Bach to Chopin originally did indeed accompany dancing. But today, with the contexts and functions they were composed for (C) [going / gone], we listen to these works as fine art. [고2 6월]

	(A)		(B)		(C)
①	satisfying	……	composed	……	going
②	satisfied	……	composing	……	gone
③	satisfying	……	composing	……	going
④	satisfying	……	composed	……	gone
⑤	satisfied	……	composed	……	gone

Point
- (A) 명사를 수식하는 현재분사와 과거분사
- (B) 명사를 수식하는 현재분사와 과거분사
- (C) 분사구문(현재분사/과거분사)

3 capacity 수용력 solitude 외로움 presence 있음, 존재 attentive 주의를 기울이는 gradually 점차적으로 reverie 몽상 attachment 애착
4 biased 편향된 fine art 순수 예술 relative 상대적인 contemporary 현대의 composition 작곡 patron 후원자 chamber 방 intimate 사적인 accompany 동반하다 context 문맥

어법 REVIEW 4 서술형내신 어법연습하기

1 **다음 글을 읽고, 물음에 답하시오.**

Would you expect the physical expression of pride to be biologically based or culturally specific? The psychologist Jessica Tracy has found that young children can recognize when a person feels pride. Moreover, 3 she found that isolated populations with minimal Western contact also accurately identify the physical signs. These signs include a (a) [smiling / smiled] face, (b) [raising / raised] arms, an expanded chest, and a pushed- 6 out torso. Tracy and David Matsumoto examined pride responses among people (c) <u>compete</u> in judo matches in the 2004 Olympic and Paralympic Games. Sighted and blind athletes from 37 nations competed. After 9 victory, (d) <u>앞이 보이는 그리고 보이지 않는 운동선수들에 의해 보여진 행동들은 매우 유사했다</u>. These findings suggest that pride responses are innate. [고2 3월]

VOCA

1 physical 신체적인
pride 자부심
biologically 생물학적으로
2 psychologist 심리학자
4 isolate 고립시키다
5 identify 식별하다
6 expand 확장시키다
7 torso 몸통
examine 조사하다
8 compete 경쟁하다
11 innate 타고난, 선천적인

학교시험 서술형 단골 문제 감 잡기

| 어법 파악 |

01 (a)와 (b)의 네모 안에서 어법상 알맞은 분사 형태를 고르시오.

| 어법 파악 |

02 밑줄 친 (c)를 알맞은 분사 형태로 고치고, 그 이유를 서술하시오.

| 어법+영작 |

03 밑줄 친 (d)와 같은 뜻이 되도록 주어진 단어들을 알맞은 순서로 배열하시오.

(displayed / the behaviors / sighted and blind athletes / by / very similar / were)

정답과 해설 p. 35

2 다음 글을 읽고, 물음에 답하시오.

During the late 1800s, printing became cheaper and faster, leading to an explosion in the number of newspapers and magazines and the increased use of images in these publications. Photographs, as well as woodcuts and engravings of them, appeared in newspapers and magazines. (a) 늘어난 수의 신문과 잡지들은 더 큰 경쟁을 만들어 냈다 — driving some papers to print more salacious articles to attract readers. This "yellow journalism" sometimes took the form of gossip about public figures, as well as about socialites who considered themselves private figures, and even about those who were not part of high society but had found themselves (b) involve in a scandal, crime, or tragedy that journalists thought would sell papers. Gossip was of course nothing new, but the rise of mass media in the form of (c) widely distributed newspapers and magazines meant that gossip moved from limited (often oral only) distribution to wide, printed dissemination. [고2 11월]

VOCA

- 2 explosion 폭발
- 3 publication 출판물
- woodcut 목판(화)
- 4 engraving 판화
- 6 salacious 외설스러운
- article 기사
- 7 figure 인물
- 8 socialite 사교계 명사
- 10 involve 연관시키다
- tragedy 비극
- journalist 기자
- 12 distribute 나누어주다, 배포하다
- 14 dissemination 유포, 보급

학교시험 서술형 단골 문제 감 잡기

| 어법+영작 |

01 밑줄 친 (a)와 같은 뜻이 되도록 주어진 단어들을 알맞은 순서로 배열하시오.

(created / the increased / greater competition / newspapers and magazines / number of)

| 어법 파악 |

02 밑줄 친 (b)를 알맞은 분사 형태로 고치고, 그 이유를 서술하시오.

| 어법+해석 |

03 밑줄 친 (c)를 우리말로 바르게 해석하시오.

3 다음 글을 읽고, 물음에 답하시오.

(a) <u>After earning her doctorate degree from the University of Istanbul in 1940</u>, Halet Cambel fought tirelessly for the advancement of archaeology. She helped (b) [preserve / preserved] some of Turkey's most important archaeological sites near the Ceyhan River and established an outdoor museum at Karatepe. There, she broke ground on one of humanity's oldest (c) <u>knowing</u> civilizations by discovering a Phoenician alphabet tablet. Her work (d) [preserving / preserved] Turkey's cultural heritage won her a Prince Claus Award. But as well as revealing the secrets of the past, she also firmly addressed the political atmosphere of her present. As just a 20-year-old archaeology student, Cambel went to the 1936 Berlin Olympics, becoming the first Muslim woman to compete in the Games. She was later invited to meet Adolf Hitler but she rejected the offer on political grounds. [고2 6월]

VOCA
1 doctorate degree 박사 학위
3 archaeology 고고학
preserve 보존하다
4 establish 설립하다
6 civilization 문명
Phoenician 페니키아의
8 heritage 유산
reveal 드러내다
9 address (문제, 상황을) 다루다
atmosphere 분위기

학교시험 서술형 단골 문제 감 잡기

| 어법+영작 |
01 밑줄 친 (a)를 부사절로 바꾸어 쓰시오.

____

| 어법 파악 |
02 (b)와 (d)의 네모 안에서 어법상 알맞은 것을 고르시오.

____

| 어법 파악 |
03 밑줄 친 (c)를 어법에 맞게 고치고, 그 이유를 서술하시오.

____

정답과 해설 p. 35

4 다음 글을 읽고, 물음에 답하시오.

It turns out that the secret behind our recently extended life span is not due to genetics or natural selection, but rather to the relentless improvements (a) make to our overall standard of living. From a medical and public health perspective, these developments were nothing less than game changing. For example, major diseases such as smallpox, polio, and measles have been eradicated by mass vaccination. At the same time, better living standards achieved through improvements in education, housing, nutrition, and sanitation systems have substantially reduced malnutrition and infections, (b) 아이들 사이에서의 많은 불필요한 죽음들을 예방하면서. Furthermore, (c) technologies designed to improve health have become available to the masses, whether via refrigeration to prevent spoilage or systemized garbage collection, which in and of itself eliminated many common sources of disease. [고2 11월]

VOCA

1 extend 연장하다
life span 수명
2 genetics 유전학
relentless 끈질긴
4 perspective 관점
5 game changing 획기적인, 판을 바꾸는
smallpox 천연두
6 polio 소아마비
measle 홍역
eradicate 근절하다
8 sanitation 위생
9 malnutrition 영양실조
infection 감염
12 systemize 체계화하다

학교시험 서술형 단골 문제 감 잡기

| 어법 파악 |

01 밑줄 친 (a)를 어법에 맞게 고치고, 그 이유를 서술하시오.

| 어법+영작 |

02 밑줄 친 (b)와 같은 뜻이 되도록 주어진 단어들을 알맞은 순서로 배열하시오.
(children / deaths / preventing / among / unnecessary / many)

| 어법+해석 |

03 밑줄 친 (c)를 우리말로 바르게 해석하시오.

UNIT 07 관계사

Point 1 관계대명사의 격
Point 2 전치사 + 관계대명사
Point 3 관계대명사 that vs. what
Point 4 관계대명사 vs. 관계부사

문법 확인

관계대명사

- 관계대명사는 「접속사 + 대명사」의 역할을 한다.
- 관계대명사가 이끄는 관계사절은 관계대명사 앞의 ❶__________를 꾸미는 ❷__________절의 역할을 한다.
- 선행사가 사람인지 사물인지, 관계사절에서 어떤 역할을 하는지에 따라 다른 관계대명사를 사용한다.

선행사	주격	소유격	목적격
사람	who	❸__________	who(m)
사물	which	whose / of which	which
사람/사물	that	–	❹__________

관계대명사의 계속적 용법

관계대명사 앞에 ❺__________가 있으며, 선행사를 보충 설명한다. 이때 관계대명사는 생략할 수 없고, 관계대명사 that과 what은 계속적 용법으로 사용할 수 없다.

관계대명사 what

선행사를 포함하고 있으며, 문장에서 주어, 목적어, 보어 역할을 하는 명사절을 이끈다. '~하는 것'으로 해석하고, the thing(s) which(that)로 바꾸어 쓸 수 있다. 선행사를 포함하고 있으므로 관계사 앞에 ❻__________가 없다.

관계부사

- 관계부사는 「접속사 + 부사」의 역할을 한다. 선행사의 성격에 따라 관계부사의 종류가 결정되며, 제한적 용법일 때 「전치사 + 관계대명사(which)」로 바꾸어 쓸 수 있다.

선행사	관계부사	전치사 + 관계대명사
시간(the time, the day, the date 등)	when	at, in, on + which
장소(the place, the city 등)	❼__________	at, in, on + which
이유(the reason)	why	for which
방법(the way)	how	in which

- 관계대명사는 뒤에 주어나 목적어가 없는 불완전한 형태의 절이 오지만, 관계부사는 뒤에 ❽__________ 형태의 절이 온다.

개념 마무리 OX

(1) 관계대명사절은 관계대명사 앞의 선행사를 꾸며주는 형용사절의 역할을 한다. (○, ×)

(2) 관계대명사 what은 앞에 반드시 선행사가 있으며, 명사절을 이끈다. (○, ×)

(3) 관계부사는 뒤에 주어나 목적어가 없는 불완전한 절이 온다. (○, ×)

* 빈칸에 알맞은 말을 쓰고, 어법상 알맞은 것을 고르시오.

실전어법 개념확인

Point 1 관계대명사의 격

- 주격 관계대명사: 선행사가 관계사절에서 ________ 역할을 한다. 바로 뒤에 동사가 온다.
- 소유격 관계대명사: 관계사절에서 my, his, its 등을 대신하여 소유격의 역할을 하며, 선행사의 종류와 관계없이 ____________를 사용한다. 뒤에는 _______가 온다.
- 목적격 관계대명사: 선행사가 관계사절에서 타동사의 ____________ 역할을 한다. 뒤에는 「주어 + 동사 ~」가 온다.

1 Such practices may be suggested to athletes because of their real or perceived benefits by individuals [who / whom] excelled in their sports.

2 Most publishers will not want to waste time with writers [who / whose] material contains too many mistakes.

3 The course included a lecture by an Australian lady [whose / whom] we all found inspiring.

Point 2 전치사 + 관계대명사

- 관계사절의 관계대명사가 전치사의 목적어인 경우, 전치사가 ____________의 앞에 오거나 관계사절의 끝에 올 수 있다.
- 전치사 뒤에는 관계대명사 _______이 올 수 없고, 전치사 뒤의 whom을 who로 바꾸어 쓸 수 없다.

4 The idea is that choices depend on the way [which / in which] problems are stated.

Point 3 관계대명사 that vs. what

- 관계대명사 that(which)은 반드시 앞에 ____________가 있고, 선행사를 수식하는 형용사절을 이끈다.
- 관계대명사 what은 the thing(s) which(that)로 바꾸어 쓸 수 있고, 선행사를 포함하기 때문에 선행사가 없으며, 문장에서 주어, 목적어, 보어로 쓰이는 ____________ 역할을 한다.

5 An even better idea is to simply get rid of anything with low nutritional value [that / what] you may be tempted to eat.

6 You are far more likely to eat [that / what] you can see in plain view.

Point 4 관계대명사 vs. 관계부사

- 관계부사는 시간, 장소, 이유, 방법 등을 나타내는 선행사에 따라 종류가 결정되며, 「____________ + 관계대명사」의 형태로 바꾸어 쓸 수 있다.
- 관계대명사 뒤에는 문장의 필수 성분을 다 갖추지 못한 불완전한 절이 오고, 관계부사 뒤에는 문장의 필수 성분을 다 갖춘 ____________ 절이 온다.

7 Jack felt a milestone had been reached one day [which / when] he was playing catch with Mark and threw a bad ball.

어법 REVIEW 1 문장 어법연습하기

정답과 해설 p. 37

A 다음 중 어법상 적절한 표현을 고른 후, 그 이유를 쓰시오.

e.g. My family was having a party with a couple from another city [who / which] had two daughters. [고2 11월]

선행사(a couple from another city)가 사람이고 관계사절에서 주어 역할을 하므로 who

1 Harris talked to a lawyer, [who / which] helped him put the money in a trust. [고2 6월]

2 In 1862 he joined the staff of *Harper's Weekly*, [which / where] he focused his efforts on political cartoons. [고2 6월]

3 One way [which / in which] other people shape who you are is described by Leon Festinger's theory. [고2 6월]

4 We are mostly doing [that / what] we intend to do, even though it's happening automatically. [고2 3월]

B 다음 밑줄 친 부분을 어법에 맞게 고친 후, 그 이유를 쓰시오.

e.g. Respirators could save many lives, but not all those <u>whom</u> hearts kept beating ever recovered any other significant functions. [고2 3월]

whose

관계사절이 '(그들의) 심장이 계속 뛰었던'이라는 뜻이므로 소유격 관계대명사 whose

5 He had only become a dog-lover in later life <u>which</u> Jofi was given to him by his daughter Anna. [고2 3월]

6 In addition to the varied forms <u>where</u> recreation may take, it also meets a wide range of individual needs and interests. [고2 3월]

7 You are far more likely to eat <u>that</u> you can see in plain view. [고2 3월]

1 trust 신탁 2 effort 노력 political 정치적인 3 shape 형성하다 theory 이론 4 intend 의도하다 automatically 자동적으로
B e.g. respirator 인공호흡기 significant 중요한 6 varied 다양한 meet 충족시키다 range 범위 7 plain 분명한

어법 REVIEW 2 짧은 지문 어법연습하기

정답과 해설 p. 38

A 다음 글의 네모 안에서 어법상 적절한 표현을 고르시오.

1 Our sense of how deprived we are is relative. This is an observation (A) [that / what] is both obvious and deeply profound. Which do you think has a higher suicide rate: countries (B) [whose / which] citizens declare themselves to be very happy or not very happy at all? [고2 3월]

deprived 불우한
relative 상대적인
observation 관찰
profound 심오한
declare 선언하다

2 The world can be a different and better place if, while you are here, you give of yourself. This concept became clear to Azim one day (A) [which / when] he was watching television at an airport terminal while waiting for a flight. A priest was sharing a story about newborn twins, one of (B) [who / whom] was ill.

[고2 6월]

concept 개념, 생각
priest 사제
twins 쌍둥이

B 다음 글의 밑줄 친 부분 중, 어법상 틀린 것을 고르시오.

3 Online bookstores welcome their customers by name and suggest new books ① what they might like to read. Real estate sites tell their visitors about new properties ② that have come on the market. These tricks are made possible by cookies, small files ③ that an Internet server stores inside individuals' web browsers so it can remember them. [고2 9월]

real estate 부동산 중개업
property 부동산; 재산
store 저장하다

4 The persons put in the situation of buying a calculator ① whose cost $15 found out from the vendor ② that the same product was available in a different store 20 minutes away and at a promotional price of $10. In this case, 68% of respondents decided to make their way down to the store in order to save $5. In the second condition, ③ which involved buying a jacket for $125, the respondents ④ were also told that the same product was available in a store 20 minutes away and cost $120 there.

[고1 11월]

situation 상황
calculator 계산기
vendor 판매자
available 이용 가능한
promotional 판촉(홍보)의
respondent 응답자

어법 REVIEW 3 기출 유형 어법연습하기

1 다음 글의 밑줄 친 부분 중, 어법상 틀린 것은?

Food is the original mind-controlling drug. Every time we eat, we bombard our brains with a feast of chemicals, ① triggering an explosive hormonal chain reaction ② what directly influences ③ the way we think. Countless studies have shown that the positive emotional state ④ induced by a good meal enhances our receptiveness to be persuaded. It triggers an instinctive desire to repay the provider. This is why executives regularly combine business meetings with meals, why lobbyists invite politicians to attend receptions, lunches, and dinners, and ⑤ why major state occasions almost always involve an impressive banquet.

[고1 9월]

Point
① 분사구문(현재분사/과거분사)
② 관계대명사 that vs. what
③ 관계부사
④ 명사를 수식하는 현재분사와 과거분사
⑤ 관계부사

2 (A), (B), (C)의 각 네모 안에서 어법에 맞는 표현으로 가장 적절한 것은?

Alexander Young Jackson (everyone called him A. Y.) was born to a poor family in Montreal in 1882. His father abandoned them when he was young, and A.Y. had to go to work at age twelve to help support his brothers and sisters. Working in a print shop, he became interested in art, and he began to paint landscapes in a fresh new style. Traveling by train across northern Ontario, A. Y. and several other artists painted everything (A) [that / what] they saw. The "Group of Seven," as they called themselves, put the results of the tour together to create an art show in Toronto in 1920. That was the show (B) [which / where] their paintings were severely criticized as "art gone mad." But he kept painting, traveling, and exhibiting, and by the time (C) [which / when] he died in 1974 at the age of eighty-two, A. Y. Jackson was acknowledged as a painting genius and a pioneer of modern landscape art. [고2 3월 응용]

	(A)	(B)	(C)
①	that	which	which
②	that	where	which
③	what	where	which
④	that	where	when
⑤	what	which	when

Point
(A) 관계대명사 that vs. what
(B) 관계대명사 vs. 관계부사
(C) 관계대명사 vs. 관계부사

1 bombard 퍼붓다 explosive 폭발적인 induce 유발하다 enhance 높이다 receptiveness 수용성 instinctive 본능적인 executive 경영진, 임원 reception 환영회 state occasion 국가적 행사 impressive 인상적인 banquet 연회
2 abandon 저버리다 put ~ together ~을 한데 모으다 severely 호되게 criticize 비판하다 acknowledge 인정하다 pioneer 개척자, 선구자

정답과 해설 p. 38

3 다음 글의 밑줄 친 부분 중, 어법상 틀린 것은?

Translating academic language into everyday language can be an essential tool for you as a writer to clarify your ideas to yourself. For, as writing theorists often note, writing is generally not a process ① in which we start with a fully formed idea in our heads ② that we then simply transcribe in an unchanged state onto the page. On the contrary, writing is more often a means of discovery in which we use the writing process to figure out what our idea is. This is ③ why writers are often surprised to find that what they end up with on the page is quite different from ④ that they thought it would be when they started. What we are trying to say here is ⑤ that everyday language is often crucial for this discovery process. Translating your ideas into more common, simpler terms can help you figure out what your ideas really are, as opposed to what you initially imagined they were. [고2 3월]

Point	
① 전치사 + 관계대명사	④ 관계대명사 that vs. what
② 관계대명사의 격	⑤ 접속사 that
③ 관계부사	

4 (A), (B), (C)의 각 네모 안에서 어법에 맞는 표현으로 가장 적절한 것은?

Identity theft can take many forms in the digital world. That's because many of the traditional clues about identity — someone's physical appearance and presence — (A) [is replaced / are replaced] by machine-based checking of "credentials". Someone is able to acquire your credentials — sign-on names, passwords, cards, tokens — and in so doing is able to convince an electronic system that they are you. This is an ingredient in large numbers of cyber-related fraud, and cyber-related fraud is by far the most common form of crime (B) [whose / that] hits individuals. For example, identity thieves can buy goods and services (C) [which / what] you will never see but will pay for, intercept payments, and, more drastically, empty your bank account. [고2 11월]

	(A)		(B)		(C)
①	is replaced	……	whose	……	which
②	are replaced	……	that	……	what
③	are replaced	……	that	……	which
④	is replaced	……	that	……	which
⑤	are replaced	……	whose	……	what

Point
(A) 주어와 동사의 수 일치
(B) 관계대명사의 격
(C) 관계대명사 which vs. what

3 translate 번역하다 academic 학문적인 essential 필수적인 clarify 명확하게 하다 theorist 이론가 transcribe 기록하다 crucial 중대한 term 용어 as opposed to ~와는 대조적으로 initially 처음에

4 identify theft 신원 도용 physical 물리적인 appearance 출석, 나타남 presence 존재, 입회 replace 대체하다 credential 신용 증명물 token 징표, 대용 화폐 convince 확신시키다 ingredient 요소 fraud 사기 by far 단연코 intercept 가로채다 drastically 심하게 account 계좌

어법 REVIEW 4 서술형내신 어법연습하기

1 다음 글을 읽고, 물음에 답하시오.

There is a reason (a) which so many of us are attracted to recorded music these days, especially considering personal music players are common and people are listening to music through headphones a lot. Recording engineers and musicians (b) 우리의 뇌를 즐겁게 하는 특수 효과를 만들어 내는 것을 배웠다 by exploiting neural circuits that evolved to discern important features of our auditory environment. These special effects are similar in principle to 3-D art, motion pictures, or visual illusions, none of which have been around long enough for our brains to have evolved special mechanisms to perceive them. Rather, 3-D art, motion pictures, and visual illusions leverage perceptual systems that are in place to accomplish other things. Because (c) they use these neural circuits in novel ways, we find them especially interesting. The same is true of the way that modern recordings are made. [고2 11월]

VOCA

4 tickle 즐겁게 하다
5 exploit 이용하다
neural circuit 신경 회로
evolve 발달시키다
discern 구분하다, 분간하다
6 feature 특징
auditory 청각의
7 motion picture 영화
visual illusion 착시
9 perceive 인지하다
10 leverage 이용하다
perceptual 지각의, 인식의
11 novel 새로운

학교시험 서술형 단골 문제 감 잡기

| 어법 파악 |

01 밑줄 친 (a)를 어법에 맞게 고치고, 그 이유를 서술하시오.

| 어법+영작 |

02 밑줄 친 (b)와 같은 뜻이 되도록 주어진 단어들을 알맞은 순서로 배열하시오.

(to create / that / have learned / special effects / our brains / tickle)

| 내용 파악 |

03 밑줄 친 (c)가 가리키는 것을 찾아 영어로 쓰시오.

정답과 해설 p. 40

2 다음 글을 읽고, 물음에 답하시오.

Psychologists Leon Festinger, Stanley Schachter, and sociologist Kurt Back began to wonder how friendships form. Why do some strangers build lasting friendships, while others struggle to get past basic platitudes? Some experts explained that friendship formation could be traced to infancy, (a) [which / where] children acquired (b) the values, beliefs, and attitudes what would bind or separate them later in life. But Festinger, Schachter, and Back pursued a different theory. The researchers believed that physical space was the key to friendship formation; that "friendships are likely to develop on the basis of brief and passive contacts made going to and from home or walking about the neighborhood." In their view, it wasn't so much that people with similar attitudes became friends, but rather that (c) 하루 동안 서로를 지나치는 사람들 tended to become friends and so came to adopt similar attitudes over time. [고2 6월]

VOCA

3 lasting 지속되는
4 platitude 상투적인 말
formation 형성
5 trace 추적하다
6 attitude 태도
7 pursue 추구하다
10 passive 수동적인
13 adopt 받아들이다

학교시험 서술형
단골 문제 감 잡기

| 어법 파악 |

01 (a)의 네모 안에서 어법상 맞는 것을 고르고, 그 이유를 서술하시오.

____

| 어법 파악 |

02 밑줄 친 (b)에서 어법상 틀린 부분을 찾아 바르게 고쳐 문장을 다시 쓰시오.

____

| 어법+영작 |

03 밑줄 친 (c)와 같은 뜻이 되도록 주어진 단어들을 알맞은 순서로 배열하시오.

(passed / people / during / each other / the day / who)

____

어법 REVIEW 4 서술형내신 어법연습하기

3 다음 글을 읽고, 물음에 답하시오.

Born in 1917, Cleveland Amory was an author, an animal advocate, and an animal rescuer. During his childhood, he had a great affection for his aunt Lucy, who was instrumental in helping Amory get his first puppy as a child, an event (a) [that / what] Amory remembered seventy years later as the most memorable moment of his childhood. He graduated from Harvard College in 1939 and later became the youngest editor ever hired by *The Saturday Evening Post*. Amory wrote three instant bestselling books, including *The Best Cat Ever*, based on his love of animals. He founded The Fund for Animals in 1967, and he served as its president, without pay, until his death in 1998. He always dreamed of (b) 동물들이 자유로이 돌아다닐 수 있는 장소 and live in caring conditions. Inspired by Anna Sewell's novel *Black Beauty*, Amory established Black Beauty Ranch, a 1,460-acre area (c) that shelters various abused animals including chimpanzees and elephants. Today, a stone monument to Amory stands at Black Beauty Ranch. [고2 9월]

VOCA

1 advocate 옹호자
2 rescuer 구조자
affection 애정
3 instrumental 중요한
6 editor 편집자
9 found 설립하다
11 roam 돌아다니다
conditions 환경(*pl.*)
13 shelter 보호하다
abuse 학대하다
14 monument 기념비

학교시험 서술형 단골 문제 감 잡기

| 어법 파악 |

01 (a)의 네모 안에서 어법상 맞는 것을 고르고, 그 이유를 서술하시오.

____

| 어법+영작 |

02 밑줄 친 (b)와 같은 뜻이 되도록 주어진 단어들을 알맞은 순서로 배열하시오.

(free / animals / could / where / roam / a place)

____

| 어법+해석 |

03 밑줄 친 (c)를 우리말로 바르게 해석하시오.

____

정답과 해설 p. 40

4 다음 글을 읽고, 물음에 답하시오.

The practice of medicine has meant (a) 모든 국가에서 사람들이 살 것이라고 기대하는 평균 연령 is higher than it has been in recorded history, and there is a better opportunity than ever for an individual to survive serious disorders such as cancers, brain tumors and heart diseases. However, longer life spans mean more people, worsening food and housing supply difficulties. In addition, medical services are still not well distributed, and accessibility remains a problem in many parts of the world. Improvements in medical technology shift the balance of population (to the young at first, and then to the old). (b) They also tie up money and resources in facilities and trained people, costing more money, and (c) 다른 일에 쓰일 수 있는 것에 영향을 미치며. [고2 3월]

VOCA

1 practice of medicine 의료 행위
mean (어떤 결과를) 의미하다, (결국) 하게 되다
2 average 평균의
4 disorder 장애
brain tumor 뇌종양
5 life span 수명
6 distribute 분배하다
7 accessibility 접근성
9 tie up 묶다
10 train 훈련시키다
11 affect 영향을 미치다

학교시험 서술형 단골 문제 감 잡기

| 어법+영작 |

01 밑줄 친 (a)를 다음 조건에 맞게 완성하시오.

〈조건〉 •「전치사 + 관계대명사」를 사용할 것
• the average age를 포함하여 5단어로 쓸 것

______________________ people in all nations may expect to live

| 내용 파악 |

02 밑줄 친 (b)가 가리키는 것을 찾아 영어로 쓰시오.

____

| 어법+영작 |

03 밑줄 친 (c)와 같은 뜻이 되도록 주어진 단어들을 알맞은 순서로 배열하시오.

(be / affecting / spent / can / on other things / what)

____

UNIT 08 접속사

Point 1 접속사와 전치사
Point 2 접속사 that과 관계대명사 that / what
Point 3 병렬구조
Point 4 명사절을 이끄는 접속사와 부사절을 이끄는 접속사

문법 확인

등위접속사

등위접속사는 단어와 단어, 구와 구, 절과 절을 연결하는 접속사로, ❶________를 이룬다.

and (그리고)	or (또는, 그렇지 않으면)	❷______ (그러나)	yet (그러나)	so (그래서)

상관접속사

상관접속사는 두 개 이상의 어구가 ❸______을 이루어 접속사 역할을 하며, 병렬구조를 이룬다.

both A and B (A와 B 둘 다)	either A or B (A 또는 B)	neither A ❹______ B (A도 B도 아닌)
not A but B (A가 아니라 B)	❺________ A ________ B = B as well as A (A뿐만 아니라 B도)	

종속접속사

종속접속사는 주절과 주절에 의미상 종속되는 ❻________(명사절, 부사절)을 연결하는 접속사이다.

〈명사절 접속사〉

주어, ❼________, 보어 역할	❽______, if, whether, 의문사

〈부사절 접속사〉

구분	접속사
시간	when, while, as, since, till, until, before, after, as soon as 등
❾______	because, as, since 등
결과	so ~ (that) ..., such ~ (that) ... 등
목적	so that ~, in order that 등
조건	❿______, in case, unless 등
양보	though, although, even if, even though, while 등

개념 마무리 OX

(1) 등위접속사는 단어와 단어, 구와 구, 절과 절 등을 연결한다. (○, ×)

(2) 종속접속사의 주절과 종속절은 병렬구조를 이룬다. (○, ×)

(3) 부사절은 문장에서 보어 역할을 하며 시간, 이유 등을 나타낸다. (○, ×)

* 빈칸에 알맞은 말을 쓰고, 어법상 알맞은 것을 고르시오.

실전어법 개념확인

Point 1 접속사와 전치사

- 접속사는 뒤에 「________+________」 형태의 절이 오고, ____________는 뒤에 명사(구)나 동명사(구)가 온다.

1 Power companies sometimes have trouble meeting demand [during / while] peak usage periods.

2 This practice forces you to have a different inner life experience, [because of / since] you will, in fact, be listening more effectively.

Point 2 접속사 that과 관계대명사 that / what

- 접속사 that: 뒤에 「주어＋동사＋~ (보어/목적어 등)」 형태의 ____________ 절이 온다.
- 관계대명사 that: ____________가 있고, 뒤에 불완전한 형태의 절이 온다.
- 관계대명사 what: 선행사가 ________, 뒤에 ____________ 형태의 절이 온다.

3 They focused on a specific goal, and failed to notice [that / what] other options were passing them by.

4 The immune system remembers the molecular equipment [that / what] it developed for that particular battle.

5 [That / What] he found was that the 'lucky' people were good at spotting opportunities.

Point 3 병렬구조

- ____________ 또는 ____________로 연결되는 단어, 구, 문장은 ________ 문법적 형태와 기능으로 연결되어 병렬구조를 이룬다.

6 Tom clapped and cheered and [look / looked] like he could barely keep himself from running up to hug her.

7 Verbal and nonverbal signs are not only relevant but also [significant / significantly] to intercultural communication.

Point 4 명사절을 이끄는 접속사와 부사절을 이끄는 접속사

- 명사절을 이끄는 접속사: ________, if, whether 등이 있으며, ____________은 문장에서 주어, 목적어, 보어 역할을 한다.
- 동격의 that: that절이 앞에 오는 명사를 구체적으로 설명할 때 이를 ________이라고 한다. 동격에 자주 사용되는 명사에는 fact, idea, belief, thought, rumor, hope 등이 있다.
- 부사절을 이끄는 접속사: ____________은 시간, 이유, 결과, 목적, 조건, 양보 등의 의미를 나타내는 부사 역할을 하는 절로, ________의 앞 또는 뒤에 위치한다. when, because, if, though 등이 있다.

8 [What / Whether] someone does or doesn't is a function of environment, life experiences, and personal choices.

9 The thought [that / what] I could meet Evelyn soon lightened my walk.

10 [If / Unless] you simply don't have someone you can ask to do it, you can have your computer read your essay to you.

어법 REVIEW 1 문장 어법연습하기

정답과 해설 p. 43

A 다음 중 어법상 적절한 표현을 고른 후, 그 이유를 쓰시오.

e.g. Obviously, some of these practices, such as drinking alcohol [while / during] a marathon, are no longer recommended. [고2 3월]

뒤에 명사가 오므로 전치사 during

1 [Because / Because of] debate both requires and allows for a lot of preparation, individuals develop confidence in their materials and passion for the ideas they support. [고2 9월]

2 The researchers believed [that / what] physical space was the key to friendship formation. [고2 6월]

3 But more recent research has shown that the leaves are simply so low in nutrients [what / that] koalas have almost no energy. [고2 3월]

4 The project aims to build conversation around disability and [pushing / to push] for greater accessibility and inclusion. [고2 11월]

B 다음 밑줄 친 부분을 어법에 맞게 고친 후, 그 이유를 쓰시오.

e.g. Debate provides a focus on the content over style, so the attention is not on the person but the arguments. [고2 9월 응용]

on the arguments

상관접속사 not A but B의 병렬구조로 on the person과 같은 형태인 on the arguments

5 When you know what edible bugs can be found beneath certain types of rocks, it saves turning over *all* the rocks. [고2 11월]

6 He had held his last concert in Chicago the same year, though his illness. [고2 9월]

7 When the staff ordered meat, the cafeteria assistant was supposed to ask them that they would like to have some gravy. [고2 9월]

1 preparation 준비 2 formation 형성 4 accessibility 접근 가능성 inclusion 포함, 포괄 5 edible 먹을 수 있는 7 assistant 조수; 점원

어법 REVIEW 2 짧은 지문 어법연습하기

정답과 해설 p. 43

A 다음 글의 네모 안에서 어법상 적절한 표현을 고르시오.

1 Calling your pants "blue jeans" almost seems redundant because practically all denim is blue. (A) [While / Despite] jeans are probably the most versatile pants in your wardrobe, blue actually isn't a particularly neutral color. Ever wonder why it's the most commonly used hue? Blue was the chosen color for denim (B) [because / because of] the chemical properties of blue dye.

[고2 9월]

redundant 불필요한, 중복된
practically 사실상, 거의
versatile 다용도의
wardrobe 옷장
neutral 중립의; 중간색의
hue 색조, 색상
properties (물질의) 성질, 특징

2 There are, of course, still millions of people who equate success with money and power — who are determined to never get off that treadmill (A) [despite / even if] the cost in terms of their well-being, relationships, and happiness. But both in the West and (B) [in emerging economies / emerging economies], there are more people every day who recognize that these are all dead ends. [고1 9월 응용]

equate 동일시하다
determine 결정하다
in terms of ~의 관점에서
emerging economies 신흥 경제 국가(들)
recognize 인식하다
dead end 막다른 길

B 다음 글의 밑줄 친 부분 중, 어법상 틀린 것을 고르시오.

3 ① Although the property of brain plasticity is most obvious ② during development, the brain remains changeable throughout the life span. It is evident ③ that we can learn and remember information long after maturation. For example, being exposed to fine wine or Pavarotti changes one's later appreciation of wine and music, ④ even if encountered in late adulthood. The adult brain is plastic in other ways, too. For instance, one of the characteristics of normal aging is ⑤ what neurons die and are not replaced. [고2 11월 응용]

property 특성
brain plasticity 뇌 가소성
evident 명백한, 분명한
maturation 성인이 됨, 성숙
appreciation 이해
encounter 접하다, 마주치다
plastic 가소성의

어법 REVIEW 3 기출유형 어법연습하기

1 다음 글의 밑줄 친 부분 중, 어법상 틀린 것은?

Testing strategies relating to direct assessment of content knowledge still have their value in an inquiry-driven classroom. Let's pretend for a moment ① that we wanted to ignore content and only assess a student's skill with investigations. The problem is ② what the skills and the content are interconnected. ③When a student fails at pattern analysis, it could be because they do not understand how to do the pattern analysis properly. However, it also could be that they did not understand the content that they were trying to build patterns with. Sometimes students will understand the processes of inquiry well, and be capable of skillfully applying social studies disciplinary strategies, yet fail to do so ④ because they misinterpret the content. For these reasons, we need a measure of a student's content understanding. To do this right, we need to make sure our assessment is getting us accurate measures of ⑤ whether our students understand the content they use in an inquiry. [고2 9월]

Point		
	① 명사절 접속사(목적어 역할)	④ 부사절 접속사(이유)
	② 명사절 접속사(보어 역할)	⑤ 명사절 접속사(목적어 역할)
	③ 부사절 접속사(시간)	

2 (A), (B), (C)의 각 네모 안에서 어법에 맞는 표현으로 가장 적절한 것은?

You know that forks don't fly off to the Moon and that neither apples nor anything else on Earth cause the Sun to crash down on us. The reason these things don't happen is (A) [that / whether] the strength of gravity's pull depends on two things. The first is the mass of the object. The apple is very small, and doesn't have much mass, so its pull on the Sun is absolutely tiny, certainly much smaller than the pull of all the planets. The Earth has more mass than tables, trees, or apples, so almost everything in the world is pulled towards the Earth. That's why apples fall from trees. Now, you might know (B) [what / that] the Sun is much bigger than Earth and has much more mass. So why don't apples fly off towards the Sun? The reason is that the pull of gravity also depends on the distance to the object doing the pulling. (C) [Although / Despite] the Sun has much more mass than the Earth, we are much closer to the Earth, so we feel its gravity more. [고2 9월]

	(A)		(B)		(C)
①	that	……	what	……	Although
②	whether	……	what	……	Despite
③	whether	……	what	……	Although
④	that	……	that	……	Despite
⑤	that	……	that	……	Although

Point	
	(A) 명사절 접속사(보어 역할)
	(B) 명사절 접속사(목적어 역할)
	(C) 접속사와 전치사

1 assessment 평가　inquiry-driven classroom 탐구 주도형 교실　assess 평가하다　investigation 관찰　interconnected 상호 연결된　analysis 분석　properly 적절히　disciplinary 학과의　misinterpret 잘못 해석하다　measure 측정　accurate 정확한
2 fly off 날아가 버리다　crash down 추락하다　gravity 중력　depend on ~에 달려 있다　mass 질량　absolutely 절대적으로

정답과 해설 p. 44

3 다음 글의 밑줄 친 부분 중, 어법상 틀린 것은?

Charisma is eminently learnable and teachable, and in many ways, it follows one of Newton's famed laws of motion: *For every action, there is an equal and opposite reaction*. That is to say that all of charisma and human interaction is a set of signals and cues ① that lead to other signals and cues, and there is a science to deciphering which signals and cues work the most in your favor. In other words, charisma can often be simplified as a checklist of what to do at what time. However, it will require brief forays out of your comfort zone. ② Even though there may be a logically easy set of procedures to follow, it's still an emotional battle to change your habits and ③ introducing new, uncomfortable behaviors that you are not used to. I like to say ④ that it's just a matter of using muscles ⑤ that have long been dormant. It will take some time to warm them up, but it's only through practice and action that you will achieve your desired goal. [고2 11월]

Point	
① 관계대명사 that	④ 명사절 접속사(목적어 역할)
② 부사절 접속사(양보)	⑤ 관계대명사 that
③ 등위접속사 병렬구조	

4 (A), (B), (C)의 각 네모 안에서 어법에 맞는 표현으로 가장 적절한 것은?

The original idea of a patent, remember, was not to reward inventors with monopoly profits, but to encourage them to share their inventions. A certain amount of intellectual property law is plainly necessary to achieve this. But it has gone too far. Most patents are now as much about defending monopoly and (A) [discouraging / to discourage] rivals as about sharing ideas. And that disrupts innovation. Many firms use patents as barriers to entry, suing upstart innovators who trespass on their intellectual property even on the way to some other goal. In the years before World War I, aircraft makers tied each other up in patent lawsuits and slowed down innovation (B) [that / until] the US government stepped in. Much the same has happened with smartphones and biotechnology today. New entrants have to fight their way through "patent thickets" (C) [if / unless] they are to build on existing technologies to make new ones. [고2 9월]

	(A)		(B)		(C)
①	discouraging	……	that	……	if
②	to discourage	……	until	……	unless
③	discouraging	……	until	……	if
④	to discourage	……	until	……	if
⑤	discouraging	……	that	……	unless

Point
(A) 등위접속사 병렬구조
(B) 부사절 접속사(시간)
(C) 부사절 접속사(조건)

3 eminently 분명히 famed 유명한 laws of motion 운동 법칙 opposite reaction 반작용 interaction 상호 작용 cue 단서 decipher 판독하다 in one's favor ~에게 유리하게 foray 시도 logically 논리적으로 procedure 절차 dormant 활동을 중단한

4 patent 특허권 monopoly 독점 intellectual property law 지적재산권법 plainly 분명히 disrupt 방해하다 innovation 혁신 barrier 장벽 sue 고소하다 upstart 최근에 나타난 trespass 침해하다 entrant 갓 들어온 사람 patent thickets 특허권 덤불

어법 REVIEW 4 서술형내신 어법연습하기

1 다음 글을 읽고, 물음에 답하시오.

When we read a number, we are more influenced by the leftmost digit than by the rightmost, since that is the order in which we read, and process, them. The number 799 feels significantly less than 800 (a) due to we see the former as 7-something and the latter as 8-something, whereas 798 feels pretty much like 799. Since the nineteenth century, shopkeepers have taken advantage of this trick by choosing prices ending in a 9, to give to the impression that a product is cheaper than it is. Surveys show (b) [that / what] around a third to two-thirds of all retail prices now end in a 9. Though we are all experienced shoppers, we are still fooled. In 2008, researchers at the University of Southern Brittany monitored a local pizza restaurant that was serving five types of pizza at €8.00 each. (c) 피자들 중 하나가 가격이 인하되었을 때 to €7.99, its share of sales rose from a third of the total to a half. [고1 11월]

VOCA

1 leftmost 제일 왼쪽의
digit 수
2 rightmost 제일 오른쪽의
order 순서
3 process 처리하다
significantly 현저히
4 whereas 반면에
6 take advantage of ~을 이용하다, ~을 기회로 활용하다
7 impression 인상
12 reduce 줄이다, 인하하다

학교시험 서술형 단골 문제 감 잡기

| 어법 파악 |

01 밑줄 친 (a)를 어법에 맞게 고쳐 쓰고, 그 이유를 서술하시오.

| 어법 파악 |

02 (b)의 네모 안에서 어법상 맞는 것을 고르고, 그 이유를 서술하시오.

| 어법+영작 |

03 밑줄 친 (c)와 같은 뜻이 되도록 주어진 단어들을 알맞은 순서로 배열하시오.

(one of / in price / reduced / when / was / the pizzas)

정답과 해설 p. 46

2 다음 글을 읽고, 물음에 답하시오.

(a) [For / While] several years much research in psychology was based on the assumption that human beings are driven by base motivations such as aggression, egoistic self-interest, and the pursuit of simple pleasures. Since many psychologists began with (b) that assumption, they inadvertently designed research studies that supported their own presuppositions. Consequently, the view of humanity that prevailed in psychology was that of a species barely keeping its aggressive tendencies in check and managing to live in social groups more out of motivated self-interest than out of a genuine affinity for others or a true sense of community. (c) Sigmund Freud와 John B. Watson이 이끈 초기 행동주의자들 둘 다 인간들이 주로 이기적인 욕구들에 의해서 동기 부여되었다고 믿었다. From that perspective, social interaction is possible only by exerting control over those baser emotions and, therefore, it is always vulnerable to eruptions of violence, greed, and selfishness. [고2 11월]

VOCA

- 2 assumption 가정
  base 열등한, 천한
- 3 aggression 공격
  egoistic 이기적인
  pursuit 추구
- 5 inadvertently 무심코
- 6 presupposition 가정, 예상
  prevail 우세하다
- 7 keep ~ in check ~을 억제하다
- 9 genuine 진짜의, 진정한
  affinity 친밀감
- 12 exert 발휘하다
- 13 vulnerable 취약한
  eruption 분출

학교시험 서술형 단골 문제 감 잡기

| 어법 파악 |

01 (a)의 네모 안에서 어법상 맞는 것을 고르고, 그 이유를 서술하시오.

____

| 내용 파악 |

02 밑줄 친 (b)가 가리키는 것을 글에서 찾아 7단어로 쓰시오.

____

| 어법+영작 |

03 밑줄 친 (c)와 같은 뜻이 되도록 주어진 단어들을 알맞은 순서로 배열하여 문장을 완성하시오.

(by / humans / primarily / believed / that / selfish drives / were motivated)

Both Sigmund Freud and the early behaviorists led by John B. Watson ____________

______________________________.

3 다음 글을 읽고, 물음에 답하시오.

(a) 당신이 상점에 들어갈 때, 당신은 무엇을 보는가? It is quite likely that you will see many options and choices. It doesn't matter whether you want to buy tea, coffee, jeans, or a phone. In all these situations, we are basically flooded with options from which we can choose. What will happen (b) [what / if] we ask someone, whether online or offline, if he or she prefers having more alternatives or less? The majority of people will tell us that they prefer having more alternatives. (c) This finding is interesting because of, as science suggests, the more options we have, the harder our decision making process will be. The thing is that when the amount of options exceeds a certain level, our decision making will start to suffer.

[고2 9월]

VOCA

2 option 선택 사항
matter 중요하다
4 flood 넘치게 하다
6 alternative 선택 가능한 것, 대안
9 decision making 의사 결정
10 exceed 초과하다

학교시험 서술형 단골 문제 감 잡기

| 어법+영작 |

01 밑줄 친 (a)와 같은 뜻이 되도록 주어진 단어들을 알맞은 순서로 배열하시오. (단, when이 문두에 오도록 쓸 것)

(enter / when / what / you / a store / do / see / you)

| 어법 파악 |

02 (b)의 네모 안에서 어법상 맞는 것을 고르고, 그 이유를 서술하시오.

| 어법 파악 |

03 밑줄 친 (c)에서 어법상 틀린 부분을 찾아 바르게 고쳐 쓰시오.

정답과 해설 p. 46

4 다음 글을 읽고, 물음에 답하시오.

We like to make a show of how much our decisions are based on rational considerations, but the truth is (a) [which / that] we are largely governed by our emotions, (b) [which / what] continually influence our perceptions. 3
(c) 이것이 의미하는 것은 ~라는 것이다 the people around you, constantly under the pull of their emotions, change their ideas, by the day or by the hour, depending on their mood. You must never assume that what people say 6 or do in a particular moment is a statement of their permanent desires. Yesterday they were in love with your idea; today they seem cold. This will confuse you and if you are not careful, you will waste valuable 9 mental space trying to figure out their real feelings, their mood of the moment, and fleeting motivations. (d) It is best to cultivate both distance and a degree of detachment from their shifting emotions so that you are 12 not caught up in the process. [고1 11월]

VOCA

1 make a show of ~을 (자랑삼아) 보여 주다
rational 이성적인
2 govern 지배하다
3 perception 인지, 인식
6 assume 가정하다
7 permanent 영구적인
10 figure out 알아내다
11 fleeting 빨리 지나가는, 무상한
cultivate 기르다, 함양하다
12 a degree of 어느 정도의
detachment 초연함, 분리
shifting 변화하는

학교시험 서술형 단골 문제 감 잡기

| 어법 파악 |

01 (a)와 (b)의 네모 안에서 어법상 맞는 것을 고르시오.

(a) ____________ (b) ____________

| 어법+영작 |

02 밑줄 (c)와 같은 뜻이 되도록 주어진 단어들을 알맞은 순서로 배열하시오.

(means / what / that / is / this)

____

| 어법+해석 |

03 밑줄 친 (d)를 우리말로 바르게 해석하시오.

____

____

UNIT 09 명사와 대명사

Point 1 셀 수 있는 명사, 셀 수 없는 명사
Point 2 명사와 대명사의 일치
Point 3 지시대명사, 부정대명사
Point 4 인칭대명사, 재귀대명사

문법 확인

명사

- 명사는 사람, 사물, 개념 등의 이름을 나타내는 말로, 문장에서 ❶________, 목적어, 보어 등의 역할을 한다.
- 셀 수 있는 명사는 부정관사 a(an)와 함께 쓸 수 있고, -e(s)를 붙여 ❷____________을 만든다.
- 셀 수 없는 명사는 부정관사 a(an)와 함께 쓸 수 없고, 복수형이 ❸________.
- 명사의 수량 표현

	많은		약간의, 조금 있는		거의 없는	전혀 없는
셀 수 있는 명사	many	a lot of	a few	some(긍정문, 권유문) any(부정문, 의문문)	❺____________	no
셀 수 없는 명사	much		❹____________		little	

대명사

- 대명사는 사람, 사물, 개념 등의 이름을 대신하거나 명사의 ❻________을 피하기 위해 사용하며, 인칭대명사, 지시대명사, 부정대명사 등이 있다.
- 인칭대명사: 사람이나 사물을 지칭하는 데 사용하는 대명사로 인칭에 따라 수와 격이 다르다.
  it은 비인칭 주어, 가주어, 가목적어로 쓰이며, 「It ~ that」 강조구문에도 쓰인다.
  재귀대명사: 재귀 용법 – 동사나 전치사의 목적어 역할을 하며, 생략할 수 ❼________.
  강조 용법 – 주어나 ❽____________를 강조하며, 생략할 수 있다.
- 지시대명사: this / these, that / those 등이 있으며, 선행 명사의 수에 알맞게 사용한다.
- 부정대명사: 특정한 사람이나 사물을 대신하지 않고 ❾____________ 것을 지칭할 때 사용하는 대명사이다.
  one / other / another, some / any, all / each, both, either / neither ...

개념 마무리 OX

(1) 모든 명사는 복수형으로 쓸 수 있다. (○, ×)

(2) 지시대명사는 특정한 것을 지칭할 때, 부정대명사는 불특정한 것을 지칭할 때 사용한다. (○, ×)

(3) 재귀대명사는 재귀 용법으로 쓰일 때 생략할 수 없다. (○, ×)

* 빈칸에 알맞은 말을 쓰고, 어법상 알맞은 것을 고르시오.

실전어법 개념확인

Point 1 셀 수 있는 명사, 셀 수 없는 명사

- 셀 수 없는 명사는 단수 취급하여 ____________가 온다. 셀 수 있는 명사와 셀 수 없는 명사의 수식어가 다르다.

셀 수 있는 명사	many	________	few	a (great) number of	a lot of, lots of, plenty of, some/any, no
셀 수 없는 명사	much	a little	little	an(a) (great) ________ (deal) of	

cf. the number of는 '~의 수'라는 의미로, 뒤에 복수 명사가 와도 ________ 취급

1 Farmers located a few on their land, broke the dinosaur bones into pieces, and made [many / much] money.

2 The number of natural disasters in Asia [was / were] the largest of all five regions and accounted for 36 percent.

Point 2 명사와 대명사의 일치

- 명사와 대명사의 일치란 앞에 나온 명사와 이를 대신하는 ____________의 성, 수, 격, 인칭을 일치시키는 것을 말한다.
- 「all/most/some of + 명사」의 경우 뒤에 오는 명사의 수에 따라 이어지는 대명사의 수를 일치시킨다.

3 We recognize and understand information but can't recall [it / them] when we need [it / them].

4 An old woman gave me the whole loaf saying my need was greater than [her / hers].

Point 3 지시대명사, 부정대명사

- 앞에 언급한 바로 그 사람이나 사물과 종류는 같으나 불특정한 대상을 지칭할 때는 부정대명사 ____________을 쓴다.
- 지시대명사 this/these, that/those는 앞에 나온 명사의 ________을 피하기 위해 사용되며, 수 일치에 유의한다.

one ~, the other ...	(둘 중) 하나는 ~ 나머지 하나는 …
one ~, another ..., the other –	(셋 중) 하나는 ~, 또 하나는 …, 나머지 하나는 –
one ~, ________________ ...	(여럿 중) 하나는 ~, 나머지 전부는 …
some ~, others ...	(불특정 다수 중) 일부는 ~, 또 다른 일부는 …
____________ ~, the others ...	(특정 다수 중) 일부는 ~, 나머지 전부는 …

5 None of those lies, however, convinced the king that he had listened to the best [it / one].

6 Why do some strangers build lasting friendships, while [other / others] struggle to get past basic platitudes?

Point 4 인칭대명사, 재귀대명사

- 동사나 전치사 뒤의 목적어가 주어와 같은 대상이면 ____________를, 다른 대상이면 인칭대명사를 쓴다.

7 He pulled Jason out of his bed, opened the front door and threw [him / himself] out into the snow.

8 Let them know honestly how you are feeling and allow [you / yourself] some opportunities to avoid responsibility.

어법 REVIEW 1 문장 어법연습하기

정답과 해설 p. 49

A 다음 중 어법상 적절한 표현을 고른 후, 그 이유를 쓰시오.

e.g. She chose a fancy-looking door lock, against the (A) [advice / advices] of the locksmith who did not think (B) [it / they] was dependable. [고2 3월]

(A) advice는 셀 수 없는 명사로 복수형 불가
(B) a fancy-looking door lock을 받는 단수 대명사

1 Paul stumbled on Bill's sleeping bag, but [it / one] didn't feel right to him. [고2 6월 응용]

2 The food industry don't have to say the food has that [many / much] sugar. [고2 3월 응용]

3 The king of England might enrich [him / himself], but only by robbing the king of France. [고2 3월]

4 Then, half the participants played a block-matching puzzle video game for ten minutes, while [the others / another] sat quietly. [고2 11월 응용]

B 다음 밑줄 친 부분을 어법에 맞게 고친 후, 그 이유를 쓰시오.

e.g. Most of his landscapes <u>was</u> done in shades of black. [고2 6월 응용]

were / 「most of + 명사」는 명사의 수에 동사 일치

5 It is a waste that one who is so intelligent about so many things in life seems unable to apply that <u>an intelligence</u> to academic work. [고1 11월 응용]

6 As an animal senses what it considers to be a predator approaching within <u>their</u> 'flight' distance, it will quite simply run away. [고2 3월]

7 Some of the stars are already long dead yet we still see <u>it</u> because of their traveling light. [고2 9월]

A e.g. locksmith 자물쇠 수리공 dependable 믿을 수 있는 1 stumble 넘어지다 3 enrich 풍요롭게 하다 4 participant 참가자 5 apply 적용하다 academic 학문의 6 predator 포식자 flight 도주

어법 REVIEW 2 짧은 지문 어법연습하기

정답과 해설 p. 49

A 다음 글의 네모 안에서 어법상 적절한 표현을 고르시오.

1 Most bacteria are good for us. (A) [One / Some] live in our digestive systems and help us digest our food, and some live in the environment and produce oxygen so that we can breathe and live on Earth. But unfortunately, a few of these wonderful (B) [creature / creatures] can sometimes make us sick. [고1 9월]

bacteria 박테리아(*pl.*)
digestive system 소화 기관
digest 소화시키다
oxygen 산소
creature 생명체

2 At a Human Library, people with unique life stories volunteer to be the "books." For (A) [a certain number of / a certain amount of] time, you can ask them questions and listen to their stories. (B) [Many / Much] of the stories have to do with some kind of stereotype. [고2 6월 응용]

unique 특별한
volunteer 자원하다
stereotype 고정관념

B 다음 글의 밑줄 친 부분 중, 어법상 틀린 것을 고르시오.

3 Sound waves are capable of traveling through many solid ① materials as well as through air. The density of the air ② themselves also plays a determining factor in the loudness of sound waves passing through ③ it. [고2 9월 응용]

sound wave 음파
solid 단단한
material 물질
density 밀도
determining 결정하는

4 Although instances occur in which partners start ① their relationship by telling everything about ② themselves to each other, such instances are rare. In most cases, the amount of ③ disclosures increases over time. We begin ④ relationships by revealing relatively little about ⑤ ourselves. [고2 3월]

instance 사례
rare 드문
disclosure 드러냄
reveal 드러내다
relatively 비교적

어법 REVIEW 3 기출 유형 어법연습하기

1 다음 글의 밑줄 친 부분 중, 어법상 <u>틀린</u> 것은?

Credit arrangements of one kind or another have existed in all known human cultures. The problem in previous eras was not that no one had the idea or knew how to use it. It was that people seldom wanted to extend ① <u>many</u> credit because they didn't trust that the future would be better than the present. They generally believed that times past had been better than ② <u>their</u> own times and that the future would be worse. To put that in economic terms, they believed that ③ <u>the total amount of</u> wealth was limited. People therefore considered it a bad bet to assume that they would be producing more wealth ten years down the line. Business looked like a zero-sum game. Of course, the profits of one particular bakery might rise, but only at the expense of the bakery next door. The king of England might enrich ④ <u>himself</u>, but only by robbing the king of France. You could cut the pie in many different ways, but ⑤ <u>it</u> never got any bigger. [고2 3월]

Point	
① 수량 표현 + 셀 수 없는 명사	④ 재귀대명사의 용법
② 대명사의 소유격	⑤ 인칭대명사
③ 수량 표현 + 셀 수 없는 명사	

2 (A), (B), (C)의 각 네모 안에서 어법에 맞는 표현으로 가장 적절한 것은?

When I started my career, I looked forward to the annual report from the organization showing statistics for each of (A) [its / their] leaders. As soon as I received them in the mail, I'd look for my standing and compare my progress with the progress of all the other leaders. After about five years of doing that, I realized how harmful it was. Comparing yourself to (B) [the other / others] is really just a needless distraction. The only one you should compare (C) [you / yourself] to is you. Your mission is to become better today than you were yesterday. You do that by focusing on what you can do today to improve and grow. Do that enough, and if you look back and compare the you of weeks, months, or years ago to the you of today, you should be greatly encouraged by your progress. [고2 3월]

	(A)		(B)		(C)
①	its	……	the other	……	you
②	their	……	the other	……	yourself
③	its	……	others	……	yourself
④	their	……	others	……	you
⑤	its	……	others	……	you

Point
(A) 명사와 대명사의 일치
(B) 부정대명사
(C) 대명사의 목적격 / 재귀대명사

1 credit 신용 arrangement 합의, 계약 era 시대 seldom 거의 ~ 않는 economic term 경제 용어 wealth 부 bet 내기 assume 추정하다 profit 이익, 수익 particular 특정한 rob 털다, 도둑질하다

2 career 직업, 경력 annual 연례의 organization 조직 statistics 통계 standing 순위 compare 비교하다 progress 진전 distraction 정신을 산란하게 만드는 것

정답과 해설 p. 50

3 다음 글의 밑줄 친 부분 중, 어법상 틀린 것은?

Children sometimes see and say things to please adults; teachers must realize this and the power ① it implies. Teachers who prefer that children see beauty as they ② themselves do are not encouraging a sense of aesthetics in children. They are fostering uniformity and obedience. Only children who choose and evaluate for ③ themselves can truly develop their own aesthetic taste. Just as becoming literate is a basic ④ goals of education, one of the key goals of all creative early childhood programs is to help young children develop the ability to speak freely about ⑤ their own attitudes, feelings, and ideas about art. Each child has a right to a personal choice of beauty, joy, and wonder. Aesthetic development takes place in secure settings free of competition and adult judgment. [고2 3월]

Point	
① 인칭대명사	④ 부정관사 a(an) + (형용사 +) 단수 명사
② 재귀대명사의 용법	⑤ 대명사의 소유격
③ 재귀대명사의 관용 표현	

4 (A), (B), (C)의 각 네모 안에서 어법에 맞는 표현으로 가장 적절한 것은?

The desire for fame has (A) [its / their] roots in the experience of neglect. No one would want to be famous who hadn't also, somewhere in the past, been made to feel extremely insignificant. We sense the need for (B) [a great number of / a great deal of] admiring attention when we have been painfully exposed to earlier deprivation. Perhaps one's parents were hard to impress. They never noticed one much, they were so busy with other things, focusing on other famous people, unable to have or express kind feelings, or just working too hard. There were no bedtime stories and one's school reports weren't the subject of praise and admiration. That's why one dreams that one day the world will pay attention. When we're famous, our parents will have to admire (C) [us / ourselves] too. [고2 3월]

	(A)		(B)		(C)
①	its	……	a great number of	……	us
②	their	……	a great number of	……	ourselves
③	its	……	a great deal of	……	ourselves
④	its	……	a great deal of	……	us
⑤	their	……	a great deal of	……	ourselves

Point
(A) 명사와 대명사의 일치
(B) 수량 표현 + 셀 수 없는 명사
(C) 대명사의 목적격 / 재귀대명사

3 imply 암시하다, 넌지시 나타내다 aesthetics 심미학 foster 조장하다, 발전시키다 uniformity 획일성 obedience 순종, 복종 evaluate 평가하다 taste 취향 literate 글을 읽고 쓸 줄 아는 attitude 태도 right 권리 secure 안전한 competition 경쟁 judgment 판단
4 desire 욕망 fame 명성 neglect 무시, 방치 insignificant 사소한 attention 주의, 주목 expose 노출하다 deprivation 박탈, 부족 impress 감명을 주다 admiration 감탄, 존경

어법 REVIEW 4 서술형내신 어법연습하기

1 다음 글을 읽고, 물음에 답하시오.

We have to recognize that there always exists in us the strongest need to utilize *all* our attention. And (a) this is quite evident in the great number of displeasure we feel any time the entirety of our capacity for attention is not being put to use. When this is the case, we will seek to find outlets for our unused attention. If we are playing a chess game with a weaker opponent, we will seek to supplement this activity with another: such as watching TV, or listening to music, or playing another chess game at the same time. Very often (b) 이것은 무의식적인 움직임들로 자신을 드러낸다, such as playing with something in one's hands or pacing around the room; and if (c) such an action also serves to increase pleasure or relieve displeasure, all the better. [고1 11월]

VOCA

1 recognize 인정하다
2 utilize 활용하다
attention 주의력
evident 명백한
3 displeasure 불쾌감
entirety 전체
capacity 용량
4 outlet 배출구
6 opponent 상대방
supplement 보충하다
9 pace around 돌아다니다
10 relieve 완화하다

학교시험 서술형
단골 문제 감 잡기

| 어법 파악 |

01 밑줄 친 (a)에서 어법상 틀린 부분을 찾아 바르게 고쳐 문장을 다시 쓰시오.

| 어법+영작 |

02 밑줄 친 (b)와 같은 뜻이 되도록 주어진 단어들을 모두 사용하여 문장을 완성하시오. (필요하면 변형)

(reveals / this / in / it / movements / unconscious)

| 내용 파악 |

03 밑줄 친 (c)가 의미하는 바를 우리말로 쓰시오.

정답과 해설 p. 52

2 다음 글을 읽고, 물음에 답하시오.

"Survivorship bias" is a common logical fallacy. We're prone to listen to the success stories from survivors (a) 왜냐하면 나머지 다른 이들은 주변에 없기 때문이다 to tell the tale. A dramatic example from history is the case of statistician Abraham Wald who, during World War II, was hired by the U.S. Air Force to determine how to make their bomber planes safer. The planes that returned tended to have bullet holes along the wings, body, and tail, and commanders wanted to reinforce those areas because (b) they seemed to get hit most often. Wald, however, saw that the important thing was that these bullet holes had not destroyed the planes, and what needed more protection were the areas that were not hit. Those were the parts where, if a plane was struck by a bullet, it would never be seen again. (c) His calculation based on that logic are still in use today, and (d) they have saved much pilots. [고2 6월]

VOCA

1 survivorship 생존
bias 편향
logical 논리적인
fallacy 오류
prone to ~하는 경향이 있는
3 tale 이야기
4 statistician 통계학자
5 determine 결정하다
6 bullet 총알
7 commander 지휘관
reinforce 강화하다
12 calculation 계산

학교시험 서술형 단골 문제 감 잡기

| 어법+영작 |

01 밑줄 친 (a)를 다음 조건에 맞게 영작하시오.

〈조건〉 • 부정대명사를 사용할 것
• because, around를 포함하여 5단어로 쓸 것

____

| 내용 파악 |

02 밑줄 친 (b)가 가리키는 것을 본문에서 찾아 두 단어로 쓰시오.

____

| 어법 파악 |

03 밑줄 친 (c)와 (d)에서 어법상 틀린 부분을 찾아 바르게 고쳐 쓰고, 그 이유를 서술하시오.

(c) _______________

(d) _______________

3 다음 글을 읽고, 물음에 답하시오.

Although instances occur in which partners start their relationship (a) 자신들에 관한 모든 것을 서로에게 말함으로써, such instances are rare. In most cases, the amount of disclosure increases over time. We begin relationships by revealing relatively little about (b) [us / ourself / ourselves]; then if our first bits of self-disclosure are well received and bring on similar responses from the other person, we're willing to reveal more. This principle is important to remember. It would usually be a mistake to assume that the way to build a strong relationship would be to reveal the most private details about yourself when first making contact with another person. Unless the circumstances are unique, such baring of your soul would be likely to scare potential partners away rather than bring (c) them closer. [고2 3월]

VOCA

1 instance 사례
occur 발생하다
2 rare 드문
3 disclosure 드러냄
4 reveal 드러내다
relatively 비교적
7 principle 원칙
8 assume ~라고 생각하다
9 detail 세부 사항
10 circumstance 상황
bare 드러내다
11 potential 잠재적인

학교시험 서술형 단골 문제 감 잡기

| 어법+영작 |

01 밑줄 친 (a)를 다음 조건에 맞게 영작하시오.

〈조건〉 • 「by + 동명사」를 사용할 것
• 재귀대명사를 사용할 것
• tell, to each other를 포함하여 8단어로 쓸 것 (필요하면 변형)

____

| 어법 파악 |

02 (b)의 네모 안에서 어법상 맞는 것을 고르고, 그 이유를 서술하시오.

____

| 내용 파악 |

03 밑줄 친 (c)가 가리키는 것을 본문에서 찾아 두 단어로 쓰시오.

____

정답과 해설 p. 52

4 다음 글을 읽고, 물음에 답하시오.

Your story is what makes you special. But the tricky part is showing how special you are without talking about yourself. Effective personal branding isn't about talking about yourself all the time. Although everyone would like to think that friends and family are eagerly waiting by their computers hoping to hear some news about what you're doing, they're not. Actually, they're hoping you're sitting by your computer, (a) waiting for a news about themselves. The best way to build your personal brand is (b) 당신 자신에 대한 이야기를 하는 것보다 다른 사람들, 사건들, 그리고 생각들에 대한 이야기를 더 많이 하는 것. By doing so, you promote their victories and their ideas, and you become an influencer. You are seen as someone who is not only helpful, but is also a valuable resource. (c) That helps your brand more than if you just talk about yourself over and over. [고2 6월]

VOCA

1 tricky 까다로운
2 personal branding 퍼스널 브랜딩
4 eagerly 열망하여
9 promote 홍보하다
10 influencer 영향력 있는 사람
11 resource 자원

학교시험 서술형 단골 문제 감 잡기

| 어법 파악 |

01 밑줄 친 (a)에서 어법상 틀린 부분을 모두 찾아 바르게 고쳐 문장을 다시 쓰시오.

____

| 어법+영작 |

02 밑줄 친 (b)와 같은 뜻이 되도록 주어진 단어들을 알맞은 순서로 배열하시오.

(other people, / to talk / more about / events, / yourself / and ideas / you talk about / than)

____

| 어법+해석 |

03 밑줄 친 (c)를 우리말로 바르게 옮기시오.

____

UNIT 10 형용사와 부사

Point 1 수식어 - 형용사 / 부사
Point 2 보어 역할을 하는 형용사
Point 3 주의해야 할 형용사 / 부사
Point 4 부정의 의미를 나타내는 부사

문법 확인

형용사와 부사의 역할

- 형용사: 명사의 앞이나 뒤에서 명사를 ❶______하거나 문장에서 ❷______ 역할을 하여, 사람이나 사물의 상태나 성질을 나타낸다.
  〈명사 수식〉 I saw fish with various colors in the aquarium.
  〈주격 보어〉 She feels happy when she sees her cat.

- 부사: ❸______, 형용사, 부사, 구, 절, 또는 ❹__________를 수식한다.
  〈동사 수식〉 Kites were flying high in the sky.
  〈형용사 수식〉 The writer wanted to write an entirely different story this time.

주의해야 할 형용사와 부사

서술적 용법으로만 쓰이는 형용사	형용사와 부사의 형태가 같은 경우	형용사 → 부사의 뜻이 다른 경우
alive 살아 있는 alike 비슷한 afraid 두려워하는 alone 혼자의, 외로운 asleep 잠이 든 awake 깨어 있는	hard 형 단단한; 어려운 부 ❺__________; 심하게 fast 형 빠른 부 빠르게 early 형 이른 부 일찍 long 형 긴 부 오래 enough 형 충분한 (대개 앞에서 수식) 부 충분히 (대개 형용사, 부사, 동사 ❻______에서 수식)	late 형 늦은 → lately 부 ❼__________ near 형 가까운 → nearly 부 거의, 대부분 hard 형 어려운 → hardly 부 ❽__________ high 형 높은 → highly 부 매우 most 형 대부분의 → mostly 부 주로 short 형 짧은 → shortly 부 곧; 간단히 deep 형 깊은 → deeply 부 진심으로, 깊이

개념 마무리 OX

(1) 형용사는 명사를 뒤에서 수식할 수 있다. (○, ×)
(2) 부사는 문장 전체를 수식할 수 있다. (○, ×)
(3) enough는 부사로는 쓰이지 않는다. (○, ×)

* 빈칸에 알맞은 말을 쓰고, 어법상 알맞은 것을 고르시오.

실전어법 개념확인

Point ① 수식어 – 형용사 / 부사

- 한정적 용법으로 쓰이는 형용사: 명사의 앞이나 뒤에서 명사를 ________한다.
- 한정적 용법으로만 쓰이는 형용사: only, elder, former, mere, main 등
- ________는 동사, 형용사, 부사, 구, 절, 또는 문장 전체를 수식한다. 부사가 형용사나 다른 부사를 수식할 때는 대개 바로 앞에서 수식한다.
- 빈도부사는 일반동사의 ________, be동사나 조동사의 뒤에 위치한다.

1 Crowdfunding is a new and more [collaborative / collaboratively] way to secure funding for projects.

2 She [proud / proudly] shows you a big red A at the bottom of her test paper.

Point ② 보어 역할을 하는 형용사

- 서술적 용법으로 쓰이는 형용사: be동사 뒤에서 주어를 서술하는 ____________, 또는 목적어 뒤에서 목적어를 서술하는 ____________ 역할을 한다.
- 서술적 용법으로만 쓰이는 형용사: alive, alone, asleep, awake, afraid, alike 등
- 부사는 보어 자리에 올 수 ________. be동사, become, seem 등 불완전 자동사 뒤의 보어 자리에 부사가 있으면, 뒤에 형용사가 있는지 살핀다.

3 This division is culturally and historically [relative / relatively].

4 Repetition makes us more confident in our forecasts and more [efficient / efficiently] in our actions.

Point ③ 주의해야 할 형용사 / 부사

- 쓰임과 의미 파악에 유의해야 할 형용사와 부사

late	형 ________ 부 늦게	lately	부 최근에
hard	형 단단한, 어려운 부 열심히; 심하게	hardly	부 ____________
high	형 높은 부 높이	highly	부 매우, 대단히
near	형 가까운 부 가까이에	nearly	부 거의, 대부분
most	형 대부분의 부 가장	mostly	부 주로

5 The recency of events [high / highly] influences a supervisor's opinion during performance appraisals.

Point ④ 부정의 의미를 나타내는 부사

- 부정의 의미를 나타내는 부사: ________의 의미를 나타내는 부사는 not 등의 부정어와 중복하여 쓰지 않는다.
never: ____________ hardly, scarcely, barely: 거의 ~ 않다 rarely, seldom: 좀처럼 ~ 않다

6 I can [hard / hardly] wait to take you home.

어법 REVIEW 1 문장 어법연습하기

정답과 해설 p. 55

A 다음 중 어법상 적절한 표현을 고른 후, 그 이유를 쓰시오.

e.g. But she talked about [something different / different something]. [고1 3월]

-thing, -body, -one으로 끝나는 명사는 형용사가 뒤에서 수식

1 The slow pace of transformation also makes it [difficult / difficultly] to break a bad habit. [고1 3월]

2 My hands were now sweating and my heart started pounding really [hard / hardly] and fast. [고2 6월]

3 We [always invite / invite always] a famous musician to perform in the opening event. [고2 6월]

B 다음 밑줄 친 부분을 어법에 맞게 고친 후, 그 이유를 쓰시오.

e.g. We all like to read a <u>particularly</u> newspaper. [고2 6월]

particular / 뒤의 명사 newspaper를 앞에서 수식하는 형용사

4 By contrast, I have several times <u>near</u> stepped on a squirrel in my garden before it drew attention to itself by suddenly escaping! [고2 3월]

5 Over the centuries <u>variously</u> writers and thinkers, looking at humans from an outside perspective, have been struck by the theatrical quality of social life. [고2 6월]

6 Personal blind spots are areas that are <u>visibly</u> to others but not to you. [고2 6월]

7 <u>Similar</u>, we can reduce the friction of doing the essential in our work and lives simply by creating a buffer. [고2 3월]

1 transformation 변화 2 pound 쿵쿵 뛰다 3 perform 연주하다, 공연하다 4 by contrast 대조적으로 5 perspective 관점 strike 부딪치다 theatrical 연극의 6 blind spot 사각 지대, 맹점 7 reduce 줄이다 friction 마찰 buffer 완충제, 완충 장치

어법 REVIEW 2 짧은 지문 어법연습하기

정답과 해설 p. 55

A 다음 글의 네모 안에서 어법상 적절한 표현을 고르시오.

1 The wife of American physiologist Hudson Hoagland became sick with a (A) [severe / severely] flu. Dr. Hoagland was (B) [enough curious / curious enough] to notice that whenever he left his wife's room for a short while, she complained that he had been gone for a long time. [고2 6월]

physiologist 생리학자
severe 심각한
flu 유행성 감기
curious 호기심이 많은
whenever ~할 때마다

2 In his short philosophical novel, *Candide*, he (A) [complete / completely] undermined the kind of religious optimism about humanity and the universe that other contemporary thinkers had expressed, and he did it in such an entertaining way that the book became an instant bestseller. (B) [Wise / Wisely], Voltaire left his name off the title page, otherwise its publication would have landed him in prison again for making fun of religious beliefs. [고2 9월]

philosophical 철학에 관련된
undermine 약화시키다
religious 종교의
optimism 낙관론
contemporary 동시대의
leave ~ off ~을 빼다, 제외하다
publication 출판

B 다음 글의 밑줄 친 부분 중, 어법상 틀린 것을 고르시오.

3 When workers are ① dissatisfied, their unhappiness makes the customer's experience ② worse; as a result, consumers buy less, and company performance suffers. ③ Clearly, it is ④ importantly for companies to know what makes their employees ⑤ satisfied with their jobs. [고2 3월]

dissatisfied 불만스러워하는
consumer 소비자
suffer 더 나빠지다, 악화되다
employee 종업원, 고용인

4 Children develop the capacity for solitude in the presence of an ① attentive other. Consider the silences that fall when you take a young boy on a ② quiet walk in nature. The child comes to feel ③ increasingly aware of what it is to be ④ alone in nature, supported by being "with" someone who is introducing him to this experience. ⑤ Gradual, the child takes walks alone. [고2 9월]

capacity 용량; 능력
solitude 고독
attentive 주의를 기울이는, 배려하는
silence 고요, 침묵
increasingly 점점 더

어법 REVIEW 3 기출 유형 어법연습하기

1 (A), (B), (C)의 각 네모 안에서 어법에 맞는 표현으로 가장 적절한 것은?

For its time, ancient Greek civilization was (A) [remarkable / remarkably] advanced. The Greeks figured out mathematics, geometry, and calculus long before calculators were available. Centuries before telescopes were invented, they proposed that the earth might rotate on an axis or revolve around the sun. Along with these (B) [mathematical / mathematically], scientific advances, the Greeks produced some of the early dramatic plays and poetry. In a world ruled by (C) [powerful / powerfully] kings and bloodthirsty warriors, the Greeks even developed the idea of democracy. But they were still a primitive people. There were many aspects of the world around them that they didn't understand very well. They had big questions, like *Why are we here*? and *Why is smoke coming out of that nearby volcano*?

[고1 11월]

	(A)		(B)		(C)
①	remarkable	……	mathematical	……	powerfully
②	remarkably	……	mathematically	……	powerful
③	remarkably	……	mathematical	……	powerful
④	remarkable	……	mathematically	……	powerful
⑤	remarkably	……	mathematically	……	powerfully

Point
- (A) 형용사를 수식하는 부사
- (B) 명사를 수식하는 형용사
- (C) 명사를 수식하는 형용사

2 다음 글의 밑줄 친 부분 중, 어법상 틀린 것은?

Humans are omnivorous, meaning that they can consume and digest a wide selection of plants and animals found in their surroundings. The primary advantage to this is that they can adapt to ① near all earthly environments. The disadvantage is that no single food provides the nutrition necessary for survival. Humans must be flexible enough to eat a variety of items sufficient for physical growth and maintenance, yet ② cautious enough not to ③ randomly ingest foods that are physiologically ④ harmful and, ⑤ possibly, fatal. This dilemma, the need to experiment combined with the need for conservatism, is known as the omnivore's paradox. It results in two contradictory psychological impulses regarding diet. The first is an attraction to new foods; the second is a preference for familiar foods. [고2 9월]

Point

① near vs. nearly	④ 보어 역할을 하는 형용사
② enough의 쓰임	⑤ 부사의 역할
③ 부사의 역할	

1 remarkable 놀랄 만한 geometry 기하학 calculus 미적분학 axis 축 revolve 돌다 democracy 민주주의 primitive 원시적인
2 omnivorous 잡식성의 consume 먹다; 소비하다 earthly 지구상의 nutrition 영양 flexible 융통성 있는 ingest 섭취하다 fatal 치명적인 conservatism 보수성 contradictory 모순적인 impulse 충동

정답과 해설 p. 56

3 (A), (B), (C)의 각 네모 안에서 어법에 맞는 표현으로 가장 적절한 것은?

When we see an adorable creature, we must fight an overwhelming urge to squeeze that cuteness. And pinch it, and cuddle it, and maybe even bite it. This is a (A) [perfect / perfectly] normal psychological tick — an oxymoron called "cute aggression" — and even though it sounds cruel, it's not about causing harm at all. In fact, (B) [enough strangely / strangely enough], this compulsion may actually make us more caring. The first study to look at cute aggression in the human brain has now revealed that this is a complex neurological response, involving (C) [several / severally] parts of the brain. The researchers propose that cute aggression may stop us from becoming so emotionally overloaded that we are unable to look after things that are super cute. "Cute aggression may serve as a tempering mechanism that allows us to function and actually take care of something we might first perceive as overwhelmingly cute," explains the lead author, Stavropoulos. [고2 9월]

	(A)		(B)		(C)
①	perfect	……	enough strangely	……	several
②	perfect	……	strangely enough	……	severally
③	perfectly	……	enough strangely	……	several
④	perfectly	……	strangely enough	……	several
⑤	perfectly	……	enough strangely	……	severally

Point
(A) 형용사를 수식하는 부사
(B) enough의 쓰임
(C) 명사를 수식하는 형용사

4 다음 글의 밑줄 친 부분 중, 어법상 틀린 것은?

Nothing happens ① immediately, so in the beginning we can't see any results from our practice. This is like the example of the man who tries to make fire by rubbing two sticks of wood together. He says to himself, "They say there's fire here," and he begins rubbing ② energetically. He rubs on and on, but he's very ③ impatiently. He wants to have that fire, but the fire doesn't come. So he gets discouraged and stops to rest for a while. Then he starts again, but the going is slow, so he rests again. By then the heat has disappeared; he didn't keep at it long enough. He rubs and rubs until he gets tired and then he stops altogether. Not only is he tired, but he becomes more and more discouraged until he gives up ④ completely, "There's no fire here." ⑤ Actually, he was doing the work, but there wasn't enough heat to start a fire. The fire was there all the time, but he didn't carry on to the end. [고2 3월]

Point
① 동사를 수식하는 부사
② 동사를 수식하는 부사
③ 보어 역할을 하는 형용사
④ 동사를 수식하는 부사
⑤ 문장 전체를 수식하는 부사

3 adorable 사랑스러운 overwhelming 압도적인 urge 욕구, 충동 pinch 꼬집다 cuddle 껴안다 tick 표시 oxymoron 모순 어법 aggression 공격성, 공격 compulsion 충동 neurological 신경의 tempering mechanism 완화 장치
4 immediately 즉시 rub 문지르다 discouraged 낙담한 altogether 완전히 carry on 계속하다

어법 REVIEW 4 서술형내신 어법연습하기

1 다음 글을 읽고, 물음에 답하시오.

The belief that humans have morality and animals don't is such a longstanding assumption that it could well be called a habit of mind, and bad habits, as we all know, are extremely (a) [hard / hardly] to break. 3
A lot of people have caved in to this assumption because it is easier to deny morality to animals than to deal with the complex effects of the possibility that animals have moral behavior. The historical tendency, 6
framed in the outdated dualism of us versus them, (b) 많은 사람들이 현재 상태를 고수하도록 만들 만큼 충분히 강력하다. Denial of who animals are conveniently allows for maintaining false stereotypes about the (c) cognitively 9
and emotional capacities of animals. Clearly a major paradigm shift is needed, because the lazy acceptance of habits of mind has a strong influence on how animals are understood and treated. [고1 11월] 12

VOCA

1 morality 도덕, 도덕성
2 longstanding 오래된
assumption 가정, 추정
4 cave in to ~에 굴복하다
5 deny 부정하다
6 tendency 경향, 성향
7 outdated 시대에 뒤처진
dualism 이원론
status quo 현재 상태
8 cling to ~을 고수하다
9 cognitively 인지적으로
10 capacity 능력
shift 변화, 전환

학교시험 서술형 단골 문제 감 잡기

| 어법 파악 |

01 (a)의 네모 안에서 어법상 적절한 표현을 고르시오.

___

| 어법+영작 |

02 밑줄 친 (b)와 같은 뜻이 되도록 다음 조건에 맞게 영작하시오.

〈조건〉 • 「enough + to부정사」를 사용할 것
• 사역동사 make의 5형식 문형을 사용할 것
• 다음 단어를 포함하여 14단어로 구성할 것:
strong, a lot of, cling to, the status quo

___

| 어법 파악 |

03 밑줄 친 (c)를 어법에 맞게 고쳐 쓰고, 그 이유를 서술하시오.

___

정답과 해설 p. 58

2 다음 글을 읽고, 물음에 답하시오.

Everyone knows a young person who is impressively "street smart" but (a) does poor in school. We think it is a waste that (b) 우리는 삶에서 많은 것에 대해 매우 똑똑한 사람이 그 똑똑함을 학업에 적용할 수 없는 것처럼 보인다. What we don't realize is that schools and colleges might be at fault for missing the opportunity to draw such street smarts and guide them toward good academic work. Nor do we consider one of the major reasons why schools and colleges overlook the intellectual potential of street smarts: the fact that we associate those street smarts with anti-intellectual concerns. We associate the educated life, the life of the mind, too (c) [narrow / narrowly] with subjects and texts that we consider inherently weighty and academic. [고1 11월]

VOCA

1 impressively 인상 깊게, 매우
7 overlook 간과하다, 못 보고 넘어가다
intellectual 지적인, 지성의
potential 잠재력
8 associate 연관시키다
anti-intellectual 반지성적인
10 inherently 본질적으로
11 weighty 중요한

학교시험 서술형 단골 문제 감 잡기

| 어법 파악 |

01 밑줄 친 (a)에서 어법상 틀린 부분을 찾아 바르게 고쳐 다시 쓰시오.

____

| 어법+영작 |

02 밑줄 친 (b)와 같은 뜻이 되도록 주어진 단어들을 알맞은 순서로 배열하여 문장을 완성하시오.

(to / seems / that intelligence / to apply / academic work / unable)

one who is so intelligent about so many things in life ______________

____

| 어법 파악 |

03 (c)의 네모 안에서 어법상 적절한 표현을 고르시오.

____

3 다음 글을 읽고, 물음에 답하시오.

Cutting costs can improve profitability but only up to a point. (a) 만약 제조업자가 비용을 너무 크게 절감해서 그렇게 하는 것이 제품의 질을 손상시키게 된다면, then the increased profitability will be short-lived. A better approach is to improve productivity. If businesses can get more production from the same number of employees, they're basically tapping into free money. (b) They get more product to sell, and the price of each product falls. As long as the machinery or employee training needed for productivity improvements costs less than the value of the productivity gains, it's an easy investment for any business to make. Productivity improvements are as (c) importantly to the economy as they are to the individual business that's making them. Productivity improvements generally raise the standard of living for everyone and are a good indication of a healthy economy. [고2 6월]

VOCA

1 profitability 수익성
2 manufacturer 제조사, 제조자
harm 해를 끼치다, 손상시키다
4 productivity 생산성
5 tap into ~을 활용하다
8 improvement 향상, 개선
9 investment 투자
12 standard 기준, 규범
indication 지표

학교시험 서술형 단골 문제 감 잡기

| 어법+영작 |

01 밑줄 친 (a)와 같은 뜻이 되도록 주어진 단어들을 알맞은 순서로 배열하시오.

(so / the product's quality / doing so / that / harms / cuts / deeply)

If the manufacturer ______________________________,

| 내용 파악 |

02 밑줄 친 (b)가 가리키는 것을 글에서 찾아 한 단어로 쓰시오.

____

| 어법 파악 |

03 밑줄 친 (c)를 어법에 맞게 고쳐 쓰고, 그 이유를 서술하시오.

____

정답과 해설 p. 58

4 다음 글을 읽고, 물음에 답하시오.

It might seem that praising your child's intelligence or talent would boost his self-esteem and motivate him. But it turns out that this sort of praise backfires. (a) Carol Dweck and her colleagues have demonstrated the effect in a series of experimentally studies: (b) "When we praise kids for their ability, kids become more cautious. They avoid challenges." It's as if they are afraid to do anything that might make them fail and lose your high appraisal. Kids might also get the message that intelligence or talent is something that people either have or don't have. This leaves kids (c) 그들이 실수할 때 무기력하게 느끼도록. What's the point of trying to improve if your mistakes indicate that you lack intelligence? [고1 9월]

VOCA

1 praise 칭찬; 칭찬하다
boost 신장시키다, 북돋우다
2 self-esteem 자부심, 자존감
3 backfire 역효과를 낳다
colleague 동료
demonstrate 보여 주다, 입증하다
5 cautious 조심스러운, 신중한
7 appraisal 평가, 판단
9 helpless 무력한, 속수무책인
10 indicate 나타내다, 가리키다

학교시험 서술형
단골 문제 감 잡기

| 어법 파악 |

01 밑줄 친 (a)에서 어법상 틀린 부분을 찾아 바르게 고쳐 쓰고, 그 이유를 서술하시오.

| 어법+해석 |

02 밑줄 친 (b)를 우리말로 바르게 해석하시오.

| 어법+영작 |

03 밑줄 친 (c)와 같은 뜻이 되도록 주어진 단어들을 알맞은 순서로 배열하시오.

(make / feeling / when / helpless / they / mistakes)

UNIT 11 비교

Point 1 원급 vs. 비교급 vs. 최상급
Point 2 비교구문의 강조 표현
Point 3 비교구문의 병렬구조
Point 4 비교구문의 관용 표현

문법 확인

비교구문

원급	as + 형용사 / 부사의 원급 + ❶________	~만큼 …한/하게
비교급	형용사 / 부사의 비교급 + ❷____________	(둘 중) ~보다 더 …한/하게
최상급	the + 형용사 / 부사의 최상급 (+ in / of ~)	(~ 중에서) 가장 …한/하게

비교구문의 문장 구조

- 비교구문을 바르게 해석하기 위해서는 비교 표현이 ❸____________인지 부사인지 확인하고, 문장 구조를 살핀다. 형용사는 명사를 수식하거나 문장에서 ❹________ 역할을 한다. 부사는 ❺________를 수식한다.
- 문장이 길어지면 비교 표현이 사용된 부분이 무엇을 수식하고 있는지 혼동될 수 있으므로 주의한다.

원급/비교급을 이용한 최상급 표현

No (other) + 단수 명사 + is as + ❻________ + as = Nothing is as + 원급 + as	그 어떤 것(명사)도 ~만큼 …하지 않다
No (other) + ❼____________ + is + 비교급 + than = Nothing is + 비교급 + than	그 어떤 것(명사)도 ~보다 …하지 않다
❽____________ + than any other + 단수 명사	다른 어떤 것(명사)보다 더 ~한
비교급 + than ❾____________ else	다른 무엇보다 더 ~한

개념 마무리 OX

(1) 원급 비교는 두 대상 중 하나가 다른 하나보다 '더 ~한' 상태를 나타낸다. (○, ×)

(2) 비교구문은 기본적으로 형용사나 부사의 정도를 비교하는 것이다. (○, ×)

(3) 원급이나 비교급으로는 최상급의 의미를 표현할 수 없다. (○, ×)

* 빈칸에 알맞은 말을 쓰고, 어법상 알맞은 것을 고르시오.

실전어법 개념확인

Point 1 원급 vs. 비교급 vs. 최상급

- the ____________ as(~와 같은)로 원급 비교구문을 표현하기도 한다.
- compared to(with)로 ____________ 비교구문을 표현하기도 한다.
- 동일 인물/사물을 비교할 경우 또는 부사의 최상급에서는 ________ 없이 최상급을 쓸 수 있다.

1 The number of natural disasters in Asia was the [large / largest] of all five regions.

2 The internet usage rate of males in the Arab States was the same [as / than] that of males in Asia Pacific.

Point 2 비교구문의 강조 표현

- 원급을 강조하는 수식어: ____________, almost ...
- 비교급을 강조하는 수식어: ____________, even, still, ____________, a lot ...
- 최상급을 강조하는 수식어: quite, ______________, by far ...

3 You look [more / much] older now than you did a few years ago.

4 [Even / Very] more surprisingly, the ones with a smaller selection purchased jam 31% of the time.

Point 3 비교구문의 병렬구조

- 비교구문에서 비교되는 두 대상은 서로 ____________가 같아야 한다.
- 「소유격 + 명사」의 경우 ____________로 쓸 수 있고, 명사의 경우 대명사 _______ / those 등이 대신할 수 있다.

5 We eat much more when a variety of good-tasting foods are available than [having / when] only one or two types of food are available.

6 An old woman gave me the whole loaf saying my need was greater than [her / hers].

Point 4 비교구문의 관용 표현

as + 원급 + as possible = as + 원급 + as + 주어 + can	가능한 한 ~한/하게	one of the + 최상급 + 복수 명사	가장 ~한 … 중 하나
		more/less + than + ____________	몇 배보다 더 많은(이상)/적은(미만)
배수사(twice, three times ...) + as + 원급 + as	~보다 몇 배 …한/하게	more/less + than + ____________	몇 분의 몇보다 더 많은(이상)/적은(미만)
the + 비교급 ~, the + 비교급 ...	~하면 할수록 더 …한/하게	no less than	~만큼이나
비교급 + and + 비교급	점점 더 ~한/하게	no(nothing) more than	겨우 ~에 불과한

7 The number of natural disasters in Oceania was the smallest and less than [a three / a third] of that in Africa.

8 In the Netherlands, the electric car stock was more than three times [large / larger] in 2016 than in 2014.

어법 REVIEW 1 문장 어법연습하기

정답과 해설 p. 60

A 다음 중 어법상 적절한 표현을 고른 후, 그 이유를 쓰시오.

e.g. In that sense, the second shot was as [perfect / more perfect] as the first. [고2 6월]

as + 원급 + as: ~만큼 …한/하게

1 He ran as [fast / faster] as he could and launched himself into the air. [고1 9월]

2 Computers can process data accurately at [far / very] greater speeds than people can. [고2 6월]

3 Between 2014 and 2016, the increase in electric car stock in Japan was less than [that / those] in Norway. [고2 6월]

4 Early clocks were [anything / nothing] more than a weight tied to a rope wrapped around a revolving drum. [고2 6월]

5 Naturally, it varies from species to species, and usually the [larger / largest] the animal the longer its flight distance. [고2 3월 응용]

B 다음 밑줄 친 부분을 어법에 맞게 고친 후, 그 이유를 쓰시오.

e.g. One of the best <u>way</u> to promote this type of integration is to help retell the story of the frightening or painful experience. [고2 3월]

ways / one of the + 최상급 + 복수 명사: 가장 ~한 … 중 하나

6 The more denim was washed, the <u>softest</u> it would get, eventually achieving that worn-in, made-just-for-me feeling you probably get with your favorite jeans. [고2 9월]

7 Solids, like wood for example, transfer the sound waves much better than air typically does because the molecules in a solid substance are much closer and <u>tightly</u> packed together than they are in air. [고2 9월]

A e.g. in that sense 그런 의미에서　1 launch 내던지다　2 accurately 정확하게　3 stock 재고량　4 weight 무게 추　revolve 회전하다
5 flight distance 도주 거리　B e.g. promote 촉진시키다　integration 통합　7 transfer 전달하다　molecule 분자　substance 물질

어법 REVIEW 2 짧은 지문 어법연습하기

정답과 해설 p. 61

A 다음 글의 네모 안에서 어법상 적절한 표현을 고르시오.

1 For health science invention, the percentage of female respondents was twice as (A) [high / higher] as that of male respondents. The percentage point gap between males and females was the smallest in environmental invention. For web-based invention, the percentage of female respondents was less than half (B) [that / those] of male respondents. [고1 9월 응용]

invention 발명
respondent 응답자
environmental 환경적인

2 Among the four regions, Africa had the largest proportion of people under 15 years old and the (A) [smaller / smallest] proportion of people over 65 years old. In Asia, the percentage point of people under 15 years old was twice that of people over 65 years old. The proportion of the population under 15 years old in North America was smaller (B) [as / than] that in Asia. [고2 6월]

region 지역
proportion 비율
population 인구

B 다음 글의 밑줄 친 부분 중, 어법상 틀린 것을 고르시오.

3 The trains were ① very faster than the old carriages, so the peculiar differences in local hours became a severe nuisance. In 1847, British train companies put their heads together and agreed that henceforth all train timetables would be adjusted to Greenwich Observatory time, rather ② than the local times of Liverpool, Manchester, or Glasgow. More and ③ more institutions followed the lead of the train companies. [고2 9월]

carriage 마차
peculiar 특유한, 고유한
severe 심각한
nuisance 골칫거리
henceforth 그 이후
timetable 시간표
adjust 조정하다
institution 기관

4 Your body stores as ① much energy as you need: for thinking, for moving, for doing exercises. ② The most active you are today, the more energy you spend today and ③ the more energy you will have to burn tomorrow. Exercising gives you ④ more energy and keeps you from feeling exhausted. [고1 11월]

store 저장하다
exhausted 지친

어법 REVIEW 3 기출 유형 어법연습하기

1 다음 글의 밑줄 친 부분 중, 어법상 틀린 것은?

The table above shows the number of trips and expenditures for wellness tourism, travel for health and well-being, in 2015 and 2017. Both the total number of trips and the total expenditures were ① higher in 2017 compared to ② that in 2015. Of the six listed regions, Europe was ③ the most visited place for wellness tourism in both 2015 and 2017, followed by Asia-Pacific. In 2017, the number of trips to Latin America-The Caribbean was more than ④ five times higher than ⑤ that to The Middle East-North Africa. While North America was the only region where more than 200 billion dollars was spent in 2015, it was joined by Europe in 2017. Meanwhile, expenditures in The Middle East-North Africa and Africa were each less than 10 billion dollars in both 2015 and 2017. [고2 11월]

Point
- ① 비교급
- ② 비교구문의 병렬구조
- ③ 최상급
- ④ 배수사 + 비교급 + than
- ⑤ 비교구문의 병렬구조

2 (A), (B), (C)의 각 네모 안에서 어법에 맞는 표현으로 가장 적절한 것은?

The above graph shows the number of jobs directly created by travel and tourism in 2016 and 2017 for five regions. The number of jobs directly generated by travel and tourism in North East Asia and South Asia was greater in 2017 (A) [as / than] in 2016. Of the five regions, North East Asia showed the highest number in direct job creation by travel and tourism in 2017, with 30.49 million jobs. In 2016, the number of jobs in South Asia that travel and tourism directly contributed was the largest of the five regions, but it ranked the (B) [second / twice] highest in 2017. Though the number of jobs in North America directly created by travel and tourism was lower in 2017 than in 2016, it still exceeded 10 million in 2017. In 2017, travel and tourism directly contributed 5.71 million jobs in Latin America, which was over six times more than (C) [that / those] of Oceania in 2017. [고1 11월]

	(A)		(B)		(C)
①	as	……	second	……	that
②	than	……	second	……	those
③	as	……	twice	……	those
④	than	……	twice	……	that
⑤	as	……	twice	……	that

Point
- (A) 비교급 + than
- (B) 서수 + 최상급
- (C) 비교구문의 병렬구조

1 expenditure 비용 wellness 건강 region 지역, 지방 billion 10억 meanwhile 반면
2 generate 만들어 내다 direct 직접적인 contribute 이바지하다, 기부하다 rank (순위를) 차지하다 exceed 넘다, 초과하다

정답과 해설 p. 61

3 다음 글의 밑줄 친 부분 중, 어법상 틀린 것은?

The above graph shows the injury rate by day of game in the National Football League (NFL) from 2014 to 2017. The injury rate of Thursday games was ① the lowest in 2014 and the highest in 2017. The injury rate of Saturday, Sunday and Monday games decreased steadily from 2014 to 2017. In all the years except 2017, the injury rate of Thursday games was ② lower than ③ that of Saturday, Sunday and Monday games. The gap between the injury rate of Thursday games and that of Saturday, Sunday and Monday games was the largest in 2014 and the smallest in 2017. In two years out of the four, the injury rate of Thursday games was ④ the highest than ⑤ that of the 4-year total.

[고2 3월]

Point		
	① the + 최상급	④ 비교급 vs. 최상급
	② 비교급 + than	⑤ 비교구문의 병렬구조
	③ 비교구문의 병렬구조	

4 (A), (B), (C)의 각 네모 안에서 어법에 맞는 표현으로 가장 적절한 것은?

Improved consumer water consciousness may be the cheapest way to save the most water, but it is not the only way consumers can contribute to water conservation. With technology progressing faster than ever before, there are plenty of devices that consumers can install in their homes to save more. More than 35 models of high-efficiency toilets are on the U.S. market today, some of which use less than 1.3 gallons per flush. Starting at $200, these toilets are affordable and can help the average consumer save hundreds of gallons of water per year. Appliances officially approved as (A) [efficientest / most efficient] are tagged with the Energy Star logo to alert the shopper. Washing machines with that rating use 18 to 25 gallons of water per load, compared with older machines that use no (B) [less / least] than 40 gallons. High-efficiency dishwashers save (C) [even / very] more water. These machines use up to 50 percent less water than older models. [고1 11월]

	(A)		(B)		(C)
①	efficientest	……	less	……	even
②	most efficient	……	less	……	very
③	efficientest	……	least	……	very
④	efficientest	……	least	……	even
⑤	most efficient	……	less	……	even

Point
(A) 2음절 이상 형용사의 최상급
(B) 비교구문의 관용 표현
(C) 비교급 강조 수식어

3 injury 부상　rate 비율　decrease 감소하다　steadily 꾸준하게
4 consciousness 의식　conservation 보호　progress 진보하다　high-efficiency 고효율　flush 물 내림　affordable 알맞은, 저렴한　appliance 기기　approve 승인하다　tag 꼬리표를 붙이다　alert 알리다　rating 등급

어법 REVIEW 4 서술형내신 어법연습하기

1 다음 글을 읽고, 물음에 답하시오.

The two pie charts above show the number of natural disasters and the amount of damage by region in 2014. (a) The number of natural disasters in Asia was large of all five regions and accounted for 36 percent, which was (b) more than twice the percentage of Europe. Americas had the second largest number of natural disasters, taking up 23 percent. (c) 오세아니아의 자연 재해 수가 가장 적었으며 아프리카의 그것의 3분의 1도 안 되었다. The amount of damage in Asia was the largest and more than the combined amount of Americas and Europe. Africa had the least amount of damage even though it ranked third in the number of natural disasters. [고2 3월]

VOCA

1 pie chart 원 그래프
natural disaster 자연재해
2 damage 피해
3 account for 차지하다, 설명하다
5 take up 차지하다
9 rank (순위를) 차지하다

학교시험 서술형 단골 문제 감 잡기

| 어법 파악 |

01 밑줄 친 (a)에서 어법상 틀린 부분을 찾아 바르게 고쳐 쓰고, 그 이유를 서술하시오.

____

| 어법+해석 |

02 밑줄 친 (b)를 우리말로 바르게 해석하시오.

____

| 어법+영작 |

03 밑줄 친 (c)와 같은 뜻이 되도록 주어진 단어들을 사용하여 문장을 완성하시오. (필요하면 변형)

(small / little / a third)

The number of natural disasters in Oceania was ______________________ and ______________________ of that in Africa.

정답과 해설 p. 63

2 다음 글을 읽고, 물음에 답하시오.

The above graph shows the global internet usage rate in 2017, sorted by gender and region. Among the five regions, both male and female internet usage rate in Europe was (a) 다른 어떤 나라보다 더 높다, accounting for 83% and 76% respectively. In each region, the male internet usage rate was higher than the female internet usage rate except for in the Americas. The percentage point gap of internet usage between males and females was the highest in the Arab States. The internet usage rate of males in the Arab States was the same as (b) that of males in Asia Pacific. (c) The percentage of female internet usage in Africa was the low among the five regions, but it was higher than half that of female internet usage in Asia Pacific. [고2 6월]

VOCA

1 global 전 세계의
usage 사용
2 gender 성, 성별
region 지역
male 남성
female 여성
4 respectively 각각, 제각기
5 except for ~을 제외하고

학교시험 서술형 단골 문제 감 잡기

| 어법+영작 |

01 밑줄 친 (a)를 다음 조건에 맞게 영작하시오.

〈조건〉 • 비교구문을 사용할 것
• other, country를 포함하여 5단어로 쓸 것

| 내용 파악 |

02 밑줄 친 (b)가 가리키는 것을 본문에서 찾아 쓰시오.

| 어법 파악 |

03 밑줄 친 (c)에서 틀린 부분을 찾아 바르게 고쳐 쓰고, 그 이유를 서술하시오.

3 다음 글을 읽고, 물음에 답하시오.

You know that forks don't fly off to the Moon and that neither apples nor anything else on Earth cause the Sun to crash down on us. The reason these things don't happen is that the strength of gravity's pull depends on 3 two things. The first is the mass of the object. The apple is ① very small, and doesn't have much mass, so its pull on the Sun is absolutely tiny, certainly ② very smaller than the pull of all the planets. The Earth (a) 탁 6 자들, 나무들, 또는 사과들보다 더 큰 질량을 가지고 있다, so almost everything in the world is pulled towards the Earth. That's why apples fall from trees. Now, you might know that the Sun is ③ a great deal bigger than Earth 9 and has ④ much more mass. So why don't apples fly off towards the Sun? The reason is that the pull of gravity also depends on the distance to the object doing the pulling. Although the ___(b)___ has much more mass 12 than the ___(c)___, we are much ⑤ closer to the Earth, so we feel its gravity more. [고2 9월 응용]

VOCA

2 crash down 추락하다
3 gravity 중력
4 mass 질량
object 사물, 물체
5 pull 인력; 끌어당기다
absolutely 절대적으로
6 planet 행성
11 distance 거리

학교시험 서술형 단골 문제 감 잡기

| 어법 파악 |

01 밑줄 친 ①~⑤ 중 어법상 틀린 것을 찾아 바르게 고쳐 쓰고, 그 이유를 서술하시오.

____

| 어법+영작 |

02 밑줄 친 (a)를 다음 조건에 맞게 영작하시오.

〈조건〉 • 비교구문을 사용할 것
• have, much, mass, tables를 포함하여 8단어로 쓸 것 (필요하면 변형)

____

| 내용 파악 |

03 글의 내용과 일치하도록 빈칸 (b)와 (c)에 각각 알맞은 말을 쓰시오.

(b) ______________ (c) ______________

정답과 해설 p. 63

4 다음 글을 읽고, 물음에 답하시오.

We create a picture of the world using the examples that ① most easily come to mind. This is foolish, of course, because in reality, things don't happen ② more frequent just because we can imagine them ③ more easily. Thanks to this prejudice, we travel through life with an incorrect risk map in our heads. Thus, we overestimate the risk of being the victims of a plane crash, a car accident, or a murder. And we underestimate the risk of dying from ④ less spectacular means, such as diabetes or stomach cancer. (a) 폭탄 공격의 가능성은 우리가 생각하는 것보다 훨씬 더 희박하다, and the chances of suffering depression are much higher. We attach too much likelihood to spectacular, flashy, or loud outcomes. Anything silent or invisible we downgrade in our minds. Our brains imagine impressive outcomes ⑤ more readily than ordinary (b) [it / one / ones]. [고2 6월]

VOCA

4 prejudice 편견
5 overestimate 과대평가하다
victim 희생자
6 underestimate 과소평가하다
7 spectacular 극적인
diabetes 당뇨병
stomach cancer 위암
9 suffer ~로 고통 받다
depression 우울증
10 likelihood 가능성
flashy 현란한
11 downgrade 평가절하하다
impressive 인상적인
12 readily 손쉽게, 순조롭게

학교시험 서술형 단골 문제 감 잡기

| 어법 파악 |

01 밑줄 친 ①~⑤ 중 어법상 틀린 부분을 찾아 바르게 고쳐 쓰고, 그 이유를 서술하시오.

____

| 어법+영작 |

02 밑줄 친 (a)와 같은 뜻이 되도록 주어진 단어들을 알맞은 순서로 배열하시오.

(the chances / bomb attacks / than / much / are / of / think / we / rarer)

____

| 어법+내용 |

03 (b)의 네모 안에서 어법상 맞는 것을 고르고, 가리키는 것을 본문에서 찾아 쓰시오.

____

UNIT 12 특수구문

Point 1 강조
Point 2 도치
Point 3 부정
Point 4 간접의문문

문법 확인

강조, 도치, 부정, 간접의문문

특수구문	역할	어순
강조	문장의 특정 부분 강조 -「It ~ ❶ ________」 강조구문에 의한 강조 - 조동사 ❷ ________를 통한 동사의 강조	It + be동사 + 강조어구 + that ~ 주어 + 조동사 do(do / does / did) + 동사원형
도치	강조하고자 하는 어구를 문장의 맨 ❸ ________ 에 두어 문장의 어순을 바꾸는 것 - 부사(구) / 보어 도치 - 부정어(구) 도치	강조 부사(구), 보어, 부정어(구) + (조)동사 + 주어
부정	❹ ________: 모두 / 항상 / 둘 다 ~인 것은 아니다 전체부정: 모두 / 전혀 ~ 아니다	not + all / every / always / both not + any / either, no, none, never, neither
간접의문문	문장 안에 포함된 ❺ ________의 형태 - 의문사가 있는 간접의문문 - 의문사가 없는 간접의문문	의문사 + 주어 + 동사 의문사(주어) + 동사 의문사 how + 형용사 / 부사 + 주어 + 동사 의문사 + do you think + 주어 + 동사 if(whether) + 주어 + 동사

동격, 삽입, 생략

특수구문	역할	종류
❻ ________	명사 또는 명사구의 뒤에 다른 명사 상당어구를 추가하여 보충 설명하는 것	- 단어와 동격 - 구 및 절과 동격
❼ ________	부가적인 설명을 위해 단어, 구, 절 등을 문장 가운데 추가하는 것	- 단어의 삽입 - 구 및 절의 삽입
❽ ________	문장을 간결하게 하기 위해 반복되거나 문맥을 통해 유추 가능한 정보를 삭제하는 것	- 반복을 피할 때 - 부사절의 「주어+be동사」 생략

개념 마무리 OX

(1) 문장에서 강조하고자 하는 어구를 문장의 뒤로 보내는 것을 도치라고 한다. (○, ×)

(2) 「not + any/either」 등의 표현으로 '모두 ~인 것은 아니다'의 부분부정을 할 수 있다. (○, ×)

(3) 간접의문문에서 의문사 how 바로 뒤에 형용사나 부사가 올 때 하나의 의문사로 취급한다. (○, ×)

* 빈칸에 알맞은 말을 쓰고, 어법상 알맞은 것을 고르시오.

실전어법 개념확인

Point 1 강조

- 「It ~ ＿＿＿＿＿＿」 강조구문은 주로 명사(구)나 부사(구)를 강조할 때 사용하며, 「It + be」동사와 that 사이에 강조하고자 하는 어구를 넣는다. that은 강조되는 어구에 따라 who, whom, which, when, where 등으로 바꾸어 쓸 수 있다.
- 동사를 강조하기 위해 「＿＿＿＿ + 동사원형」을 사용하며, 이때 do는 주어의 수와 본동사의 시제에 일치시켜 do/does/did로 쓴다.

1 It is not only beliefs, attitudes, and values [what / that] are subjective.

2 We [do / does] need at least five participants to hold classes!

Point 2 도치

- 도치구문의 어순: 강조 어구 + (조)동사 + ＿＿＿＿
- 관용적 도치구문: so + 동사 + 주어(~도 그렇다) / ＿＿＿＿＿＿ + 동사 + 주어(~도 그렇지 않다)
- 도치구문으로 자주 쓰이는 부정어 포함어구: not only A but (also) B / no sooner A than B / not A until B ...

3 [Lucky are those / Lucky those are] who find true friends in this fake world.

4 [Never before have I / Never before I have] seen such a masterpiece.

Point 3 부정

- 부분부정: not + all / every / always / both ...(＿＿＿＿＿＿＿＿＿＿＿＿)
- 전체부정: not + any/either, no, none, never, neither ...(모두 / 전혀 ~ 아니다)

5 Shakespeare did [not / neither] always write alone.

6 [No / None] of those lies convinced the king that he had listened to the best one.

Point 4 간접의문문

- 간접의문문의 기본 어순: 의문사 + ＿＿＿＿ + ＿＿＿＿
- 의문사가 주어일 때: 의문사(주어) + 동사
- 의문사 ＿＿＿＿ 바로 뒤에 형용사 / 부사가 올 때: 하나의 의문사로 취급
- 주절의 동사가 생각이나 ＿＿＿＿을 나타낼 때: 의문사 + do you think(believe / guess / suppose ...) + 주어 + 동사
- 의문사가 없는 간접의문문: ＿＿＿＿(whether) + 주어 + 동사

7 Can you tell me [who this bought / who bought this]?

8 The tricky part is showing [how special you are / how you are special] without talking about yourself.

9 [Do you think what / What do you think] we will be doing in 10 years?

어법 REVIEW 1 문장 어법연습하기

정답과 해설 p. 66

A 다음 중 어법상 적절한 표현을 고른 후, 그 이유를 쓰시오.

e.g. Only some years later [the concept became / did the concept become] popular. [고2 3월 응용]

부사구 도치구문의 어순은 「부사구 + (조)동사 + 주어」

1 It is the second train [what / that / who] is moving in the opposite direction. [고2 6월]

2 But nowhere [it tells / does it tell] consumers that more than one-third of the box contains added sugar. [고2 3월]

3 But [no / none] of this stopped him challenging the prejudices and pretensions of those around him. [고2 9월]

4 You may be wondering [why people prefer / why do people prefer] to prioritize internal disposition over external situations. [고2 6월 응용]

B 다음 밑줄 친 부분을 어법에 맞게 고친 후, 그 이유를 쓰시오.

e.g. Who you would guess has the larger hippocampus: the taxi driver or bus driver? [고2 9월]

Who would you guess

주절의 동사가 추측을 나타낼 때 간접의문문의 어순은 「의문사 + would you guess + 동사」

5 We does need at least five participants to hold classes! [고2 3월]

6 Less well known at the time the fact was that Freud had found out, almost by accident, how helpful his pet dog Jofi was to his patients. [고2 3월]

7 For example, participants were asked whether would it be more moral for autonomous vehicles to sacrifice one passenger rather than kill 10 pedestrians. [고2 9월 응용]

1 opposite 반대의 2 consumer 소비자 3 prejudice 편견 pretension 가식 4 prioritize 우선적으로 처리하다 disposition 기질, 성향
B e.g. hippocampus 해마 5 participant 참가자 6 by accident 우연히 7 moral 도덕적인 autonomous vehicle 자율 주행 차량
pedestrian 보행자

어법 REVIEW 2 짧은 지문 어법연습하기

정답과 해설 p. 66

A 다음 글의 네모 안에서 어법상 적절한 표현을 고르시오.

1 While measurement, accountability or standards in education can be useful tools for improvement, hardly (A) [they should / should they] occupy center stage. Our focus should instead be on making sure we (B) [never / not] fail to give our youth an education that is going to arm them to save humanity. [고2 9월]

measurement 측정
accountability (성적에 대한) 책임
occupy 차지하다
humanity 인류

2 There (A) [are likely to be winners and losers / are winners and losers likely to be] as the planet warms. Not only (B) [many developing countries do / do many developing countries] have naturally warmer climates than those in the developed world, they also rely more heavily on climate sensitive sectors such as agriculture, forestry, and tourism. [고2 9월 응용]

developing country 개발도상국
developed world 선진국
sensitive 민감한
sector 부문
forestry 임업

B 다음 글의 밑줄 친 부분 중, 어법상 틀린 것을 고르시오.

3 If you have forgotten ① who the governor is or ② how hydrogen atoms are many in a molecule of water, quietly ask a friend but one way or the other, quit hiding, and take action. This approach will ③ cause you to be ④ more successful than you would have been ⑤ had you employed the common practice of pretending to know more than you do. [고2 6월 응용]

governor 주지사
hydrogen 수소
atom 원자
molecule 분자
approach 접근법
employ 이용하다
practice 행위
pretend ~인 척하다

4 Unlike coins and dice, humans have memories and ① did care about wins and losses. Still, the probability of a hit in baseball ② does not increase just because a player ③ has not had one lately. A baseball player ④ who had four outs in a row is not due for a hit, ⑤ nor is a player who made four hits in a row due for an out. [고2 3월]

probability 확률
hit 안타
in a row 연달아

어법 REVIEW 3 기출 유형 어법연습하기

1 다음 글의 밑줄 친 부분 중, 어법상 틀린 것은?

Charisma is eminently learnable and teachable, and in many ways, it follows one of Newton's famed laws of motion: *For every action, there is an equal and opposite reaction*. That is to say that all of charisma and human interaction is a set of signals and cues ① that lead to other signals and cues, and there is a science to deciphering ② whether do certain signals and cues work the most in your favor. In other words, charisma can often be simplified as a checklist of what to do at what time. However, it will require brief forays out of your comfort zone. Even though there may be a logically easy set of procedures to follow, it's still an ③ emotional battle to change your habits and ④ introduce new, uncomfortable behaviors that you are not used to. I like to say that it's just a matter of using muscles that have long been dormant. It will take some time to warm them up, but it's only through practice and action ⑤ that you will achieve your desired goal.

[고2 11월 응용]

Point		
	① 관계대명사 that	④ 등위접속사 병렬구조
	② whether 간접의문문	⑤ 「It ~ that」 강조구문
	③ 형용사 vs. 부사	

2 (A), (B), (C)의 각 네모 안에서 어법에 맞는 표현으로 가장 적절한 것은?

Have you ever thought about (A) [how you can / how can you] tell what somebody else is feeling? Sometimes, friends might tell you that they are feeling happy or sad but, (B) [if / even if] they do not tell you, I am sure that you would be able to make a good guess about what kind of mood they are in. You might get a clue from the tone of voice that they use. For example, they may raise their voice if they are angry or talk in a shaky way if they are scared. The (C) [other / another] main clue you might use to tell what a friend is feeling would be to look at his or her facial expression. We have lots of muscles in our faces which enable us to move our face into lots of different positions. This happens spontaneously when we feel a particular emotion. [고1 9월]

	(A)		(B)		(C)
①	how you can	……	if	……	other
②	how can you	……	even if	……	another
③	how you can	……	even if	……	other
④	how can you	……	if	……	another
⑤	how you can	……	even if	……	another

Point
(A) 간접의문문
(B) 부사절 접속사 조건 / 양보
(C) 부정대명사

1 charisma 카리스마 eminently 분명하게 famed 아주 유명한 decipher 판독하다 cue 단서 simplify 단순화하다 foray 시도 logically 논리적으로 procedure 절차 behavior 행동 muscle 근육 dormant 활동을 중단한
2 guess 추측 mood 기분 tone 어조 shaky 떨리는 facial expression 표정 enable 가능하게 하다 position 위치 spontaneously 자발적으로 particular 특정한

정답과 해설 p. 67

3 다음 글의 밑줄 친 부분 중, 어법상 틀린 것은?

Impressionist paintings are probably most popular; it is an easily understood art which does not ask the viewer to work hard ① to understand the imagery. Impressionism is 'comfortable' to look at, with its summer scenes and bright colours appealing to the eye. It is important to remember, however, that ② not only was this new way of painting challenging to its public in the way that it was made ③ but also in what was shown. They ④ had seen never such 'informal' paintings before. The edge of the canvas cut off the scene in an arbitrary way, as if snapped with a camera. The subject matter included modernization of the landscape; railways and factories. ⑤ Never before had these subjects been considered appropriate for artists. [고1 11월 응용]

Point

① to부정사의 용법	④ 전체부정
② 부정어구 도치	⑤ 부정어구 도치
③ 상관접속사 병렬구조	

4 (A), (B), (C)의 각 네모 안에서 어법에 맞는 표현으로 가장 적절한 것은?

In one of Silicon Valley's most innovative companies (A) [is / are] a CEO who has what would seem like a boring, creativity-killing routine. He holds a three-hour meeting that starts at 9:00 A.M. one day a week. It is (B) [never / none] missed or rescheduled at a different time. It is mandatory — so much so that even in this global firm all the executives know never to schedule any travel that will conflict with the meeting. At first glance there is nothing particularly unique about this. But what is unique is the quality of ideas that come out of the regular meetings. Because the CEO did eliminate the mental cost involved in planning the meeting or thinking about (C) [who / who will] or won't be there, people can focus on creative problem solving. [고1 9월 응용]

	(A)		(B)		(C)
①	is	……	never	……	who
②	are	……	never	……	who will
③	is	……	none	……	who will
④	are	……	none	……	who
⑤	is	……	never	……	who will

Point

(A) 도치구문의 수 일치
(B) 전체부정
(C) 의문사 주어인 간접의문문

3 impressionist 인상주의 화가 imagery 회화적 형상 scene 장면 appeal 흥미를 끌다 challenging 도전적인 informal 형식에 구애받지 않는 edge 가장자리 arbitrary 임의적인 snap 사진을 찍다 modernization 현대화 landscape 풍경 railway 기찻길 appropriate 적절한
4 innovative 혁신적인 routine 판에 박힌 일상 mandatory 의무적인 firm 기업 executive 경영자 conflict 충돌하다 at first glance 언뜻 보기에는 unique 독특한 eliminate 없애다 creative 창의적인

어법 REVIEW 4 서술형내신 어법연습하기

1 다음 글을 읽고, 물음에 답하시오.

Although humans have been drinking coffee for centuries, it is not clear just (a) 어디서 커피가 유래했는지 혹은 누가 그것을 처음 발견했는지. However, the predominant legend has it that a goatherd discovered coffee in the Ethiopian highlands. Various dates for this legend include 900 BC, 300 AD, and 800 AD. Regardless of the actual date, it is said that Kaldi, the goatherd, noticed that (b) none of his goats slept at night after eating berries from what would later be known as a coffee tree. When Kaldi reported his observation to the local monastery, the abbot became the first person to brew a pot of coffee and note its flavor and alerting effect when he drank it. Word of the awakening effects and the pleasant taste of this new beverage soon spread beyond the monastery. The story of Kaldi might be more fable than fact, but at least some historical evidence indicates that (c) coffee does originate in the Ethiopian highlands.

[고1 11월 응용]

VOCA

3 predominant 유력한
goatherd 염소지기
4 highland 고산지
5 regardless of ~와 상관없이
7 berry (산딸기류) 열매
8 observation 관찰
monastery 수도원
abbot 수도원장
9 brew 끓이다
alert 주의를 환기하다
10 pleasant 기분 좋은
11 beverage 음료
12 evidence 증거
13 indicate 나타내다

학교시험 서술형 단골 문제 감 잡기

| 어법+영작 |

01 밑줄 친 (a)와 같은 뜻이 되도록 주어진 단어들을 알맞은 순서로 배열하시오.

(where / who/ originated / first discovered / coffee / or / it)

| 어법+해석 |

02 밑줄 친 (b)를 우리말로 바르게 해석하시오.

| 어법 파악 |

03 밑줄 친 (c)에서 어법상 틀린 부분을 찾아 바르게 고쳐 쓰고, 그 이유를 서술하시오.

정답과 해설 p. 69

2 다음 글을 읽고, 물음에 답하시오.

Plants are nature's alchemists; they are expert at transforming water, soil, and sunlight into an array of precious substances. Many of these substances are beyond the ability of human beings to conceive. While we were perfecting consciousness and learning to walk on two feet, (a) they were, by the same process of natural selection, inventing photosynthesis and perfecting organic chemistry. As it turns out, many of the plants' discoveries in chemistry and physics have served us well. From plants (b) chemical compounds that nourish and heal and delight the senses come. Why would they go to all this trouble? Why should plants bother to devise the recipes for so many complex molecules and then expend the energy needed to manufacture them? Plants can't move, which means they can't escape the creatures that feed on them. (c) 바로 식물들의 부동성이라는 이러한 사실이 그것들로 하여금 화학물질을 만들도록 한다. [고1 11월 응용]

VOCA

- 1 alchemist 연금술사
- transform 바꾸다
- 2 array 집합체
- substance 물질
- 3 conceive 상상하다
- 4 consciousness 의식
- 5 photosynthesis 광합성
- 6 organic chemistry 유기 화학
- 8 compound 혼합물
- nourish 영양분을 공급하다
- 10 devise 고안하다
- molecule 분자
- expend (에너지를) 쏟다

학교시험 서술형 단골 문제 감 잡기

ㅣ내용 파악ㅣ

01 밑줄 친 (a)가 가리키는 것을 본문에서 찾아 쓰시오.

____

ㅣ어법 파악ㅣ

02 밑줄 친 (b)에서 어법상 틀린 부분을 찾아 바르게 고쳐 문장을 다시 쓰시오.

____

ㅣ어법+영작ㅣ

03 밑줄 친 (c)를 다음 조건에 맞게 영작하시오.

〈조건〉 • 「It ~ that」 강조구문을 사용할 것
• 「cause A to B」 구문을 사용할 것
• this fact of plants' immobility, chemicals를 포함하여 13단어로 쓸 것

____

3 다음 글을 읽고, 물음에 답하시오.

A dramatic example of how culture can influence our biological processes was provided by anthropologist Clyde Kluckhohn, who spent much of his career in the American Southwest studying the Navajo culture. Kluckhohn tells of a non-Navajo woman he knew in Arizona who took a somewhat perverse pleasure in causing a cultural response to food. At luncheon parties she often served sandwiches filled with a light meat that resembled tuna or chicken but had a distinctive taste. (a) 모든 사람이 점심 식사를 마친 후에야 비로소 그 여주인은 손님들에게 알려 주곤 했다 that what they had just eaten was (b) neither tuna salad nor chicken salad but rather rattlesnake salad. Invariably, someone would vomit upon learning what they had eaten. Here, then, is an excellent example of how the biological process of digestion was influenced by a cultural idea. Not only (c) [the process was influenced / was the process influenced], it was reversed: the culturally based *idea* that rattlesnake meat is a disgusting thing to eat triggered a violent reversal of the normal digestive process. [고2 3월]

VOCA

- 1 influence 영향을 주다
- 2 anthropologist 인류학자
- 5 perverse 비뚤어진
  response 반응
- 7 resemble 유사하다
- 8 distinctive 독특한
- 10 rattlesnake 방울뱀
  invariably 예외 없이
  vomit 토하다
- 12 digestion 소화
- 13 reverse 반전시키다
- 14 disgusting 역겨운
- 15 trigger 촉발시키다
  reversal 반전

학교시험 서술형 단골 문제 감 잡기

| 어법+영작 |

01 밑줄 친 (a)와 같은 뜻이 되도록 주어진 단어들을 알맞은 순서로 배열하여 문장을 완성하시오.

(would / inform / the hostess / guests / her)

Only after everyone had finished lunch ______________________________

| 어법+해석 |

02 밑줄 친 (b)를 우리말로 바르게 해석하시오.

____

| 어법 파악 |

03 (c)의 네모 안에서 어법상 맞는 것을 고르고, 그 이유를 서술하시오.

____

정답과 해설 p. 69

4 다음 글을 읽고, 물음에 답하시오.

The online world is an artificial universe — entirely human-made and designed. The design of the underlying system shapes how we appear and what we see of other people. It determines the structure of conversations and (a) who has access to what information. Architects of physical cities determine the paths people will take and the sights they will see. They affect people's mood by creating cathedrals that inspire awe and schools that encourage playfulness. Architects, however, do not control (b) 건물들의 거주자들이 어떻게 자신들을 나타내는지 or see each other — but the designers of virtual spaces do, and they have far greater influence on the social experience of their users. They determine (c) whether do we see each other's faces or instead know each other only by name. They can reveal the size and makeup of an audience, or provide the impression that one is writing intimately to only a few, even if millions are in fact reading.

[고2 11월]

VOCA

2 underlying 근본적인
3 determine 결정하다
4 have access to ~에 접근할 수 있다
architect 건축가
6 cathedral 대성당
inspire 불어넣다
awe 경외감
7 encourage 격려하다
9 virtual 가상의
11 reveal 드러내다
12 impression 인상
13 intimately 친밀히

학교시험 서술형
단골 문제 감 잡기

| 어법+해석 |

01 밑줄 친 (a)를 우리말로 바르게 해석하시오.

____

| 어법+영작 |

02 밑줄 친 (b)와 같은 뜻이 되도록 주어진 단어들을 알맞은 순서로 배열하여 문장을 완성하시오.

(how / the residents / those buildings / present / themselves / of)

____

| 어법 파악 |

03 밑줄 친 (c)에서 어법상 틀린 부분을 찾아 바르게 고쳐 쓰고, 그 이유를 서술하시오.

____

MEMO

MEMO

MEMO

기출지문으로 공략하는

처음 만나는 수능 어법

Workbook

Basic

정답과 해설

CHUNJAE
EDUCATION, INC.

정답과 해설
포인트 3가지

▶ 혼자서도 이해할 수 있는 친절한 문제 풀이

▶ 필수 어법 Point 중심 자세한 문제 분석

▶ 전 지문 문장구조 분석 및 직독직해 수록

기출지문으로 공략하는

처음 만나는 수능 어법

Workbook

Basic

정답과 해설

기본

Unit 01 주어 동사 수 일치

문법 확인 p. 6

주어 역할을 하는 것 ❶ 주체 ❷ to부정사구 ❸ whether절
주어와 동사의 수 일치 ❹ 단수 ❺ 주어 ❻ 수식어 ❼ 단수 동사 ❽ 복수 동사
개념 마무리 OX (1) ○ (2) ○ (3) ×

실전어법 개념확인 p. 7

Point ❶+❷ 단수, 단수, that, what, 단수, 복수 / 1 transforms 2 was 3 is 4 is
Point ❸+❹ 동사, 현재분사구, 형용사구, 앞, 명사 / 5 is 6 shapes 7 are
Point ❺+❻ of, 명사, 앞, (조)동사 / 8 starts 9 are 10 was

어법 REVIEW 1 문장 어법연습하기 p. 8

A
1 is ▸ to부정사구 주어는 단수 취급하므로 단수 동사 is
2 impacts ▸ 명사절인 의문사절 주어는 단수 취급하므로 단수 동사 impacts
3 are ▸ 주어가 「부분 표현 + of + 명사」일 때, 부분 표현 뒤의 명사의 수에 동사의 수를 일치시키므로 복수 동사 are
4 have ▸ there 도치 문장의 어순은 「there + 동사 + 주어」로, 주어가 recommendations이므로 복수 동사 have
B
5 helps ▸ 동명사구 주어는 단수 취급하므로 단수 동사 helps
6 are ▸ 주어가 「부분 표현 many of + 복수 명사 the traditional clues」이므로 복수 동사 are
7 are ▸ 주어가 those이고 관계사절 수식어구가 이어진 형태이므로 복수 동사 are

A
e.g. 2002년 Salt Lake City 경기에서 남자 선수의 수는 여자 선수 수의 두 배보다 더 많았다.

1 큰 규모의 조직에서 새로운 것을 개발하는 것은 어렵다.

2 게다가, 어떤 사람이 하루를 어떻게 접근하는가는 그 사람의 삶의 다른 모든 것에 영향을 끼친다.

3 마라톤 중에 술을 마시는 것과 같은 이러한 관행 중 일부는 더 이상 추천되지 않는다.

4 운동 기량을 향상할 수 있도록 선수들에게 주어진 음식에 관한 충고는 늘 존재해 왔다.

B
e.g. 그의 풍경화 중 대부분은 검은 색조였다.

5 샌드위치부터 고급 자동차까지 모든 것에 여러분의 접근을 제한하는 것은 여러분의 활기 온도계를 재설정하도록 돕는다.

6 어떤 사람의 물리적 출석과 참석과 같은 신원에 대한 많은 전통적인 단서들이 기계에 기반을 둔 '신용 증명물'을 확인하는 것으로 대체된다.

7 기본적으로 실수를 전혀 저지르지 않는 사람들은 덜 매력적이거나 '덜 호감을 주는' 것으로 인식된다.

어법 REVIEW 2 짧은 지문 어법연습하기 p. 9

A 1 (A) volunteer (B) are (C) have 2 (A) is (B) are (C) are
B 3 ② 4 ④

A

1 Human Library에서는, 특별한 인생 이야기를 가진 사람들은 자원해서 '책'이 된다. 정해진 시간 동안, 당신은 그들에게 질문할 수 있고 그들의 이야기들을 들을 수 있는데, 그것은 당신이 책에서 발견할 수 있는 것만큼이나 매력적이고 감동적이다. 그 이야기들 중 많은 것들은 일종의 고정관념과 관련이 있다.
▸ (A) 핵심 주어는 people이므로 복수 주어의 수에 맞춰 복수 동사 volunteer를 써야 한다.
(B) 관계사절에서 관계대명사의 수는 앞에 나온 선행사의 수에 일치시킨다. which의 선행사는 stories로, 복수이므로 복수 동사 are가 적절하다.
(C) many of는 부분 표현이므로 부분 표현 뒤의 명사의 수에 동사의 수를 일치시킨다. the stories가 복수이므로 복수 동사 have를 써야 한다.

2 판매와 마케팅 사이의 차이는 아주 간단하다. 판매는 주로 수익을 위해 제품을 판매하고자 하는 회사의 요구에 초점을 맞춘다. 회사의 현재 제품에 대한 수요를 창출하기 위해 판매원 그리고 다른 형태의 판촉이 사용된다. 분명히, 판매자의 요구가 아주 강하다.
▸ (A) 핵심 주어는 the difference이고 전치사구가 수식하는 구조이므로 단수 동사 is가 적절하다.
(B) 주어는 salespeople and other forms of promotion으로, 복수이므로 복수 동사 are를 써야 한다.
(C) 주어는 the needs of the seller로, 복수이므로 복수 동사 are를 써야 한다.

B

3 사람들이 서로에게 영향을 미치도록 놔 두는 것은 집단 평가의 정확도를 낮춘다. 증거에 대한 다수의 출처로부터 가장 유용한 정보를 도출하기 위해서, 당신은 이 출처들을 서로 독립적 상태로 만들도록 항상 노력해야 한다. 이러한 원칙은 좋은 수사 절차의 한 부분이다.
▸ ② → reduces / 주어가 allowing으로 동명사이다. 동명사구 주어는 단수 취급하므로 단수 동사 reduces로 고쳐야 한다.

4 대부분의 아프리카계 미국인들은 명절 만찬으로 고구마 파이를 내

는 경향이 있다. 사실, 아프리카계 미국인 부모들이 그들의 자녀들에게 호박 파이를 설명하는 방식들 중의 하나는 그것이 고구마 파이와 비슷한 무언가라고 말하는 것이다. 그들에게 있어서, 고구마 파이는 흔하게 언급되는 것이다.

▶ ④ → is / one of the ways that African American parents explain pumpkin pie to their children에서 핵심 주어는 one of the ways이다. 이어지는 that ~ children은 관계대명사절 수식어구이다. 「one of + 복수 명사」는 단수 취급하므로 단수 동사 is로 고쳐야 한다.

어법 REVIEW 3 | 기출 유형 어법연습하기

pp. 10~11

1 ②　2 ⑤　3 ①　4 ①

1. 구문분석 및 직독직해

❶ Most of the parents [who have experienced personal
대부분의 부모들은 개인적인 고난을 경험한
most of+복수 명사 ↩ 관계사절 현재완료

hardship] desire a better life / for their children.
더 나은 삶을 바란다 그들의 자녀를 위해
복수 동사(수 일치) 전치사구

spare A from B: A를 B로부터 피하게 해주다
❷ To want to spare children / from having to go through
자녀가 겪지 않도록 해주고 싶은 것은 불쾌한 경험을 겪는 것을
to부정사구 주어 전치사+동명사

unpleasant experiences / is a noble aim, / and it naturally stems /
고귀한 목적이다 그리고 그것은 당연히 나오는 것이다
단수 동사(수 일치) 주어 동사

from love and concern / for the child.
사랑과 염려로부터 자녀에 대한

명사절 접속사
❸ [What these parents don't realize], however, / is [that
이러한 부모들이 깨닫지 못하는 것은 그러나 ~이다
관계대명사 what절 주어 접속부사 동사 is의 보어절

while in the short term / they may be making the lives of their
단기적으로는 그들이 만들어 주고 있을지 모르지만
5형식: make+목적어+목적격보어(형용사)

children more pleasant, / in the long term / they may be
그들의 자녀의 삶을 더 즐겁게 장기적으로는 그들은 막고 있을지도 모른다

preventing / their children / from acquiring / self-confidence,
그들의 자녀가 습득하는 것을 자신감,
prevent A from B: A가 B를 못하게 하다

mental strength, and important interpersonal skills].
정신력, 그리고 중요한 대인 기술을

❹ Samuel Smiles, a nineteenth-century English author,
Samuel Smiles는 19세기의 영국 작가인
주어 └ 동격 ┘

wrote, ["Whether any heavier curse could be forced on man /
썼다 인간에게 가해지는 더 심한 저주가 과연 있을지 (아닌지)
동사 명사절 접속사 주어

than the complete gratification / of all his wishes / without effort
완전한 만족보다 그의 모든 소망에 대한 자신의 노력 없이
비교급+than: ~보다 더 …한 전치사구

on his part] is doubtful, / leaving nothing for his hopes,
의문이 든다 희망, 욕망, 그리고 분투의 여지를 남기지 않은 채
동사 보어 분사구문

desires, or struggles."

❺ For healthy development, / the child needs / to deal with
건전한 발달을 위해 아이는 ~할 필요가 있다
전치사구 주어 동사 to부정사의 명사적 용법

some failure, / (to) Vstruggle through some difficult periods, / and
실패를 다룰 어려운 시기를 거쳐 투쟁할
to deal과 병렬구조

(to) Vexperience some painful emotions.
그리고 고통스러운 감정을 경험할
to deal과 병렬구조

해석 개인적인 고난을 경험한 대부분의 부모들은 그들의 자녀가 더 나은 삶을 살기를 바란다. 자녀가 불쾌한 경험을 겪지 않도록 해주고자 하는 것은 고귀한 목적이며, 그것은 당연히 자녀에 대한 사랑과 염려로부터 나오는 것이다. 그러나 이러한 부모들이 깨닫지 못하는 것은 그들이 단기적으로는 자녀의 삶을 더 즐겁게 만들어 주고 있을지 모르지만, 장기적으로는 그들의 자녀가 자신감, 정신력, 그리고 중요한 대인 기술을 습득하는 것을 막고 있을지도 모른다는 것이다. 19세기의 영국 작가인 Samuel Smiles는 "희망, 욕망, 그리고 분투의 여지를 남기지 않은 채, 자신의 노력 없이 그의 모든 소망에 대한 완전한 만족보다 인간에게 가해지는 더 심한 저주가 과연 있을까 하는 의문이 든다."라고 썼다. 건전한 발달을 위해 아이는 실패를 다루고 어려운 시기를 거쳐 몸부림치며 고통스러운 감정을 경험할 필요가 있다.

해설 ② → is / to부정사구 주어는 단수 취급하므로 단수 동사 is로 고쳐야 한다.

2. 구문분석 및 직독직해

동사 (that) 목적격 관계대명사
❶ How can we access / the nutrients [Vwe need] / with less
어떻게 우리는 접근할 수 있는가 영양분에 우리가 필요로 하는
의문문 주어 목적어 ↩ 관계사절

impact / on the environment?
더 적은 영향을 미치면서 환경에

❷ 〈The most significant component of agriculture [that
농업에서 상당히 많은 부분을 차지하는 요소는
핵심 주어 선행사 ↩ 관계사절

contributes to climate change]〉 is livestock.
기후 변화를 야기하는 가축이다
〈 〉 주어 부분 동사

❸ Globally, / beef cattle and milk cattle / have the most
세계적으로 육우와 젖소는 가장 중요한 영향을 미친다
주어 동사

significant impact / in terms of greenhouse gas emissions(GHGEs), /
온실가스 배출(GHGEs)에 있어서
전치사구

(beef cattle and milk cattle)
and V are responsible for / 41% of the world's CO2 emissions /
그리고 차지한다 세계의 이산화탄소 배출의 41%를
have와 병렬구조

and 20% of the total global GHGEs.
그리고 전 세계 온실가스 배출의 20%를

(which are)
❹ 〈The atmospheric increases in GHGEs [Vcaused by the
대기의 온실가스 배출 증가는 ~으로 야기된
핵심 주어 ↩ 과거분사구(increases 수식)

transport, land clearance, methane emissions, and grain
운송 토지 개간 메탄 배출 그리고 곡물 경작

(which are)
cultivation {Vassociated with the livestock industry}]〉 are the
가축 산업과 연관된 〈 〉 주어 부분
↩ 과거분사구(the transport ~ and grain cultivation 수식) 동사

main drivers / behind increases in global temperatures.
주요 요인이다 배후에 지구의 온도 상승
전치사구

❺ In contrast to conventional livestock, / insects as
전통적인 가축과 대조하여 "minilivestock"으로서의
전치사구

"minilivestock" / are low-GHGE emitters, / use minimal land, /
곤충들은 온실가스를 적게 배출한다 최소한의 땅을 사용한다
주어 동사1 동사2

can be fed on food waste rather than cultivated grain, / and
재배된 곡물보다 음식물 쓰레기를 사료로 먹을 수 있다 그리고
동사3(조동사의 수동태) A rather than B: B라기보다는 A

(insects as "minilivestock")
can be farmed anywhere / thus potentially also avoiding
어느 곳에서나 사육될 수 있다 따라서 또한 잠재적으로 온실가스 배출을 줄일 수
동사4(조동사의 수동태) 연결어(결과) 분사구문(동시동작)

(which are)
GHGEs / Vcaused by long distance transportation.
있다 장거리 운송에 의해 야기되는
과거분사구

(we)
❻ If we increased insect consumption / and Vdecreased meat
우리가 곤충 소비를 늘린다면 그리고 육류 소비를 줄인다면
가정법 과거 if절의 동사(과거형) increased와 병렬구조

consumption / worldwide, / the global warming potential of the
세계적으로 식량 체계로 인한 지구 온난화 가능성은
주어

food system / would be significantly reduced.
현저히 줄어들 것이다
주절의 동사(would+동사원형)

해석 어떻게 우리는 환경에 더 적은 영향을 미치면서 필요한 영양분에 접근할 수 있는가? 기후 변화를 야기하는 농업에 있어서 상당히 많은 부분을 차지하는 요소는 가축이다. 세계적으로 육우와 젖소는 온실가스 배출(GHGEs)에 있어 가장 중요한 영향을 미치고, 세계의 이산화탄소 배출의 41%와 전 세계 온실 가스 배출의 20%를 차지한다. 가축 산업과 연관된 운송, 토지 개간, 메탄 배출, 곡물 경작으로 야기된 대기의 온실가스 배출 증가는 지구의 온도를 높이는 주된 요인이다. 전통적인 가축과 대조하여, 'minilivestock'인 곤충들은 온실가스를 적게 배출하고 최소한의 땅을 사용하며 재배된 곡물보다 음식물 쓰레기를 사료로 먹을 수 있고 어느 곳에서나 사육될 수 있으며, 따라서 또한 잠재적으로 장거리 운송에 의해 야기되는 온실가스 배출을 줄일 수 있다. 우리가 세계적으로 곤충 소비를 늘리고 육류 소비를 줄인다면, 식량 체계로 인한 지구 온난화 가능성은 현저히 줄어들 것이다.

해설 (A) 핵심 주어는 the most significant component of agriculture이고, that절은 관계사절 수식어구이다. 단수 주어의 수에 맞춰 단수 동사 is를 써야 한다.

(B) 주어는 the atmospheric increases이다. 복수 명사의 수에 맞춰 복수 동사 are를 써야 한다.

(C) 주어가 insects이므로 복수 주어의 수에 맞춰 복수 동사 use를 써야 한다.

3. 구문분석 및 직독직해

advise A to B: A에게 B하라고 조언하다
❶ Do you advise your kids / to keep away from strangers?
당신은 당신의 아이들에게 조언하는가 낯선 사람들을 멀리하라고
to부정사(목적격보어)

❷ That's a tall order / for adults.
그것은 무리한 요구이다 어른들에게
지시대명사 tall order: 무리한 요구

❸ After all, / you expand / your network of friends / and create /
결국 당신은 확장한다 친구들의 범위를 그리고 만든다
주어 동사1 병렬구조 동사2

potential business partners / by meeting strangers.
잠재적인 사업 파트너를 낯선 사람들을 만남으로써
by+동명사: ~함으로써

❹ Throughout this process, however, / analyzing people / to
이 과정에서 그러나 사람들을 분석하는 것은
전치사구 접속부사 동명사구 주어

understand their personalities / is not all about potential
그들의 성격을 이해하기 위해 잠재적인 경제적 또는 사회적 이익에 대한
to부정사의 부사적 용법(목적) 동사(수 일치) not all: 부분부정

economic or social benefit.
것만은 아니다

❺ There is your safety to think about, / as well as the safety of
당신의 안전도 생각해 봐야 한다 당신이 사랑하는 사람들의
there is 도치 주어 to부정사의 형용사적 용법 ~뿐만 아니라

your loved ones.
안전뿐만 아니라
부정대명사

❻ For that reason, / Mary Ellen O'Toole, / who is a retired FBI
그런 이유로 Mary Ellen O'Toole은 은퇴한 FBI 프로파일러인
전치사구 주어 계속적 용법의 관계대명사

profiler, / emphasizes the need / to go beyond a person's
필요성을 강조한다 어떤 사람의 피상적인 특성을 넘어설
동사 to부정사의 형용사적 용법

superficial qualities / in order to understand them.
그들을 이해하기 위해
in order to+동사원형: ~하기 위해

명사절 접속사
❼ It is not safe, (for instance,) to assume [that a stranger
안전하지 않다 예를 들어 가정하는 것은 낯선 이들이
가주어 삽입구 진주어(to부정사 주어) assume의 목적절

is a good neighbor, / just because they're polite].
좋은 이웃이라는 것 단지 그들이 공손하다는 이유로

핵심 주어 긴주어〈 〉
❽ 〈Seeing them follow / a routine of going out every morning
그들이 따르는 것을 보는 것은 매일 아침 잘 차려 입고 외출하는 일상
5형식(지각동사 see+목적어+목적격보어(동사원형)) 전치사구

well-dressed〉 doesn't mean [that's the whole story].
뜻하지 않는다 그것이 전부라는 것을
과거분사 동사 지시대명사

시간의 부사절(종속절)
❾ In fact, / O'Toole says [that when you are dealing with a
사실 O'Toole은 말한다 당신이 범죄자를 다룰 때
says의 목적절

criminal, / even your feelings may fail you].
심지어 당신의 느낌도 당신을 실패하게 할 수 있다
주어 조동사+동사원형

❿ That's because criminals have perfected / the art of
그것은 범죄자들이 통달했기 때문이다
주어 동사(현재완료)

manipulation and deceit.
조작과 사기의 기술에

해석 당신은 당신의 아이들에게 낯선 사람들을 멀리하라고 조언하는가? 그것은 어른들에게는 무리한 요구이다. 결국, 당신은 낯선 사람들을 만남으로써 당신의 친구들의 범위를 확장하고 잠재적인 사업 파트너를 만든다. 그러나 이 과정에서, 사람들의 성격을 이해하기 위해 그들을 분석하는 것은 잠재적인 경제적 또는 사회적 이익에 대한 것만은 아니다. 당신이 사랑하는 사람들의 안전뿐만 아니라, 당신의 안전도 생각해 봐야 한다. 그런 이유로, 은퇴한 FBI 프로파일러인 Mary Ellen O'Toole은 그들을 이해하기 위해 어떤 사람의 피상적인 특성을 넘어설 필요성을 강조한다. 예를 들어, 단지 낯선 이들이 공손하다는 이유로 그들이 좋은 이웃이라고 가정하는 것은 안전하지 않다. 그들이 매일 아침 잘 차려 입고 외출하는 일상을 따르고 있는 것을 보는 것이 전부는 아니다. 사실, O'Toole은 당신이 범죄자를 다룰 때, 심지어 당신의 느낌도 당신을 실패하게 할 수 있다고 말한다. 그것은 범죄자들이 조작과 사기의 기술에 통달했기 때문이다.

해설 ① → is / 핵심 주어는 동명사구 analyzing people이므로 단수 취급한다. 따라서 단수 동사 is로 고쳐야 한다.

4. 구문분석 및 직독직해

❶ Studies show [that no one is "born" / to be an entrepreneur]
연구들은 보여 준다 어느 누구도 '타고 난' 것은 아니라는 것을 기업가가 되도록
주어 동사 show의 목적절1 동사(수동태) to부정사의 부사적 용법

(= entrepreneur)
and [that everyone has the potential / to become one].
그리고 모든 사람은 잠재력이 있다는 것을 기업가가 될
병렬구조 show의 목적절2 to부정사의 형용사적 용법

❷ [Whether someone does or doesn't] is a function of
어떤 사람이 기업가가 되느냐 되지 않느냐 하는 것에는
whether절 주어 동사

environment, life experiences, and personal choices.
환경, 인생 경험, 그리고 개인적인 선택이 작용한다

❸ However, / there are personality traits and characteristics /
그러나 성격 특성과 특징이 있다
there are 도치 주어

(that are)
V commonly associated with entrepreneurs.
부사 과거분사구(앞의 명사 수식)

❹ These traits are developed over time / and evolve from an
이런 특성은 시간이 경과하면서 드러난다 그리고 개인의 사회적
주어 동사(수동태)

individual's social context.
맥락으로부터 서서히 발달한다

❺ For example, / people with parents [who were
예를 들어 부모를 가진 사람들은 자영업을 하는
주어 관계사절

self-employed] are more likely to become entrepreneurs.
기업가가 될 가능성이 더 높다
동사 more likely+to부정사: ~할 가능성이 더 높다

❻ After witnessing / a father's or mother's independence in the
본 뒤에 아버지나 어머니가 직장에서 독립적으로 일하는 것을
접속사+분사구문

workplace, / an individual is more likely to find independence
개인은 독립이 매력적이라고 생각할 가능성이 더 높다
주어 동사 find+목적어

appealing.
+목적격보어(형용사)

❼ Similarly, / people [who personally know an entrepreneur]
마찬가지로 사람들은 개인적으로 기업가를 알고 있는
주어 관계사절
~에 관계되다
are more than twice as likely / to be involved in starting / a new
가능성이 두 배가 넘게 높다 시작하는 일에 관여할 새로운 회사를
동사(수 일치) 비교급 동사(수동태)

(= people) more than twice as ~ as: …에 비해 2배보다 더 ~하다
firm / as those with no entrepreneur acquaintances or role
기업가인 지인이나 롤모델이 없는 사람들에 비해
대명사 전치사구

models.

해석 여러 연구에서 어느 누구도 기업가가 되도록 '타고 난' 것은 아니며 모든 사람은 기업가가 될 잠재력이 있다는 것을 보여 준다. 어떤 사람이 기업가가 되느냐 되지 않느냐 하는 것에는 환경, 인생 경험, 그리고 개인적인 선택이 작용한다. 그러나 기업가와 흔히 연관되어 있는 성격 특성과 특징이 있다. 이런 특성은 시간이 경과하면서 드러나고 개인의 사회적 맥락으로부터 서서히 발달한다. 예를 들어, 자영업을 하는 부모를 가진 사람들이 기업가가 될 가능성이 더 높다. 아버지나 어머니가 직장에서 독립적으로 일하는 것을 본 뒤에, 개인은 독립이 매력적이라고 생각할 가능성이 더 높다. 마찬가지로, 개인적으로 기업가를 알고 있는 사람들이 기업가인 지인이나 롤모델이 없는 사람들보다 새로운 회사를 시작하는 일에 관여할 가능성이 두 배가 넘게 높다.

해설 (A) that절의 주어는 everyone이므로 단수 동사 has가 적절하다.
(B) 주어가 whether절이므로 단수 취급하여 단수 동사 is가 적절하다.
(C) 복수 명사 people 뒤에 관계사절 수식어구가 있는 구조이므로 복수 동사 are를 써야 한다.

어법 REVIEW 4 서술형 내신 어법연습하기

pp. 12~15

1 **01** are / the analogies between science and art
02 everybody agrees on where ideas come from
03 is → are / 주어는 all of these people로, 복수이므로 is를 복수형 are로 고쳐 써야 한다.

2 **01** is / 주어가 thinking ~ behaviour로, 동명사구이므로 단수 취급하여 단수 동사가 와야 한다. **02** she **03** 자녀들의 성취를 뽐내는 부모들은 그들의 실패에 대해 걱정한다

3 **01** There has been a general belief that sport is a way of reducing violence. **02** sport, violence
03 discovers

4 **01** being smart or competent isn't enough
02 Nobody likes to be crossed off the list before being given the opportunity to show others who they are. **03** that we all learn how to say the appropriate things in the right way is important

1. 구문분석 및 직독직해

❶ A good many scientists and artists / have noticed / the
상당한 수의 과학자들과 예술가들이 주목해 왔다
주어 현재완료(계속)

universality of creativity.
창의성의 보편성에 대해

(which was)
❷ At the Sixteenth Nobel Conference, (V held in 1980,)
제16차 노벨 회의에서 1980년에 열린
삽입

the scientists, musicians, and philosophers all / agreed, (to quote
과학자들, 음악가들 그리고 철학자들은 모두 동의했다 Freeman
삽입

주어
Freeman Dyson), [that "the analogies between science and
Dyson의 말을 인용하여 과학과 예술 사이의 유사성은
명사절 접속사(agreed의 목적절) between A and B: A와 B 사이에

art / are very good / as long as you are talking / about the
매우 높습니다 여러분이 이야기하고 있는 한
동사 ~하는 한

creation and the performance].
창조와 행위에 관해

❸ The creation is certainly very analogous.
창조는 분명 매우 유사합니다

❹ The aesthetic pleasure of the craftsmanship of performance /
미적 쾌감은 행위의 솜씨에서 나오는
주어 전치사구 전치사구

is also very strong / in science."
또한 매우 큽니다 과학에서
동사

❺ A few years later, / at another multidisciplinary conference,
몇 년 후, 또 다른 여러 학문 분야에 걸친 회의에서
a few+셀 수 있는 명사

/ physicist Murray Gell-Mann found [that "everybody agrees /
물리학자인 Murray Gell-Mann은 알아냈다 모두가 동의합니다
명사절 접속사(found의 목적절)

on {where ideas come from}].
아이디어가 어디에서 오는지에 대해
의문사가 이끄는 명사절(의문사+주어+동사)

❻ We had a seminar here, / about ten years ago, / including
우리는 이곳에서 세미나를 했습니다 약 10년 전 ~을 포함하여

several painters, a poet, a couple of writers, and the physicists.
몇 명의 화가, 시인 한 명, 두세 명의 작가 그리고 물리학자들을
A, B, C, a couple of+복수 명사 and D

❼ Everybody agrees on [how it works].
모두가 동의합니다 그것이 어떻게 진행되는지에 대해
everybody+단수 동사 의문사가 이끄는 명사절(의문사+주어+동사)

❽ All of these people, [whether they are doing artistic work or scientific work], are trying to solve a problem."
이 사람들 모두는 자신들이 예술적인 일을 하고 있든 과학적인 일을 하고 있든 문제를 해결하려고 노력하고 있습니다
all of+복수 명사 삽입절 (whether A or B) A B 복수 동사 try+to부정사: ~하려고 노력하다

해석 상당한 수의 과학자들과 예술가들이 창의성의 보편성에 대해 주목해 왔다. 1980년에 열린 제16차 노벨 회의에서 과학자들, 음악가들 그리고 철학자들은 Freeman Dyson의 말을 인용하여 "여러분이 창조와 행위에 관해 이야기하고 있는 한 과학과 예술 사이의 유사성은 매우 높습니다. 창조는 분명 매우 유사합니다. 행위의 솜씨에서 나오는 미적 쾌감은 과학에서도 매우 큽니다."라는 것에 모두 동의했다. 몇 년 후, 또 다른 여러 학문 분야에 걸친 회의에서 물리학자인 Murray Gell-Mann은 "모두가 아이디어가 어디에서 오는지에 대해 동의합니다. 우리는 몇 명의 화가, 시인 한 명, 두세 명의 작가 그리고 물리학자들을 포함하여 약 10년 전 이곳에서 세미나를 했습니다. 모두가 그것이 어떻게 진행되는지에 대해 동의합니다. 이 사람들 모두는 자신들이 예술적인 일을 하든 과학적인 일을 하든 문제를 해결하려고 노력하고 있습니다."라는 것을 알아냈다.

해설 01 주어는 the analogies between science and art(과학과 예술 사이의 유사성)이고, 핵심 주어는 전치사구 between science and art의 수식을 받는 the analogies이다. 따라서 be동사는 복수형 are로 써야 한다.
02 주어 everybody는 항상 단수 취급하므로 동사는 3인칭 단수형 agrees로 써야 한다. agrees on 뒤에 간접의문문이 「의문사 + 주어 + 동사」의 어순으로 오는 것에 유의한다.
03 주어가 「부분 표현 + of + 명사」일 때, 부분 표현 뒤의 명사의 수에 동사의 수를 일치시킨다.

2. 구문분석 및 직독직해

❶ You may be wondering [why people / prefer to prioritize / internal disposition / over external situations / when seeking / causes to explain behaviour].
당신은 궁금해할지도 모른다 왜 사람들이 우선시하는 것을 선호하는지 내적 기질을 외적 상황보다는 찾을 때 행동을 설명하기 위한 원인을
조동사+진행시제 의문사 명사절(목적어) 접속사+분사구문

❷ One answer is simplicity.
한 가지 답은 단순함이다.

❸ Thinking of an internal cause / for a person's behaviour / is easy — / the strict teacher is a stubborn person, / the devoted parents just love their kids.
내적 원인을 생각해 내는 것은 한 사람의 행동에 대한 단수 동사 쉽다 엄격한 선생님은 완고한 사람이며, 헌신적인 부모는 단지 아이들을 사랑하는 것이다
동명사 주어 전치사구 수식어

❹ In contrast, / situational explanations / can be complex.
반대로 상황적 설명은 복잡할 수 있다
조동사+동사원형

❺ Perhaps the teacher appears stubborn / because she's seen the consequences / of not trying hard / in generations of students / and wants to develop self-discipline in them.
아마 그 선생님은 완고하게 보일 것이다 왜냐하면 그녀는 결과를 보아 왔다 열심히 노력하지 않는 것의 여러 세대의 학생들에서 그리고 그들이 자신을 단련하는 방법을 발전시키기를 원하기 때문에
주어 동사1(2형식 자동사)+형용사 현재완료 전치사구 수식어 병렬구조 동사2 = students

❻ Perhaps the parents [who're boasting of the achievements of / their children] are anxious about their failures, / and (are) conscious of / the cost of their school fees.
아마도 부모들은 자녀들의 성취를 뽐내는 그들의 실패에 대해 걱정한다 그리고 의식하고 있을 것이다 수업료의 가격을
주어 관계사절 수식어 동사 병렬구조

❼ These situational factors require / knowledge, insight, and time to think through.
이러한 상황적 요소들은 필요로 한다 지식, 통찰, 그리고 곰곰이 생각할 시간을
주어 동사 to부정사의 형용사적 용법(앞의 명사 수식)

❽ Whereas, / jumping to a dispositional attribution / is far easier.
반면에 기질적 속성으로 넘어가는 것은 훨씬 더 쉽다
동명사 주어 단수 동사 far+비교급 강조

해석 당신은 행동을 설명하기 위한 원인을 찾을 때 사람들이 왜 외적 상황보다는 내적 기질을 우선시하기를 좋아하는지를 궁금해할 것이다. 한 가지 답은 단순함이다. 한 사람의 행동에 대한 내적 원인을 생각해 내는 것은 쉽다 — 엄격한 선생님은 완고한 사람이며, 헌신적인 부모는 단지 아이들을 사랑하는 것이다. 반대로, 상황적 설명은 복잡할 수 있다. 아마 그 선생님은 여러 세대의 학생들이 열심히 노력하지 않는 것의 결과를 보아 왔고, 학생들이 자신을 단련하는 방법을 발전시키기를 원하기 때문에 완고하게 보일 것이다. 아마도 자녀들의 성취를 뽐내는 부모들은 그들의 실패에 대해 걱정하고 수업료를 의식하고 있을 것이다. 이러한 상황적 요소들은 지식, 통찰, 그리고 곰곰이 생각할 시간을 필요로 한다. 반면에, 기질적 속성으로 넘어가는 것은 훨씬 더 쉽다.

해설 01 동명사구 주어는 단수 취급하므로 단수 동사를 써야 한다.
02 and에 의해 동사가 연결되어 있는 문장으로, 주어는 she이다.
03 주어는 the parents ~ children이고, be anxious about은 '~을 걱정하다'라는 뜻이다.

3. 구문분석 및 직독직해

❶ There has been a general belief [that sport is a way / of reducing violence].
일반적인 믿음이 있어 왔다 스포츠가 방법이라는 폭력을 감소시키는
there+동사+주어(도치) 동격절 전치사+동명사

❷ Richard Sipes [who is an anthropologist] tests this notion / in a classic study / of the relationship / between sport and violence.
Richard Sipes 인류학자인 이 개념을 검증한다 고전적인 연구에서 관계에 대한 스포츠와 폭력의
주격 관계대명사 동사 전치사구 between A and B: A와 B 사이에

❸ Focusing on [what he calls "combative sports]," those sports {including actual body contact / between opponents or simulated warfare,} he hypothesizes [that if sport is an alternative to
~에 초점을 맞추며 그가 '전투적인 스포츠'라고 부르는 것 그러한 스포츠 실제 신체 접촉을 포함하는 상대방 간의 모의 전투를 그는 가설을 세운다 만약 스포츠가 폭력에 대한 대체물이라면
분사구문 관계대명사절: on의 목적절(명사절) {이어지는 내용} 전치사(including) A or B 주어 동사 목적절을 이끄는 접속사 조건절

violence, / then one would expect / to find an inverse correlation
어떤 사람은 기대한다고 역 상관관계를 찾기를
주절 to부정사(expect의 목적어)

between the popularity of combative sports and the frequency
전투적인 스포츠의 인기와 전투의 빈도 및 강도 사이에
전치사구 between A and B

and intensity of warfare].

❹ In other words, / the more combative sports (e.g., football, boxing) the less likely warfare.
다시 말해서 전투적인 스포츠(예를 들면, 축구, 권투)가 더 많을수록 전투는 덜 일어난다
the+비교급, the+비교급: ~하면 할수록 더 …하다

❺ Using the Human Relations Area Files and a sample of 20
Human Relations Area Files와 20개 사회의 샘플을 사용하여
분사구문

societies, / Sipes tests the hypothesis and / discovers a significant
Sipes는 그 가설을 검증하고 발견한다
동사1 동사2

relationship / between combative sports and violence, / but a
중요한 관련성을 전투적인 스포츠와 폭력 사이의
전치사구 between A and B: A와 B 사이에

direct one, / not the inverse correlation of his hypothesis.
그가 가정한 역 상관관계가 아닌 직접적인 상관관계를
부정대명사 (= correlation)

해석 스포츠가 폭력을 감소시키는 방법이라는 일반적인 믿음이 있어 왔다. 인류학자인 Richard Sipes는 스포츠와 폭력의 관계에 대한 고전적인 연구에서 이 개념을 검증한다. 상대방 간의 실제 신체 접촉이나 모의 전투를 포함하는 그러한 스포츠, 그가 '전투적인 스포츠'라고 부르는 것에 초점을 맞추며, 그는 만약 스포츠가 폭력에 대한 대체물이라면, 어떤 사람은 '전투적인 스포츠'의 인기와 전투의 빈도 및 강도 사이에 역 상관관계를 찾기 기대한다고 가설을 세운다. 다시 말해서, 전투적인 스포츠(예를 들면, 축구, 권투)가 더 많을수록 전투는 덜 일어난다. Human Relations Area Files와 20개 사회의 샘플을 사용하여, Sipes는 그 가설을 검증하고 전투적인 스포츠와 폭력 사이의 중요한 관련성, 그가 가정한 역 상관관계가 아닌 직접적인 상관관계를 발견한다.

해설 01 there가 문두에 온 도치 문장의 어순은 「there + 동사 + 주어」이다. 동사는 현재완료 시제로 쓰고, 주어를 쓴 다음, 주어 a general belief의 동격의 that절을 쓴다.
02 스포츠와 폭력 사이의 관계를 주제로 한 글이다.
03 '발견하다'라는 뜻은 discover로 쓸 수 있다. 동사의 주체는 Sipes이고, 현재시제이므로 discovers로 쓴다.

4. 구문분석 및 직독직해

❶ In this world, / being smart or competent / isn't enough.
이 세상에서 똑똑하거나 능력이 있는 것만으로는 충분하지 않다
동명사 주어 단수 동사

❷ People sometimes don't recognize talent / when they see it.
사람들은 때때로 재능을 알아차리지 못한다. 그들이 그것을 볼 때
시간의 접속사 〈부사절〉
(= talent)

❸ Their vision is clouded / by the first impression [(that) we give]
그들의 시야는 가려진다 첫인상에 의해 우리가 주는
수동태 현재 목적격 관계대명사 생략

and that can lose us / the job [(that) we want], or the relationship [(that) we want].
그리고 그것은 잃게 할 수 있다 우리가 원하는 일을 또는 관계를 우리가 원하는
지시대명사(앞 문장)

❹ The way [(관계부사 how) we present ourselves] can speak more eloquently /
방식은 우리가 스스로를 보여 주는 더 설득력 있게 말해 줄 수 있다

of the skills [(that) we bring to the table], if we actively cultivate /
기술들에 대해 우리가 기여할 만약 우리가 적극적으로 계발한다면
bring to the table: 기여하다, 제공하다 조건절

that presentation.
그러한 보여 주기를

❺ Nobody likes to / be crossed off the list / before being
어느 누구도 좋아하지 않는다 목록에서 지워지는 것을
부정문을 이끄는 부정주어 to부정사의 수동태 전치사+동명사

given the opportunity / to show others [who they are].
기회를 제공받기 전에 다른 사람들에게 보여 줄 자신이 누구인지를
수동태 to부정사 show 간접목적어 직접목적어 간접의문문(의문사+주어+동사)

❻ Being able to tell / your story / from the moment / [(관계부사 when) you
말할 수 있는 것은 당신의 이야기를 그 순간부터 당신이
동명사 주어

meet other people] is a skill [that must be actively cultivated],
다른 사람들을 만나는 기술이다 적극적으로 계발되어야만 하는
단수 동사 주격 관계대명사 조동사의 수동태

in order to send the message [that you're someone to be
메시지를 전달하기 위해서 당신은 고려되어야 할 누군가이다
(= so as to) 동격의 that 보어1 to부정사의 수동태

considered / and the right person for the position].
그리고 그 자리에 적합한 사람이라는
병렬구조 보어2

❼ For that reason, / it's important [that we all learn {how to
그러한 이유로 중요하다 우리 모두는 배우는 것이
가주어 it [ ] 진주어 that절 learn의 목적어1

say the appropriate things / in the right way / and (how) to present
적절한 것들을 말하는 방법을 올바른 방식으로 그리고 우리 스스로를
목적어2

ourselves / in a way 〈that appeals to other people〉}] — tailoring /
보여 주는 방법을 방식으로 다른 사람들에게 매력적인 재단하는 것
선행사 주격 관계대명사 동명사

a great first impression.
훌륭한 첫인상을

해석 이 세상에서 똑똑하거나 능력이 있는 것만으로는 충분하지 않다. 사람들은 때때로 재능을 볼 때 그것을 알아차리지 못한다. 그들의 시야는 우리가 주는 첫인상에 의해 가려지고 그것은 우리가 원하는 일 또는 우리가 원하는 관계를 잃게 할 수 있다. 만약 우리가 그러한 보여 주기를 적극적으로 계발한다면, 우리가 자기 자신을 보여 주는 방식은 우리가 기여할 기술들에 대해 더 설득력 있게 말해 줄 수 있다. 어느 누구도 다른 사람들에게 자신이 누구인지를 보여 줄 기회를 제공받기 전에 목록에서 지워지는 것을 좋아하지 않는다. 당신이 다른 사람들을 만나는 그 순간부터 자신의 이야기를 말할 수 있는 것은, 당신이 고려되어야 할 누군가이고 그 자리에 적합한 사람이라는 메시지를 전달하기 위해서 적극적으로 계발되어야만 하는 기술이다. 그러한 이유로, 우리 모두는 올바른 방식으로 적절한 것들을 말하는 방법과 다른 사람들에게 매력적인 방식으로 우리 스스로를 보여 주는 방법을 배우는 것이 중요하다 — 훌륭한 첫인상을 재단하는 것이다.

해설 01 동명사구 주어는 단수 취급하므로 단수 동사 is가 오는 것에 유의한다. or에 의해 형용사가 병렬구조로 연결된 형태이다.
02 단수 주어인 nobody에 맞춰 like를 단수 동사 likes로 고쳐야 한다. / 전치사 before 뒤에 동사가 올 경우, 동명사 형태가 되어야 하므로 be를 being으로 고쳐야 한다.
03 가주어 it이 진주어 that 절을 대신한 구문에서 it을 삭제하고 that절 주어가 문두에 오게 쓴다. 주어(that ~ way)와 동사 is를 파악한다.

Unit 02 시제

문법 확인 p. 16

시제 ❶ 진리 ❷ 동사원형 ❸ 의지 ❹ be ❺ p.p.
❻ 현재 ❼ have ❽ been ❾ 계속 ❿ 미래완료
개념 마무리 OX (1) × (2) ○ (3) ○

실전어법 개념확인 p. 17

Point ❶ 현재, 과거, 진행형 / 1 have
Point ❷ 조건, 시간, 부사절, 현재 / 2 survives 3 shut
Point ❸ in, 현재, since / 4 became 5 have taken
Point ❹ 순서, 대과거, 현재, 먼저 / 6 had filled 7 have suspected

어법 REVIEW 1 문장 어법연습하기 p. 18

A
1 saves ▸ 일반적 사실을 서술할 때는 현재시제
2 was ▸ 과거의 상태를 표현할 때는 과거시제, 종속절 - 주절 시제 일치
3 will be ▸ next month로 보아, 미래시제이고 진행을 강조하여 미래진행
4 have quickly become ▸ these days와 함께 쓰여 과거에 일어난 일이 현재에 영향을 미칠 때 현재완료

B
5 need ▸ 조건의 접속사 unless가 이끄는 부사절에서는 현재시제가 미래시제를 대신함
6 had made ▸ 농부가 제공한 시점보다 '만든' 시점이 먼저이므로 과거완료(대과거)
7 had carried ▸ 배가 매우 소중히 여겨져 시민들이 그것을 보존한 시점보다 배가 그와 그의 병사들을 '태우고 다녔던' 시점이 먼저이므로 과거완료(대과거)

A
e.g. 그들이 도착했을 때, 맹렬히 타오르는 불길이 건물 전체로 퍼지고 있었다.

1 우리가 정확한 예측을 할 때, 그것은 에너지를 아껴 준다.

2 그녀가 문을 열었을 때, 그녀는 문간에 서 있는 아들을 발견하고 놀랐다.

3 다음 달에 저희는 '부모 아이' 닮은꼴 대회를 개최할 예정입니다.

4 요즘 들어 전동 스쿠터가 빠르게 캠퍼스의 주요한 물건이 되고 있다.

B
e.g. 성장하고 있는 유전학 분야는 많은 과학자들이 여러 해 동안 의구심을 가져왔던 것을 우리에게 보여 주고 있다.

5 컵이 씻길 필요가 없다면, 우리는 컵을 그대로 둘 것입니다.

6 그 답례로, 농부는 양고기와 자신이 만든 치즈를 그에게 제공했다.

7 Theseus가 전쟁을 마치고 집으로 돌아왔을 때, 그와 그의 병사들을 태우고 다녔던 배는 매우 소중히 여겨져, 시민들은 그것을 여러 해 동안 보존했다.

어법 REVIEW 2 짧은 지문 어법연습하기 p. 19

A 1 (A) has (B) grows 2 (A) discovered (B) had thought
B 3 ③ 4 ⑤

A
1 아버지의 입장에서는 합당한 이유가 있는데, 새들이 노래하는 것에 귀를 기울이며 인생을 살아갈 수 있는 사람들은 거의 없고, 그 소년이 자신의 '교육'을 더 빨리 시작하면 할수록 더 좋기 때문이다. 어쩌면 그는 자라서 조류학자가 될지도 모른다.
▸ (A) 종속절의 동사가 현재시제이므로 주절의 동사도 현재시제 has가 적절하다.
(B) 시간을 나타내는 접속사 when이 이끄는 부사절에서는 현재시제가 미래시제를 대신하므로 grows가 적절하다.

2 17세기 후반에 Isaac Newton과 Gottfried von Leibniz는 독립적으로 미적분학을 발견하였다. 하지만 역사 연구는 수학자들이 Newton 또는 Leibniz가 나타나기 전에 미적분학의 모든 주요한 요소들에 대해 생각했었다는 것을 보여 준다.
▸ (A) 과거의 명확한 시점을 나타내는 in the last half of the seventeenth century가 있으므로 과거시제 discovered가 적절하다.
(B) 과거완료는 과거 이전부터 과거의 어느 시점까지의 일을 나타낸다. Newton 또는 Leibniz가 나타난 것보다 수학자들이 생각했었던 시점이 먼저이므로 과거완료 had thought가 적절하다.

B
3 이 생물학상의 '생존 경쟁'은 경쟁 시장에서 경제적 성공을 얻으려고 애쓰는 사업자들 사이의 인간으로서의 분투와 상당한 유사성을 가진다. Darwin이 자신의 연구를 발표하기 오래 전에, 사회 과학자 Adam Smith는 이미 사업에서 경쟁이 경제적 효율과 적응 이면에 있는 추진력이라고 생각했었다.
▸ ③ → published / 과거의 특정 시점에 일어나 이미 끝난 일을 서술할 때는 과거시제를 쓴다. 따라서 published로 고쳐야 한다.

4 또 다른 사례에서, 2008년의 주택 시장 붕괴 동안에 부동산 웹 사이트가 주택 소유자들이 느끼기에 그 붕괴가 자신들의 주택의 가격에 어떻게 영향을 미쳤는지를 알아보기 위해 설문 조사를 실시했다. 인근의 압류를 인식하고 있는 응답자들 중 92%가 이것이 자신의 지역에 있는 주택의 가격을 손상시켰다고 단언했다.
▸ ⑤ → had hurt / 과거보다 먼저 일어난 일이 과거 어느 시점까지 영향을 미칠 때는 현재완료가 아니라 과거완료를 쓴다. 따라서 have hurt를 had hurt로 고쳐야 한다.

어법 REVIEW 3 기출 유형 어법연습하기

pp. 20~21

1③ 2⑤ 3① 4④

1. 구문분석 및 직독직해

❶ Dear Mr. Coleman,
Coleman 씨께

❷ I'm Aaron Brown, / the director of TAC company.
저는 Aaron Brown입니다 TAC 회사의 이사인
└ 동격 ┘

❸ To celebrate our company's 10th anniversary / and to boost further growth, / we have arranged / a small event.
우리 회사의 10주년을 기념하기 위해 (to부정사의 부사적 용법(목적)) / 그리고 추가적인 (병렬구조; to부정사의 부사적 용법(목적)) 성장을 촉진시키기 위해 / 우리는 마련했습니다 (현재완료) / 작은 행사를

❹ It (= a small event) will be an informative afternoon / with enlightening discussions / on business trends.
그 행사는 유익한 오후가 될 것입니다 (동사(미래시제)) / 깨우침을 주는 토론이 있는 / 사업 동향에 대해

❺ I recently attended / your lecture / about recent issues in business / and it (= your lecture) was really impressive.
최근에 저는 참석했습니다 / 당신의 강연에 / 사업의 새로운 논쟁점에 대한 / 그리고 그것은 매우 인상적이었습니다 (병렬구조 과거시제)

❻ I am writing this letter / to request [that you (should) be our guest speaker / for the afternoon].
저는 이 편지를 쓰고 있습니다 (현재진행) / 요청하기 위해 (to부정사의 부사적 용법(목적)) / 귀하가 초청 연사가 되어 줄 것을 (명사절 접속사(request의 목적절)) / 오후 행사에

❼ Your experience and knowledge / will benefit our businesses / in many ways.
귀하의 경험과 지식이 / 우리 사업에 도움이 될 것입니다 (미래시제) / 다방면으로

❽ It would be a pleasure / to have you with us.
기쁠 것입니다 (가주어 조동사+동사원형) / 귀하께서 우리와 함께 해 주신다면 (진주어(to부정사))

❾ The planned schedule includes / a guest speaker's speech / and a question and answer session / on Thursday, the 21st of November, 2019 at 3:00 p.m.
계획된 일정은 (과거분사(수동)) / 포함합니다 / 초청 연사 강연을 / 그리고 질의응답 시간을 / 목요일 / 2019년 11월 21일 오후 3시에

❿ We would sincerely appreciate it / if you could make some time for us.
우리는 진심으로 감사하겠습니다 (조동사+동사원형) / 귀하께서 우리를 위해 시간을 내주신다면 (조건의 접속사(부사절))

⓫ We will be looking forward to hearing from you soon.
우리는 귀하의 빠른 답변을 기대하고 있겠습니다
look forward to: ~을 기대하다

⓬ Yours Sincerely,
Aaron Brown 드림
Aaron Brown

해석 Coleman 씨께,
저는 TAC 회사의 이사 Aaron Brown입니다. 우리 회사의 10주년을 기념하고 추가적인 성장을 촉진시키기 위해, 우리는 작은 행사를 마련했습니다. 그 행사는 사업 동향에 대해 깨우침을 주는 토론이 있는 유익한 오후가 될 것입니다. 최근에 저는 사업의 새로운 논쟁점에 대한 당신의 강연에 참석하였고, 그것은 매우 인상적이었습니다. 오후 행사에 귀하가 초청 연사가 되어 줄 것을 요청하기 위해 저는 이 편지를 쓰고 있습니다. 귀하의 경험과 지식이 우리 사업에 다방면으로 도움이 될 것입니다. 귀하께서 우리와 함께 해 주신다면 기쁠 것입니다. 계획된 일정은 2019년 11월 21일 목요일 오후 3시에 초청 연사 강연과 질의응답 시간을 포함합니다. 귀하께서 우리를 위해 시간을 내주신다면 우리는 진심으로 감사하겠습니다. 우리는 귀하의 빠른 답변을 기대하고 있겠습니다.
Aaron Brown 드림

해설 ③ → was / 두 문장이 and에 의해 연결된 병렬구조이다. 강의에 참석한 것이 과거시제(attended)로 쓰였고, it은 your lecture(당신의 강연)를 가리킨다. 따라서 had been을 과거시제 was로 고쳐야 한다.

2. 구문분석 및 직독직해

❶ Ole Bull was born / in Bergen, Norway, / in 1810.
Ole Bull은 태어났다 (수동태 과거) / 노르웨이 Bergen에서 / 1810년에

❷ He was a violinist and composer / (who was) known for his unique performance method.
그는 바이올린 연주자이자 작곡가였다 / 독특한 연주 방법으로 유명한 (과거분사)
be known for: ~로 유명하다

❸ His father wished / for him to become a minister of the church, / but he desired a musical career.
그의 아버지는 바랐다 / 그가 교회의 성직자가 되기를 (의미상의 주어 to부정사의 명사적 용법) / 하지만 그는 음악 관련 직업을 희망했다 (연결어(역접))

❹ At the age of five, / he could play all of the songs [(that) he had heard his mother play / on the violin].
다섯 살 때 (전치사구) / 그는 모든 곡을 연주할 수 있었다 (조동사+동사원형) / 그가 그의 어머니가 연주하는 것을 들었던 (관계사절 과거완료(대과거); hear+목적어+목적격보어(동사원형)) / 바이올린으로

❺ At age nine, / he played first violin / in the orchestra / of Bergen's theater.
아홉 살 때 / 그는 제1바이올린을 연주했다 / 관현악단에서 / Bergen 극장의

❻ His debut / as a soloist / came in 1819, / and by 1828 / he was made conductor of the Musical Lyceum.
그의 데뷔는 (주어) / 독주자로서의 / 1819년이었다 (동사) / 그리고 1828년 무렵에 / 그는 Musical Lyceum의 지휘자가 되었다 (수동태 과거)

❼ He is believed / to have composed / more than 70 works, / but only about 10 remain today.
그는 여겨진다 (수동태 현재) / 작곡했던 것으로 (완료부정사(주절의 시제보다 앞섬)) / 70곡 이상을 / 하지만 대략 10개만이 현재 남아 있다 (현재시제)

❽ In 1850, / caught up / in a rising tide of Norwegian romantic nationalism, / Bull co-founded the first theater / in which actors performed / in Norwegian rather than Danish.
1850년에 / 사로잡혀 (분사구문) / 점차 고조되는 (현재분사) 노르웨이의 낭만적 민주주의의 경향에 / Bull은 최초의 극장을 공동 설립했다 (선행사) / 배우들이 공연하는 (전치사+관계대명사) / 덴마크어가 아닌 노르웨이어로
A rather than B: B라기보다는 A

❾ Bull died from cancer / in his home in / 1880.
Bull은 암으로 사망했다 / 집에서 1880년에

⑩ He had held / his last concert / in Chicago / the same year, /
그는 열었다 마지막 콘서트를 Chicago에서 같은 해에
과거완료(대과거)

despite his illness.
그가 병이 있음에도 불구하고 despite+명사(○) / despite of+명사(×)
전치사+명사(구) = in spite of+명사(○) / in spite+명사(×)

해석 Ole Bull은 1810년 노르웨이 Bergen에서 태어났다. 그는 독특한 연주 방법으로 유명한 바이올린 연주자이자 작곡가였다. 그의 아버지는 그가 교회의 성직자가 되기를 바랐으나, 그는 음악 관련 직업을 희망했다. 다섯 살 때, 그는 어머니가 바이올린으로 연주하는 것을 들었던 모든 곡들을 연주할 수 있었다. 아홉 살 때, 그는 Bergen 극장의 관현악단에서 제1바이올린을 연주했다. 독주자로서의 그의 데뷔는 1819년이었고, 1828년 무렵에 그는 Musical Lyceum의 지휘자가 되었다. 그는 70곡 이상을 작곡했던 것으로 여겨지나, 대략 10개만이 현재 남아 있다. 1850년에 점차 고조되는 노르웨이의 낭만적 민족주의의 경향에 사로잡혀, Bull은 배우들이 덴마크어가 아닌 노르웨이어로 공연하는 최초의 극장을 공동 설립했다. 1880년에 Bull은 암으로 집에서 사망했다. 그는 병이 있음에도 불구하고 같은 해에 Chicago에서 마지막 콘서트를 열었다.

해설 (A) 그가 연주할 수 있었던 것보다 어머니가 연주하는 것을 들었던 것이 먼저 일어난 일이므로 과거완료(대과거) had heard가 적절하다.

(B) remain과 같이 상태를 나타내는 동사는 일반적으로 진행형을 쓰지 않는다.

(C) 과거보다 먼저 일어난 일인 '대과거'가 와야 하므로 had held가 적절하다.

3. 구문분석 및 직독직해

❶ If you apply all your extra money / to paying off debt /
만약 여러분의 모든 여윳돈을 쓴다면 빚을 갚는 데
조건의 접속사(부사절) 현재시제 전치사+동명사

without saving / for the things [that are guaranteed to happen],
모아 놓지 않고 일에 대비하여 반드시 일어날
전치사+동명사 선행사 ↩ 주격 관계대명사(형용사절)

you will feel like you've failed / when something does happen.
여러분은 동이 났다고 느낄 것이다 어떤 일이 실제로 발생했을 때
미래시제 현재완료 시간의 접속사(부사절) 강조의 do

end up: ~하게 될 것이다
❷ You will end up / going further into debt.
여러분은 처하게 될 것이다 더 많은 빚을 지는 것
미래시제

❸ Let's use an example / of an unexpected auto repair bill of
예로 생각해 보자 예상치 못했던 500달러의 자동차 수리 청구서를
청유문 과거분사 ↩

$500.

❹ If you don't save for this, / you'll end up / with another
여러분이 이것을 위해 돈을 모아 놓지 않는다면 여러분은 결국 ~하게 될 것이다
조건의 접속사(부사절) 현재시제 미래시제

debt / to pay off.
또 다른 빚을 지고 갚아야 할
↩ to부정사의 형용사적 용법

❺ You'll feel frustrated [that you have been working so hard /
여러분은 좌절감을 느끼게 될 것이다 여러분이 아주 열심히 일해 왔다는 것에 대해
감정 형용사 이유의 접속사 현재완료진행

to pay things off] and yet you just added more debt / to your
빚을 갚기 위해 하지만 여러분은 더 많은 빚을 더했을 뿐이다 여러분의
to부정사의 부사적 용법(목적)

list.
빚 목록에

❻ On the other hand, / if you are saving for auto repairs /
반면에 만약 여러분이 자동차 수리를 위해 돈을 모으고 있다면
연결어 조건의 접속사(부사절) 현재진행

and pay down your debt a little slower, / you will feel proud /
그리고 빚을 좀 더 천천히 줄여 가고 있다면 여러분은 자부심을 느낄 것이다
feel+형용사: ~하게 느끼다(2형식)

[that you planned / for the auto repair].
계획을 세웠다는 것에 자동차 수리를 위해
이유의 접속사

= the auto repair
❼ You will have cash / to pay for it, / and you are still paying
여러분은 돈을 가지고 있을 것이다 그것에 지불할 그리고 여러분은 여전히 빚을
↩ to부정사의 형용사적 용법

down your debt / uninterrupted and on schedule.
줄여가고 있을 것이다 방해받지 않은 채 예정대로

❽ Instead of frustration and disappointment / from the
좌절과 실망 대신에 예상치 못한 자동차
instead of+명사(구): ~대신에

unexpected auto repair, / you feel proud and excited.
수리로 인한 여러분은 자랑스럽게 그리고 신나게 느낄 것이다

해석 만약 여러분의 모든 여윳돈을 반드시 일어날 일에 대비하여 모아 놓지 않고 빚을 갚는 데 다 쓴다면, 여러분은 어떤 일이 실제로 발생했을 때 동이 났다고 느낄 것이다. 여러분은 결국 더 많은 빚을 지게 될 것이다. 예상치 못했던 500달러의 자동차 수리 청구서를 예로 생각해 보자. 만약 여러분이 이것을 위해 돈을 모아 놓지 않는다면, 여러분은 결국 갚아야 할 또 다른 빚을 지게 될 것이다. 여러분은 빚을 갚기 위해 아주 열심히 일해 왔지만, 여러분의 빚 목록에 더 많은 빚을 더했을 뿐이라는 것에 대해 좌절감을 느끼게 될 것이다. 반면에, 만약 여러분이 자동차 수리를 위해 돈을 모으고 있고 빚을 좀 더 천천히 줄여 가고 있다면, 여러분은 자동차 수리에 대해 계획을 세웠다는 것에 대해 자부심을 느낄 것이다. 여러분은 그것에 지불할 돈을 가지고 있으면서도 방해받지 않은 채 예정대로 여전히 빚을 줄여가고 있을 것이다. 예상치 못한 자동차 수리로 인한 좌절과 실망 대신에, 여러분은 자랑스럽게 그리고 신나게 느낄 것이다.

해설 ① → apply / 조건을 나타내는 접속사 if가 이끄는 부사절에서는 현재시제가 미래시제를 대신한다. 따라서 will apply를 apply로 고쳐야 한다.

4. 구문분석 및 직독직해

❶ The liberalization of capital markets, [where funds for
자본 시장의 자유화는
주어 ↩ 관계부사절(계속적 용법)

investment can be borrowed], has been an important
투자를 위한 자금을 빌릴 수 있는 중요한 기여 요인이었다
현재완료

contributor / to the pace of globalization.
세계화 속도에
전치사구

❷ Since the 1970s / there has been a trend / towards a freer
1970년대 이후로 추세가 있어 왔다 더 자유로운
since+특정 과거 시점 there+동사+주어(도치)

flow of capital / across borders.
자본 흐름을 향한 국경을 넘나드는

❸ Current economic theory suggests [that this should aid
현재의 경제 이론은 시사한다 이것이 발전에 도움이 될 것임을
주어 동사 명사절 접속사(suggest의 목적절)

development].

❹ Developing countries / have limited domestic savings / with
개발 도상국들은 제한된 국내 저축을 가지고 있다
현재시제 과거분사 ↩ 선행사 전치사+

which to invest in growth, / and liberalization allows them /
성장에 투자하기에 그리고 자유화는 그들에게 허용한다
관계대명사 ↩ to부정사의 형용사적 용법 5형식 allow+목적어+목적격보어
(to부정사): ~이 …하는 것을 허락하다

to tap into a global pool of funds.
국제 공동 자금을 이용하도록

❺ A global capital market / also allows investors greater scope /
국제 자본 시장은 또한 투자자들에게 더 큰 범위를 허용한다
5형식 allow+목적어+to부정사: ~이 …하는 것을 허락하다

(to)
to manage and∨spread their risks.
자신들의 위험을 관리하고 분산시킬 수 있는
to부정사의 형용사적 용법

❻ However, / some say [that a freer flow of capital / has
하지만 어떤 사람들은 말한다 더 자유로운 자본의 흐름이
명사절 접속사(say의 목적절)

raised the risk of financial instability].
재정적 불안정성의 위험을 증가시켰다
현재완료

❼ The East Asian crisis of the late 1990s / came in the wake
1990년대 후반의 동아시아 위기는 이러한 종류의 자유화의
주어 과거시제

of this kind of liberalization.
결과로 발생했다

❽ Without a strong financial system / and a sound regulatory
강한 재정 시스템 없이 그리고 건전한 규제 환경 없이
전치사+명사(구)

environment, / capital market globalization / can sow the seeds
자본 시장 세계화는 불안정성의 씨를
조동사+동사원형

of instability / in economies / rather than growth.
뿌릴 수 있다 경제에 성장보다는
A rather than B: A보다는 (차라리) B

해석 투자를 위한 자금을 빌릴 수 있는 자본 시장의 자유화는 세계화 속도에 중요한 기여 요인이었다. 1970년대 이후로, 국경을 넘나드는 더 자유로운 자본 흐름을 향한 추세가 있어 왔다. 현재의 경제 이론은 이것이 발전에 도움이 될 것임을 시사한다. 개발 도상국들은 성장에 투자하기에 제한된 국내 저축을 가지고 있고, 자유화는 그들이 국제 공동 자금을 이용하도록 허용한다. 국제 자본 시장은 또한 투자자들에게 자신들의 위험을 관리하고 분산시킬 수 있는 더 큰 범위를 허용한다. 하지만 어떤 사람들은 더 자유로운 자본의 흐름이 재정적 불안정성의 위험을 증가시켰다고 말한다. 1990년대 후반의 동아시아 위기는 이러한 종류의 자유화의 결과로 발생했다. 강한 재정 시스템과 건전한 규제 환경이 없다면, 자본 시장 세계화는 성장보다는 경제에 불안정성의 씨를 뿌릴 수 있다.

해설 (A) 「since + 특정 과거 시점」과 함께 과거에 일어난 일이 현재까지 계속되고 있음을 나타내므로 현재완료 has been이 적절하다.
(B) have와 같이 소유를 나타내는 동사는 일반적으로 진행형을 쓰지 않는다.
(C) 과거의 역사적 사실을 서술할 때는 과거시제를 써야 하므로 came이 적절하다.

어법 REVIEW 4 | 서술형 내신 어법연습하기

pp. 22~25

1 01 had escalated → escalated / 과거의 명확한 시점을 나타내는 「in + 연도」로 보아, 과거시제로 고쳐야 한다.
02 the Germans relied on secret agents they had planted in England 03 그들은 이 비밀 요원들이 발각되었다는 것을 몰랐다.

2 01 Trade will not occur unless both parties want what the other party has to offer. 02 the weaver has been wanting an omelet for the past week.
03 loaf of bread

3 01 visited 02 he had recently attended an automobile show and had been impressed 03 그가 자신이 하고 있는 일을 알지 못했다고 믿는 것이 당연하다

4 01 will have lived / 저는 오는 4월이면 이 아파트에 10년째 살게 됩니다. 02 (b) moved / 주절의 시제(was told)가 과거시제이므로 종속절인 when 부사절의 시제도 과거시제로 일치시켜야 한다. (c) had been / 내가 that 이하의 이야기를 들은 시점보다 페인트가 '칠해진' 시점이 더 이전이므로 과거완료 수동태를 이루는 had been이 적절하다. 03 그때 이후로 저는 단 한 번도 벽이나 천장에 손을 댄 적이 없습니다.

1. 구문분석 및 직독직해

❶ In 1944 / the German rocket-bomb attacks / on London /
1944년 독일군의 로켓포 공격이 런던에 대한
과거 부사구: 「in+연도」

suddenly escalated.
갑자기 증가했다.
과거시제

❷ Over two thousand V-1 flying bombs fell / on the city, /
2,000개가 넘는 V-1 비행 폭탄이 떨어져 도시에

killing more than five thousand people / and wounding many
5,000명이 넘는 사람들의 목숨을 앗아 갔으며 그리고 그보다 더 많은
분사구문1 병렬구조 분사구문2

more.
사람들에게 부상을 입혔다

❸ Somehow, / however, / the Germans consistently missed /
왜 그런지 하지만 독일군은 계속해서 빗맞혔다

their targets.
자신의 목표물을

❹ Bombs [that were intended for Tower Bridge, or Piccadilly],
폭탄은 Tower Bridge나 Piccadilly로 의도된
주격 관계대명사

would fall / well short of the city, / landing in the less populated
떨어지곤 했다 도시에 한참 못 미쳐서 사람이 더 적게 거주하는 교외에 떨어지며
조동사(과거의 습관) 분사구문

suburbs.

전치사+동명사
❺ This was / because, (in fixing their targets,) the Germans
이것은 ~이었다 목표물을 정하면서 독일군이
삽입

(관계대명사 that)
relied on secret agents [∨they had planted in England].
비밀 요원들에게 의지했기 때문에 그들이 영국에 심어 놓은
대과거

❻ They did not know [that these agents / had been
그들은 몰랐다 이 비밀 요원들이
명사절 접속사(know의 목적절1)

discovered], and [that in their place, / English-controlled agents
발각되었고, 그리고 대신 영국의 지휘하에 있는 요원들이
과거완료 수동태 명사절 접속사(know의 목적절2)

were giving / them / subtly deceptive information].
제공하고 있었다는 그들에게 교묘하게 거짓 정보를
과거진행 give+간접목적어(= the Germans) + 직접목적어(4형식)

❼ The bombs would hit / farther and farther / from their
폭탄은 맞히곤 했다 점점 더 먼 곳을 목표물에서
조동사(과거의 습관) 비교급+and+비교급: 점점 더 ~한

(when)
targets / every time [∨they fell].
떨어질 때마다 언제나
관계부사 생략

⑧ By the end of the attack / they were landing / on cows / in
공격이 끝날 무렵에 폭탄은 떨어지고 있었다 암소 위로
(= the bombs) 과거진행

the country.
시골에 있는

⑨ By feeding / the enemy wrong information, / the English
제공함으로써 적에게 잘못된 정보를 영국군은 얻었다
by+-ing: ~함으로써 feed+간접목적어+직접목적어 (4형식)

army gained / a strong advantage.
큰 이득을

해석 1944년 런던에 대한 독일군의 로켓포 공격이 갑자기 증가했다. 2,000개가 넘는 V-1 비행 폭탄이 도시에 떨어져, 5,000명이 넘는 사람들의 목숨을 앗아 갔고, 그보다 더 많은 사람들에게 부상을 입혔다. 하지만 왜 그런지 독일군은 계속해서 자신의 목표물을 빗맞혔다. Tower Bridge나 Piccadilly로 의도된 폭탄은 도시에 한참 못 미쳐서, 사람이 더 적게 거주하는 교외에 떨어지곤 했다. 이것은 독일군이 목표물을 정할 때, 그들이 영국에 심어 놓은 비밀 요원들에게 의지했기 때문이었다. 그들은 이 비밀 요원들이 발각되었고, 대신 영국의 지휘하에 있는 요원들이 독일군에게 교묘하게 거짓 정보를 제공하고 있다는 사실을 몰랐다. 폭탄은 떨어질 때마다 목표물에서 점점 더 먼 곳을 맞히곤 했다. 공격이 끝날 무렵에 폭탄은 시골에 있는 암소 위로 떨어지고 있었다. 적에게 잘못된 정보를 제공함으로써 영국군은 큰 이득을 얻었다.

해설 01 「in + 연도」와 함께 쓰여 과거의 특정 시점에 일어나 이미 끝난 일을 서술하고 있으므로 과거시제로 써야 한다.

02 주어 the Germans와 동사 relied on을 먼저 쓴 다음, 목적어와 그것을 수식하는 절을 쓴다. 독일군이 비밀 요원들을 '심어 놓은' 것이 의지한 것보다 이전의 일이므로, 과거완료 had planted로 써야 한다.

03 과거완료 수동태 had been discovered를 '발각되었다'로 해석하는 것에 유의한다.

2. 구문분석 및 직독직해

① Trade will not occur / unless both parties want [what the
거래는 발생하지 않을 것이다 양쪽 모두가 원하지 않으면 (관계대명사(선행사 포함))
조건의 접속사가 이끄는 부사절(현재시제가 미래시제를 대신)

other party has to offer].
상대방이 제공하는 것을

② This is referred to / as the double coincidence of wants.
이것은 ~라고 불린다 (전치사) 필요의 이중적 일치로
be referred to: ~라고 불린다

③ Suppose [√a farmer wants to trade eggs / with a baker / for
가정해 보자 (접속사 that) 농부가 계란을 거래하기를 원한다고 제빵사와

a loaf of bread].
빵 한 덩어리를 얻기 위해
a loaf of+셀 수 없는 명사

④ If the baker has no need or desire / for eggs, / then the
만약 제빵사가 필요나 욕구가 없다면 계란에 대한
if 조건절

farmer is out of luck / and does not get / any bread.
농부는 운이 없으며 그리고 얻지 못한다 아무 빵도
동사1 병렬구조 동사2

⑤ However, / if the farmer is enterprising / and utilizes / his
그러나 만약에 농부가 사업성이 좋다면 그리고 활용한다면
if 조건절 동사1 병렬구조 동사2

network of village friends, / he might discover [that the baker is
마을 친구들의 네트워크를 그는 발견할 것이다 제빵사가
명사절 접속사(discover의 목적절)

in need of some new cast-iron trivets / for cooling his bread],
새 무쇠 주철 삼각 거치대를 필요로 한다는 것을 그의 빵을 식힐

and it just so happens [that the blacksmith needs / a new
그리고 때마침 상황이 발생한다 대장장이는 필요로 한다
it 가주어 that 진주어

lamb's wool sweater].
새로운 양털 스웨터를

⑥ Upon further investigation, / the farmer discovers [that the
조금 더 조사한다면 그 농부는 발견한다
명사절 접속사(discover의 목적절)

weaver has been wanting / an omelet / for the past week].
직조공이 원하고 있었다는 것을 오믈렛을 지난주 내내
현재완료 진행

⑦ The farmer will then trade the eggs / for the sweater, /
그 농부는 그러면 계란을 거래할 것이다 스웨터와
trade A for B: A를 B와 거래하다
A B

√the sweater for the trivets, / and√the trivets for his fresh-baked
(trade) (trade)
그 스웨터를 삼각 거치대와 그리고 그 삼각 거치대와 제빵사의 갓 구운
A′ B′ A″ B″

loaf of bread.
빵 한 덩어리를

해석 양쪽 모두가 상대방이 제공하는 것을 원하지 않으면 거래는 발생하지 않는다. 이것은 필요의 이중적 일치라고 불린다. 농부가 계란과 제빵사의 빵 한 덩어리를 거래하기를 원한다고 가정해 보자. 만약 제빵사가 계란에 대한 필요나 욕구가 없다면, 농부는 운이 없으며 아무 빵도 얻지 못한다. 그러나 만약에 농부가 사업성이 좋고 마을 친구들의 네트워크를 활용한다면, 그는 제빵사가 그의 빵을 식힐 새 무쇠 주철 삼각 거치대를 필요로 한다는 것을 발견할 것이고, 때마침 대장장이는 새로운 양털 스웨터를 필요로 한다. 조금 더 조사한다면, 그 농부는 직조공이 지난주 내내 오믈렛을 원하고 있었다는 것을 알 것이다. 그 농부는 그러면 계란을 스웨터와, 그 스웨터를 삼각 거치대와, 그 삼각 거치대를 제빵사가 갓 구운 빵 한 덩어리와 거래할 것이다.

해설 01 조건을 나타내는 접속사 unless가 이끄는 부사절에서는 현재시제가 미래시제를 대신하므로 조건절의 will want를 want로 고쳐 써야 한다.

02 현재완료진행 시제는 「have/has been + -ing」로 쓴다. want는 일반적으로 진행형을 쓰지 않는 감정 동사이나, 현재완료와 함께 쓰여 '(예전부터 지금까지) 바라왔다'라는 의미로, 계속되고 있음을 강조하여 진행형으로 쓰였다.

03 3행에서 '농부가 계란과 제빵사의 빵 한 덩어리를 거래하기를 원한다'라고 했으므로, 결론적으로 농부가 거래로 얻을 수 있는 것은 a loaf of bread이다. 빈칸 앞에 his fresh-baked라는 소유격과 형용사가 있으므로 관사 a 없이 loaf of bread로 쓴다.

3. 구문분석 및 직독직해

① Many years ago / I visited / the chief investment officer / of
수년 전에 나는 방문했다 최고 운용 책임자를
ago: ~ 전에 과거시제

a large financial firm, [who had just invested / some tens of
큰 금융회사의 그는 투자했었다 (과거완료(대과거))
계속적 용법의 관계대명사

millions of dollars / in the stock of the ABC Motor Company].
수천만 달러 상당의 돈을 ABC Motor Company의 주식에

② When I asked [how he had made that decision], he replied
내가 묻자 어떻게 그가 그러한 결정을 하게 되었는지를 그는 대답했다 (과거완료(대과거))
시간의 부사절 간접의문문(의문사+주어+동사)

[that he had recently attended / an automobile show / and had
그가 최근에 참석했다는 것을 한 자동차 쇼에 그리고
접속사(replied의 목적절) 과거완료(대과거) 병렬구조

been impressed].
깊은 인상을 받았다
과거완료 수동태: had been+p.p.

❸ He said, / "Boy, they do know / how to make a car!"
그는 말했다 오, 그들은 알더라니까 자동차를 만드는 방법을
(do+동사원형(강조의 do)) (~하는 방법)

❹ His response made it very clear [that he trusted his gut feeling / and was satisfied / with himself / and with his decision].
그의 반응은 매우 분명히 했다 그가 자신의 직감을 믿는다는 것을 그리고 만족한다는 것을 자기 자신에 그리고 자신의 결정에
(가목적어) (5형식 make + 목적어 + 목적격보어(형용사)) (진목적어 that) (be satisfied with: ~에 만족하다)

❺ I found it remarkable [that he had apparently not considered / the one question {that an economist would call relevant}]: Is the ABC stock currently underpriced?
나는 그것이 놀랍다고 생각했다 그가 명백히 고려하지 않았다는 것이 한 가지 질문을 경제학자들이 적절하다고 부를 만한 ABC 주식이 현재 저평가되었는가
(가목적어) (진목적어) (5형식 find + 목적어 + 목적격보어(형용사)) (과거완료(대과거)) (목적격 관계대명사) (5형식 call+목적어(the one question)+목적격보어(relevant)) (수동태 의문문)

❻ Instead, / he had listened to his intuition; / he liked the cars, / he liked the company, / and he liked the idea of owning its stock.
대신에 그는 그의 직감을 믿었다 그는 자동차를 좋아하고 그는 그 회사를 좋아하며 그리고 그는 그 회사의 주식을 소유한다는 생각이 좋았다
(과거완료) (A) (B) (and C (병렬구조))

❼ From [what we know / about the accuracy of stock picking], it is reasonable / to believe [that he did not know {what he was doing}].
우리가 알고 있는 것에 비추어 볼 때 주식 선택의 정확성에 대해 그것은 당연하다 믿는 것이 그가 몰랐다고 자신이 하고 있는 일을
(관계대명사 what) (명사절 접속사(believe의 목적절)) (가주어 it) (진주어 to부정사) (관계대명사(선행사 포함))

해석 수년 전에 나는 한 큰 금융 회사의 최고 운용 책임자를 방문했는데, 그는 ABC Motor Company의 주식에 수천만 달러 상당의 돈을 투자했었다. 어떻게 그가 그러한 결정을 하게 되었는지를 내가 묻자, 그는 최근에 한 자동차 쇼에 참석했고 깊은 인상을 받았다고 대답했다. 그는 "오, 그들은 자동차를 만드는 방법을 알더라니까!"라고 말했다. 그의 반응은 그가 자신의 직감을 믿으며, 자기 자신과 자신의 결정에 만족한다는 것을 매우 분명히 했다. 나는 그가 경제학자들이 적절하다고 할 만한 (다음과 같은) 한 가지 질문을 명백히 고려하지 않았다는 것이 놀랍다고 생각했다: ABC 주식이 현재 저평가되었는가? 대신, 그는 그의 직감을 믿었다; 그는 자동차를 좋아하고, 그 회사를 좋아하며, 그 회사의 주식을 소유한다는 생각이 좋았다. 주식 선택의 정확성에 대해 우리가 알고 있는 것에 비추어 볼 때, 그가 자신이 하고 있는 일을 알지 못했다고 믿는 것이 당연하다.

해설 01 과거의 명확한 시점을 나타내는 many years ago(수년 전에)로 보아, 과거시제 visited로 써야 한다.
02 문장의 동사는 replied로 과거시제이며, 밑줄 친 부분의 내용은 그가 대답한 시점보다 더 이전에 일어난 일이므로, 과거완료(대과거)로 써야 한다. 따라서 recently attended는 had recently attended로, was impressed는 had been impressed로 고쳐 쓴다.
03 가주어 it, 진주어 to부정사 구문이다. reasonable은 여기서 '당연한'이라는 뜻으로 쓰였다. that은 명사절을 이끄는 접속사로, believe의 목적어로 쓰였고, what은 선행사를 포함하는 관계대명사로, '~하는 것'이라는 뜻이다.

4. 구문분석 및 직독직해

❶ Dear Mr. Spencer,
Spencer 씨께

❷ I will have lived / in this apartment / for ten years / as of this coming April.
저는 살게 됩니다 이 아파트에 10년 동안 오는 4월이면
(미래완료: will have+p.p.) (「for+기간」) (~ 현재로)

❸ I have enjoyed living here / and hope to continue doing so.
저는 이곳에서 즐겁게 살아 왔으며 그리고 계속해서 살기를 희망합니다
(현재완료) (enjoy+동명사) (hope+to부정사: ~하기를 희망하다) (continue+동명사)

❹ When I first moved into the Greenfield Apartments, / I was told [that the apartment had been recently painted].
제가 처음 Greenfield 아파트에 이사를 왔을 때 들었습니다 최근에 아파트 도색 작업을 했다고
(시간의 접속사가 이끄는 부사절) (수동태 과거) (명사절 접속사) (과거완료 수동태: had been+p.p.)

❺ Since that time, / I have never touched / the walls or the ceiling.
그때 이후로 저는 단 한 번도 손을 댄 적이 없습니다 벽이나 천장에
(since+특정 과거 시점) (현재완료)

❻ Looking around / over the past month / has made me realize [how old and √dull the paint has become].
둘러보면서 지난 한 달 동안 저는 깨닫게 되었습니다 페인트가 얼마나 오래되고 흐려졌는지를
(분사구문) (현재완료) (사역동사 make+목적어+목적격보어(동사원형)) ((how)) (간접의문문 how old and how dull+주어+동사)

❼ I would like to update the apartment / with a new coat of paint.
저는 아파트를 새롭게 하고 싶습니다 새 페인트칠로
(would like+to부정사: ~하고 싶다)

❽ I understand [that this would be / at my own expense], and [that I must get permission to do so / as per the lease agreement].
저는 알고 있습니다 이 작업이 자비 부담이라는 것을 그리고 작업에 허락을 받아야 한다는 것을 임대차 계약에 따라
(명사절 접속사) (목적절1) (명사절 접속사) (목적절2) (~에 따라)

❾ Please advise / at your earliest convenience.
알려 주시기 바랍니다 형편이 되는 대로 빨리

❿ Sincerely,
Howard James
Howard James 올림

해석 Spencer 씨께,
저는 오는 4월이면 이 아파트에 10년째 살게 됩니다. 저는 이곳에서 즐겁게 살아 왔으며 계속해서 살기를 희망합니다. 제가 처음 Greenfield 아파트에 이사를 왔을 때, 최근에 아파트 도색 작업을 했다고 들었습니다. 그때 이후로 저는 단 한 번도 벽이나 천장에 손을 댄 적이 없습니다. 지난 한 달 동안 둘러보면서 저는 페인트가 얼마나 오래되고 흐려졌는지를 깨닫게 되었습니다. 저는 새 페인트칠로 아파트를 새롭게 하고 싶습니다. 저는 이 작업이 자비 부담이라는 것과 임대차 계약에 따라 허락을 받아야 한다는 것을 알고 있습니다. 형편이 되는 대로 빨리 알려 주시기 바랍니다.
Howard James 올림

해설 01 ·미래완료시제는 「will have + p.p.」 형태로 쓴다. as of는 '~ 현재로'라는 뜻이다.
02 (b) 과거시제(시제 일치) (c) 과거완료 수동태(had been + p.p.)
03 have never touched는 현재완료 부정으로, '(과거부터 현재에 이르기까지) 전혀 만진 적이 없다'라는 의미이다.

Unit 03 조동사와 가정법

문법 확인 p. 26

조동사 ❶ 동사 ❷ 의미 ❸ ~임에 틀림없다 ❹ 미래
❺ 습관 ❻ ought to ❼ might
가정법 ❽ 가정 ❾ 조동사 ❿ p.p.
개념 마무리 OX (1) ○ (2) × (3) ×

실전어법 개념확인 p. 27

Point ❶ 생략, (a)dvise, (r)equire, (s)uggest, (r)equest / 1 join 2 be
Point ❷ 후회, should, ~했을 리가 없다 / 3 might have motivated
Point ❸ 과거, 과거형, 과거완료, have p.p. / 4 might be 5 would have never set
Point ❹ I wish, 유감, 가정법 과거완료 / 6 would 7 were

어법 REVIEW 1 문장 어법연습하기 p. 28

A
1 go ask ▶ 제안의 동사 recommend 뒤에 당위성의 that절이 오면 동사는 (should) 동사원형
2 Without ▶ 명사 passion으로 보아, without 가정법 / as though 뒤에는 절이 와야 함
3 may ▶ 문맥상 '~일지도 모른다'라는 뜻의 가능성, 추측의 조동사 may
B
4 would like to ▶ '~하고 싶다'라는 뜻의 조동사의 관용 표현은 「would like + to부정사」
5 (should) feature ▶ 요구의 동사 require 뒤에 당위성의 that절이 오면 동사는 (should) 동사원형
6 were ▶ 「as if + 가정법 과거」 문장으로, 동사는 과거형 were (was)

A
e.g. 그 층의 간호사는 반복적으로 쌍둥이들이 한 인큐베이터에 함께 놓여야 한다고 제안했다.

1 그래서 그는 아들에게 코끼리 조련사에게 가서 질문해 보라고 권했다.

2 그러한 열정이 없었더라면, 그들은 아무것도 이루지 못했을 것이다.

3 흔히 그들은 텔레비전, 영화 또는 다른 형태의 전자적인 즐길 거리에 의해 제공되는 오락의 수동적인 구경꾼일 수 있다.

B
e.g. 등산객들은 편안한 등산화나 등산 부츠를 착용해야 하고 자신들의 점심을 준비해야 한다.

4 직원이 고기를 주문했을 때, 그 식당 직원은 gravy가 먹고 싶은지 아닌지 물어봐야 했다.

5 스포츠는 (승패를) 신뢰할 수 없다는 본질적 속성을 갖고 있으며, 이것은 그것의 마케팅 전략이 단지 스포츠 경기보다는 상품과 서비스를 특징으로 삼도록 요구한다.

6 우리들 중 많은 이들은 하루하루를 마치 반대쪽이 옳은 것처럼 여기며 살아간다.

어법 REVIEW 2 짧은 지문 어법연습하기 p. 29

A 1 (A) thinking (B) may 2 (A) could (B) waited
B 3 ③ 4 ④

A
1 우리는 우리의 상황이 이렇게 또는 저렇게, 혹은 최소한 지금 상태와는 다르게 되어야 한다는 생각을 하지 않을 수 없다. 감사는 기대에 관한 것이 아니라, 우리의 기대가 무엇이든지 간에 우리의 상황에 대해 감사하게 여기는 것에 관한 것이다.
▶ (A) 「cannot help + -ing」는 조동사의 관용 표현으로, '~하지 않을 수 없다'라는 뜻이다. 따라서 thinking이 적절하다.
(B) '우리의 기대가 무엇이든지 간에'라는 의미가 되어야 자연스러우므로 추측의 조동사 may가 적절하다. should는 '~해야 한다'라는 뜻으로, 의무나 당위를 나타내는 조동사이다.

2 한 실험에서 아이들은 마시멜로 과자를 즉시 먹는 것을 선택하면 마시멜로 과자 하나를 먹을 수 있지만, 기다리면 두 개를 먹을 수 있다는 말을 들었다.
▶ (A) 현재 사실에 반대되는 일을 가정하는 가정법 과거 문장으로, if 절의 동사는 과거형 chose, 주절의 동사는 「조동사의 과거형 + 동사원형」 형태가 되어야 한다. 따라서 could가 적절하다.
(B) 가정법 과거의 if절에는 동사의 과거형이 와야 하므로 waited가 적절하다.

B
3 몇몇 습관은 나빠지기도 하는데, 그 이유는 한때 보상적 요소를 가진 행동이 그 습관이 형성되기 시작했을 때는 명확하지 않았을지도 모를 부정적인 결과를 역시 가지고 있기 때문이다. 과식이 그러한 습관이다. 당신은 개념적으로는 과식이 문제라는 것을 알고 있을 것이다.
▶ ③ → may not have been / 뒤에 오는 when the habit began이 과거시제이고, 과거에 대한 추측을 나타내는 may not have been으로 고쳐야 한다. '명확하지 않았을지도 모르는'의 의미이다.

4 Mary는 인테리어 디자이너이다. 그녀의 친구들 중 한 명이 개조할 필요가 있는 집을 샀는데, 그녀에게 실내 장식을 해달라고 요청했었다. Mary는 그 집의 실내가 매력적으로 보이길 원했다. 그러나 그녀는 안전 기준을 무시하곤 했고, 다른 계약자들의 제안이 자신의 이상과 맞지 않는다고 생각되면, 그들의 말을 들으려 하지 않았다.

▸ ④ → would not listen to / if절이 주절 뒤에 이어지는 형태의 가정법 과거 문장이다. 가정법 과거에서 주절의 동사는 「조동사의 과거형 + 동사원형」 형태로 쓰는데, 여기서는 would ignore과 병렬구조를 이루고 있다. 따라서 will not listen to를 would not listen to로 고쳐야 한다.

어법 REVIEW 3 기출 유형 어법연습하기

pp. 30~31

1③ 2⑤ 3④ 4③

1. 구문분석 및 직독직해

❶ Achieving focus in a movie / is easy.
영화에서 (관객의) 집중을 얻는 것은 / 쉽다
동명사구 주어 / 동사

❷ Directors can simply point the camera / at [whatever they want the audience to look at].
감독은 단지 카메라를 향하게 하면 된다 / 자신이 관객으로 하여금 바라보기를 원하는 어떤 것에든
조동사+동사원형 / 명사절(목적절) / 복합관계대명사(= anything that)
want+목적어+to부정사: ~이 …하기를 원하다

❸ Close-ups and slow camera shots / can emphasize / a killer's hand or a character's brief glance of guilt.
근접 촬영과 느린 카메라 촬영은 / 강조할 수 있다 / 살인자의 손이나 등장인물의 짧은 죄책감의 눈짓을
주어 / 조동사+동사원형

❹ On stage, / focus is much more difficult / because the audience is free / to look / wherever they like.
무대 위에서는 / 집중이 훨씬 더 어렵다 / 왜냐하면 관객은 자유롭기 때문에 / 보기에 / 그들이 원하는 어느 곳이든
비교급 수식 / 이유의 접속사(부사절) / to부정사 부사적 용법 / 복합관계부사+주어+동사

❺ It is necessary [that the stage director∨gain the audience's attention and∨direct their eyes to a particular spot or actor].
(should) / (should)
필요하다 / 무대 감독이 관객의 관심을 얻는 것이 / 그리고 그들의 시선을 특정한 장소나 배우로 향하게 하는 것이
가주어 it / 진주어(that절) / 병렬구조

❻ This can be done / through lighting, costumes, scenery, voice, and movements.
이것은 이루어질 수 있다 / 조명, 의상, 배경, 목소리, 움직임을 통해
조동사의 수동태

❼ Focus can be gained / by simply putting a spotlight on one actor, / by having one actor in red and everyone else in gray, / or by having one actor move / while the others remain still.
집중은 얻어질 수 있다 / 단지 한 명의 배우에게 스포트라이트를 비춤으로써 / 한 명의 배우는 빨간색으로 입히고 다른 모든 배우들은 회색으로 입힘으로써 / 또는 한 명의 배우는 움직이게 함으로써 / 다른 배우들이 가만히 있는 동안
조동사의 수동태 / 전치사+동명사구1 / 전치사+동명사구2 / 병렬구조 전치사+동명사구3 / 시간의 접속사(부사절) / 부정대명사(나머지 다른 사람들)
one ~ the others ...: 하나는 ~, 다른 것들은 …

❽ All these techniques / will quickly draw / the audience's attention / to the actor [whom the director wants to be in focus].
이러한 모든 기법들은 / 빠르게 끌게 될 것이다 / 관객의 관심을 / 배우 쪽으로 / 감독이 집중 안에 들기를 원하는
주어 / 조동사+동사원형 / 관계대명사 목적격 / to부정사의 명사적 용법

해석 영화에서 (관객의) 집중을 얻기는 쉽다. 감독은 자신이 관객으로 하여금 바라보기를 원하는 어떤 것에든 단지 카메라를 향하게 하면 된다. 근접 촬영과 느린 카메라 촬영이 살인자의 손이나 등장인물의 짧은 죄책감의 눈짓을 강조할 수 있다. 무대 위에서는 관객이 자신이 원하는 어느 곳이든 자유롭게 볼 수 있기 때문에 (관객의) 집중이 훨씬 더 어려운 일이다. 무대 감독은 관객의 관심을 얻어서 그들의 시선을 특정한 장소나 배우로 향하게 해야 하는 것이 필요하다. 이것은 조명, 의상, 배경, 목소리, 움직임을 통해 이루어질 수 있다. 집중은 단지 한 명의 배우에게 스포트라이트를 비추거나, 한 명의 배우는 빨간색으로 입히고 다른 모든 배우들은 회색으로 입히거나, 다른 배우들이 가만히 있는 동안 한 명의 배우는 움직이게 함으로써 얻어질 수 있다. 이러한 모든 기법들은 감독이 집중 안에 들기를 원하는 배우 쪽으로 관객의 관심을 빠르게 끌게 될 것이다.

해설 ③ → (should) gain / 형용사 necessary(필요한) 뒤에 오는 that절의 내용이 당위성을 나타내므로 gains를 should gain 또는 should가 생략된 동사원형 gain으로 고쳐야 한다.

2. 구문분석 및 직독직해

❶ Take the choice / of which kind of soup to buy.
선택하라 / 어떤 종류의 수프를 살지
명령문 / 전치사+의문사

❷ There's too much data here / for you to struggle with: / calories, price, salt content, taste, packaging, and so on.
여기에 너무 많은 자료가 있다 / 당신이 애써 신경 써야 할 / 칼로리, 가격, 소금 함유량, 맛, 포장, 기타 등등
There is+동사+주어(도치) / to부정사의 의미상의 주어

❸ If you were a robot, / you'd be stuck here all day / trying to make a decision, / with no obvious way to trade off [which details matter more].
만약 당신이 로봇이라면 / 하루 종일 여기에 매여 있을 것이다 / 결정하느라 애쓰면서 / 균형을 잡을 만한 분명한 방법이 없는 채로 / 어떤 세부 사항이 더 중요한지에 대해
가정법 과거 동사의 과거형 / 조동사의 과거형+동사원형 / 분사구문(동시 동작) / try+to부정사: ~하기 위해 노력하다 / to부정사의 형용사적 용법 / 간접의문문(의문사+주어+동사)

❹ To land on a choice, / you need a summary of some sort.
결정에 이르기 위해 / 당신은 일종의 요약 정보가 필요하다
to부정사의 부사적 용법(목적)

❺ And that's [what {the feedback from your body} is able to give you].
그리고 그것은 ~이다 / 당신의 신체로부터 나오는 피드백이 당신에게 제공할 수 있는 것
주어 / 관계대명사절(보어 역할) / be able to+동사원형

❻ Thinking about your budget / might make your palms sweat, / or your mouth might water / thinking about the last time [∨you consumed the chicken noodle soup], or noting the excessive creaminess of the other soup / might give you a stomachache.
당신의 예산에 관해 생각하는 것은 / 당신의 손바닥에 땀이 나게 할 수도 있다 / 또는 당신의 입에서 군침이 돌 수도 있다 / 지난번에 대해 생각하며 / 당신이 치킨누들 수프를 먹었던 / 또는 / 다른 수프의 지나친 느끼함을 알아차리는 것은 / 당신의 속을 불편하게 만들지도 모른다
동명사구 주어 / 동사(조동사+동사원형) 목적어 / make+목적어+동사원형 / 목적어보어(동사원형) / 주어 / 조동사+동사원형 / 분사구문 / (when) 관계부사절 / 동명사구 주어 / 병렬구조 / 동사(조동사+동사원형)+간접목적어+직접목적어

❼ You simulate your experience / with one soup, / and then the other∨.
(soup)
당신은 당신의 경험을 시뮬레이션 해 본다 / 하나의 수프로 / 그런 다음 또다른 수프로
하나 / 나머지 하나

❽ Your bodily experience helps your brain / to quickly place a value on soup A, / and another∨on soup B, / allowing you to tip
(= value)
당신의 신체 경험은 당신의 두뇌를 돕는다 / 재빨리 A수프에 하나의 가치를 부여하는 것을 / 그리고 B수프에는 또 다른 가치를 부여하는 것을 / 당신으로
주어 / 준사역동사 목적어 / 목적격보어(to부정사) / 분사구문(연속 동작) / allow+A+to부정사: A로 하여금 ~하게 하다

the balance / in one direction or the other.
하여금 균형이 기울도록 한쪽으로 또는 다른 쪽으로

❾ You don't just extract the data / from the soup cans, / you
당신은 단지 자료를 추출하는 것이 아니다 수프 캔으로부터 당신은

feel the data.
그 자료를 느끼는 것이다

해석 어떤 종류의 수프를 살지를 선택하라. 여기에 당신이 애써 신경 써야 할 너무 많은 자료가 있다: 칼로리, 가격, 소금 함유량, 맛, 포장, 기타 등등. 만약 당신이 로봇이라면, 어떤 세부 사항이 더 중요한지에 대해 균형을 잡을 만한 분명한 방법이 없는 채로 당신은 결정하느라 애쓰면서 하루 종일 여기에 매여 있을 것이다. 결정에 이르기 위해서는 당신은 일종의 요약 정보가 필요하다. 그리고 그것은 당신의 신체로부터 나오는 피드백이 당신에게 제공할 수 있는 것이다. 당신의 예산에 관해 생각하는 것은 당신의 손바닥에 땀이 나게 할 수도 있고, 당신이 지난번에 치킨 누들 수프를 먹었던 것에 대해 생각하며 당신의 입에서 군침이 돌 수도 있고, 또는 또 다른 수프의 지나친 느끼함을 알아차리는 것이 당신의 속을 불편하게 만들지도 모른다. 당신은 하나의 수프로, 그런 다음 또 다른 수프로 당신의 경험을 시뮬레이션 해 본다. 당신의 신체 경험은 당신의 두뇌가 재빨리 A수프에 하나의 가치를 부여하고, B수프에는 또 다른 가치를 부여하게 하는 것을 도우며, 당신으로 하여금 한쪽으로 또는 다른 쪽으로 균형이 기울도록 한다. 당신은 수프 캔으로부터 단지 자료를 추출하는 것이 아니라, 그 자료를 느끼는 것이다.

해설 (A) 주절에 you'd(you would) be stuck으로 보아, 가정법 과거 문장이다. if절에 동사의 과거형(be동사는 대개 were)이 와야 하므로 were가 적절하다.
(B) '~할 수 있다'라는 뜻의 「be able to + 동사원형」이 쓰인 문장으로, to give가 적절하다.
(C) 등위접속사 or에 의해 연결된 병렬구조 문장으로, 문맥상 '~할지도 모른다'라는 뜻의 추측을 나타내는 조동사 might가 적절하다.

3. 구문분석 및 직독직해

❶ We often assume [(that) we see our physical surroundings /
우리는 흔히 가정한다 우리가 물리적 환경을 본다
명사절 접속사(assume의 목적절)

as they actually are].
실제 있는 그대로

❷ But new research suggests [that {how we see the world}
하지만 새로운 연구는 제시한다 우리가 세상을 보는 방식은
주어 동사 명사절 접속사(suggest의 목적절) 의문사절 주어

depends on {what we want from it}].
달려있다 우리가 그로부터 무엇을 원하는 지에 (it = the world)
동사 의문사절 목적어

❸ When a group of psychologists asked people / to estimate
한 집단의 심리학자들이 사람들에게 물어보았다 짐작해 보도록
시간의 접속사(부사절) ⟨5형식⟩ 주어+동사+목적어+목적격보어(to부정사)

[how far away a bottle of water was], those [who were thirsty]
물병이 멀리 떨어져 있는지 목마른 사람들은
간접의문문(의문사+주어+동사) 주어 관계대명사 주격

guessed (that) [it was closer than non-thirsty people did].
추측하였다 목마르지 않은 사람들보다 그 물병이 더욱 가깝다고 (it = a bottle of water)
동사 명사절 비교급 표현(병렬구조) (= guessed)

❹ This difference in perception / showed up in a physical
이러한 인식의 차이는 신체적인 도전에서도 마찬가지로 드러났다
주어 동사

challenge, too.

❺ When people were told [to toss a beanbag / at a $25 gift
사람들이 들었을 때 콩주머니를 던지는 것을 25달러짜리 상품권을 향해
시간의 접속사 ⟨부사절⟩ 수동태(be+p.p.) 목적어1

card], and [that the closest would win it], people threw their
그리고 가장 근처에 던진 사람이 그것을 얻도록 하는 것을 사람들은 그들의 (it = a $25 gift card)
목적어2 조동사+동사원형 ⟨주절⟩

beanbags / nine inches short / on average.
콩주머니를 던졌다 9인치 못 미치게 평균적으로

❻ But when the gift card's value was $0, / people threw
하지만 상품권의 가치(액수)가 0달러였을 때는 사람들은 콩주머니를
시간의 접속사(부사절)

their beanbags / past the card by an inch.
던졌다 상품권을 지나 1인치를 더 멀리

❼ As the brain evolved, / people [who saw distances to
뇌가 진화함에 따라 사람들은 목표물까지의 거리를 본
~함에 따라 주어 관계대명사 주격

goals / as shorter] might have gone after [what they wanted
더 가깝게 쫓을 수 있었을 것 같다 그들이 원했던 것을
동사(조동사+have+p.p.) 관계사절(목적어 역할)

more often].
더욱 자주

❽ This error in perception / was actually an advantage, /
이러한 인식의 오류는 사실상 이점이 되었다
주어 동사 보어

leading people to get [what they needed].
사람들이 자신이 필요로 했던 것을 획득하게끔 해주면서
분사구문 관계사절(목적어 역할)

해석 흔히 우리는 우리가 물리적 환경을 실제 있는 그대로 본다고 가정한다. 하지만 우리가 세상을 보는 방식은 우리가 그로부터 무엇을 원하는지에 달려있다고 새로운 연구는 제시한다. 한 집단의 심리학자들이 사람들에게 물병이 얼마나 멀리 떨어져 있는지 짐작해 보도록 했을 때, 목마른 사람들은 그렇지 않은 사람들보다 그 물병이 더욱 가깝다고 추측하였다. 이러한 인식의 차이는 신체적인 도전에서도 마찬가지로 드러났다. 25달러짜리 상품권을 향해 콩주머니를 던져서 가장 근처에 던진 사람이 그것을 얻도록 하였을 때, 사람들은 평균적으로 콩주머니를 9인치 못 미치게 던졌다. 하지만, 상품권의 가치(액수)가 0달러였을 때는, 상품권을 지나 1인치를 더 멀리 던졌다. 뇌가 진화함에 따라, 목표물까지의 거리를 더 가깝게 본 사람들은 그들이 원했던 것을 더욱 자주 쫓을 수 있었을 것 같다. 이러한 인식의 오류는 사람들이 자신이 필요로 했던 것을 획득하게끔 해 주면서 사실상 이점이 되었다.

해설 ④ → would win / 주절에 과거시제가 쓰였으므로 시제를 일치시켜 종속절에도 과거시제가 와야 한다. 따라서 will win을 과거형 would win으로 고쳐야 한다.

4. 구문분석 및 직독직해

❶ The rain was more than a quick spring shower / because
비는 잠깐 내리는 봄 소나기 이상이었다 왜냐하면
비교

in the last ten minutes, / it had only gotten louder and heavier.
지난 10분 동안 그것은 더 요란해지고 강해졌기 때문에 (it = the rain)
과거완료 get+비교급+and+비교급: 점점 더 ~해지다

❷ The thunder was getting even closer.
천둥소리가 점점 훨씬 더 가까워졌다
과거진행 비교급 강조

❸ Sadie and Lauren were out there / with no rain gear.
Sadie와 Lauren은 밖에 있었다 우비 없이

❹ No shelter.
비를 피할 곳이 없었다

❺ And (were) standing in the midst of too many tall trees / — or
그리고 지나치게 많은 키 큰 나무들 한가운데에 서 있었다 즉
in the midst of: ~의 한가운데에

lightning rods.
피뢰침들

⑥ Sadie looked up, / trying to see [if the black cloud was
Sadie는 위를 올려다보았다 확인하려고 먹구름이 움직이는지를
분사구문(동시 동작) 명사절 접속사+주어+동사(목적절)

moving].
과거진행

= the black cloud
⑦ But it was no longer just one cloud.
그러나 더 이상 구름 한 점이 아니었다

⑧ It appeared / as though the entire sky had turned dark.
그것은 보였다 마치 하늘 전체가 검게 변한 것처럼
as though+가정법 과거완료(had+p.p.) 2형식 turn+형용사

⑨ Their innocent spring shower / had turned into a raging
온순한 봄 소나기가 맹렬한 뇌우로 바뀌었다
주어 과거완료

thunderstorm.

(that)
⑩ "Maybe we should go back / the direction [∨we came
아마도 우리가 돌아가야 할 것 같아 방향으로 우리가 왔던
주어 동사 관계사절

from]," Sadie said, / panicked.
Sadie는 말했다 겁에 질려
과거분사구문

⑪ "Do you know [which way we came]?" Lauren asked, / her
알고 있어 우리가 어떤 길로 왔는지 Lauren은 물었다
간접의문문(의문사+주어+동사)

eyes darting around.
그녀의 시선을 여기저기 던지며
분사구문(주어가 다를 때)

⑫ Sadie's heart fell.
Sadie의 심장이 철렁했다

⑬ Sadie realized with anxiety [that she didn't even know
Sadie는 불안해하며 깨달았다 그녀는 심지어 알지 못했음을
명사절 접속사(realized의 목적절)

{where she had taken her last ten steps from.}]
그녀의 열 발자국 전이 어디인지조차
의문사절 목적어 과거완료

⑭ Every angle looked exactly the same.
사방이 너무나 똑같아 보였다

(looked)
⑮ Every tree / ∨ a twin to the one beside it.
모든 나무가 그 옆 나무와 똑같아 보였다
주어 보어

(looked)
⑯ Every fallen limb / ∨ mimicking ten others.
늘어진 모든 큰 가지들은 다른 열 개의 가지들과 똑같아 보였다
주어 분사형 형용사

해석 지난 10분 동안 더 요란해지고 강해진 비는 잠깐 내리는 봄 소나기 이상이었다. 천둥소리가 점점 훨씬 더 가까워졌다. Sadie와 Lauren은 우비도 없이 밖에 있었다. 비를 피할 곳이 없었다. 그리고 지나치게 많은 키 큰 나무들, 즉 피뢰침들의 한가운데에 서 있었다. Sadie는 먹구름이 움직이는지를 확인하려 위를 올려다보았다. 그러나 더 이상 구름 한 점이 아니었다. 마치 하늘 전체가 검게 변한 것처럼 보였다. 온순한 봄 소나기가 맹렬한 뇌우로 바뀌었다. "아마도 우리가 왔던 방향으로 돌아가야 할 것 같아," Sadie는 겁에 질려 말했다. "우리가 어떤 길로 왔는지 알고 있어?" Lauren이 시선을 여기저기 던지며 물었다. Sadie의 심장이 철렁했다. Sadie는 열 발자국 전이 어디인지조차 알지 못했음을 불안해하며 깨달았다. 사방이 너무나 똑같아 보였다. 모든 나무가 그 옆 나무와 똑같아 보였다. 늘어진 큰 가지들은 모두 다른 열 개의 가지들과 똑같아 보였다.

해설 (A) 가정법 문장인지 양보의 접속사가 있는 문장인지 확인한다. '마치 하늘 전체가 검게 변한 것처럼 보였다'라는 뜻이 되어야 자연스러우므로 「as though + 가정법 과거완료」가 와야 한다.
(B) 문맥상 '~해야 한다'라는 뜻의 의무, 당위를 나타내는 조동사 should가 적절하다. don't have to는 '~할 필요가 없다'는 뜻이므로 적절하지 않다.
(C) 알지 못한(didn't know) 것보다 where 이하의 내용이 먼저 일어난 일이므로 과거완료(대과거) had taken이 적절하다.

어법 REVIEW 4 | 서술형 내신 어법연습하기

pp. 32~35

1 01 But for[If it were not for / Were it not for / If there were no / If we didn't have] money, people could only barter. 02 만약 당신이 빵 한 덩어리를 원하는데 그와 교환하기 위해 가지고 있는 전부가 새 자동차뿐이라면 어떤 일이 일어날까? 03 Money

2 01 asks → (should) ask / 제안의 동사 suggest 뒤에 오는 that절의 내용이 당위성을 나타낼 때 동사는 「(should) 동사원형」으로 쓴다. 02 asking 03 both parties could overcome their natural hesitancy and mutual fear of the stranger

3 01 재배된 곡물보다 음식물 쓰레기를 사료로 먹을 수 있다 02 (b) (i)nsect (c) (m)eat 03 would be

4 01 (should) be 02 they don't have to say the food has that much sugar 03 If ingredient labeling fully conveyed the amount of sugar, it would be easy for consumers to understand.

1. 구문분석 및 직독직해

❶ Without money, / people could only barter.
돈이 없다면 사람들은 물물 교환만 할 수 있을 것이다
without ~ 가정법 과거(= But for) 조동사의 과거형+동사원형

❷ Many of us / barter to a small extent, / when we return
우리들 대다수는 작은 규모로 물물 교환을 한다 우리가 호의에 보답할 때
주어 동사 시간의 접속사(부사절)

favors.

❸ A man might offer to mend / his neighbor's broken door /
한 사람은 수리해 주겠다고 제안할지도 모른다 이웃의 고장 난 문을
추측의 조동사+동사원형

in return / for a few hours of babysitting, / for instance.
보답으로 몇 시간 동안 아기를 돌봐 준 것에 대한 예를 들어
a few+셀 수 있는 명사

❹ Yet it is hard to imagine these personal exchanges working /
그러나 상상하기는 어렵다 이러한 개인적인 교환들이 작동하는 것을
가주어(it) 진주어(to부정사) 5형식 동사+목적어+목적격보어(현재분사)

on a larger scale.
더 큰 규모로

❺ What would happen / if you wanted a loaf of bread / and
어떤 일이 일어날까? 만약 당신이 빵 한 덩어리를 원한다면 그리고
가정법 과거(주어+조동사의 과거형+동사원형+if+주어+동사의 과거형 ~)

(관계대명사 that)
[all {∨you had} to trade] was your new car?
교환하기 위해 당신이 가지고 있는 전부가 새 자동차라면
주어 [ ] to부정사의 부사적 용법(목적) 동사

❻ Barter depends on / the double coincidence / of wants,
물물 교환은 ~에 달려있다 이중의 우연의 일치에 원하는 바의
depend on: ~에 달려 있다 선행사

[where not only does the other person happen to have {what
그런데 그것은 다른 사람이 우연히 가지고 있을 뿐만 아니라 내가
관계부사(계속적 용법) not only+do동사+주어+본동사 (도치) 관계대명사

I want}, but I also have {what he wants}].
(what: 관계대명사)
원하는 것을 또한 나도 가지고 있는 경우이다 그가 원하는 것을
but also ~ not only A but (also) B: A뿐만 아니라 B도(또한)

❼ Money solves / all these problems.
돈은 해결한다 이러한 모든 문제를

❽ There is no need / to find someone [who wants {what you have} to trade; / you simply pay for / your goods / with money.
~할 필요가 없다 / 누군가를 찾을 (to부정사의 형용사적 용법) / 원하는 (주격 관계대명사) / 당신이 가지고 있는 것을 (관계대명사) / 교환하기 위해 (to부정사의 부사적 용법(목적)) / 당신은 단순히 지불하면 된다 / 물건 값을 / 돈으로
there+is+단수 명사(도치)

❾ The seller can then take the money / and ∨buy from someone else.
그러면 판매자는 돈을 받고 (조동사+ 동사원형1) / 다른 누군가로부터 구매할 수 있다 ((can) 병렬구조 동사원형2)

❿ Money is transferable and deferrable — the seller can hold on to it / and buy / when the time is right.
돈은 이동 가능하고 (지불을) 미룰 수 있다 / 판매자는 그것을 쥐고 있을 수 있다 (조동사+동사원형1) / 그리고 구매할 수 있다 ((can) 병렬구조 동사원형2) / 시기가 적절한 때에 (시간의 접속사(부사절))

해석 돈이 없다면, 사람들은 물물 교환만 할 수 있을 것이다. 우리들 대다수는 호의에 보답할 때, 작은 규모로 물물 교환을 한다. 예를 들어, 한 사람은 몇 시간 동안 아기를 돌봐 준 것에 대한 보답으로 이웃의 고장 난 문을 수리해 주겠다고 제안할지도 모른다. 그러나 이러한 개인적인 교환들이 더 큰 규모로 작동하는 것을 상상하기는 어렵다. 만약 당신이 빵 한 덩어리를 원하는데 그와 교환하기 위해 가지고 있는 전부가 새 자동차뿐이라면 어떤 일이 일어날까? 물물 교환은 원하는 바의 이중의 우연의 일치에 달려있는데, 다른 사람이 내가 원하는 것을 우연히 가지고 있을 뿐만 아니라 또한 나도 그가 원하는 것을 가지고 있는 경우이다. 돈은 이러한 모든 문제를 해결한다. 당신은 교환을 위해 당신이 가지고 있는 것을 원하는 누군가를 찾을 필요가 없다; 당신은 단순히 돈으로 물건 값을 지불하면 된다. 그러면 판매자는 돈을 받고 다른 누군가로부터 구매할 수 있다. 돈은 이동 가능하고 지불을 미룰 수 있다 — 판매자는 그것을 쥐고 있다가 시기가 적절한 때에 살 수 있다.

해설 01 Without을 이용한 가정법 과거 문장은 But for 외에 If it were not for / Were it not for / If there were no / If we didn't have로 바꿔 쓸 수 있다.

02 '만약 ~라면, …할 텐데'라는 뜻의 가정법 과거 문장이다. all 뒤에 관계대명사 that이 생략된 형태로, all [(that) you had] to trade를 '교환하기 위해 당신이 가지고 있는 모든 것'으로 해석하는 것에 유의한다.

03 물물 교환의 문제를 해결할 수 있는 것은 돈이다. 첫 문장에서 확인할 수 있다.

2. 구문분석 및 직독직해

❶ Benjamin Franklin once suggested [that a newcomer / to a neighborhood / ∨ask a new neighbor to do him or her a favor, / citing an old maxim: / He [that has once done you a kindness] will be more ready / to do you another∨/ than he [whom you yourself have obliged].
Benjamin Franklin은 예전에 제안했다 / 새로 온 사람은 (요구의 동사 suggest that+주어+(should) 동사원형) / 동네에 / 새 이웃에게 도움을 요청해야 한다고 ((should) 동사원형 5형식 ask+목적어+목적격보어(to부정사); do+목적어+a favor: ~에게 도움을 베풀다) / 옛 격언을 인용하며 (분사구문) / 너에게 친절을 행한 적이 있는 사람은 (주어 주격 관계대명사) / 또 다른 친절은 행할 준비가 더 되어 있을 것이다 (동사 be ready to do: ~할 준비가 되다; (kindness)) / (비교급) / 네가 친절을 베풀었던 사람보다도 (목적격 관계대명사 재귀대명사(강조 용법))

❷ In Franklin's opinion, / asking someone for something / was the most useful and immediate invitation / to social interaction.
Franklin의 의견으로는 / 누군가에게 무언가를 요구하는 것은 (동명사구 주어) / (단수 동사) / 가장 유용하고 즉각적인 초대였다 / 사회적 상호 작용에 대한

❸ Such asking / on the part of the newcomer / provided the neighbor / with an opportunity / to show himself or herself / as a good person, / at first encounter.
그러한 요청을 하는 것은 (동명사구 주어 ↔ 전치사구) / 새로 온 사람 쪽에서 / 이웃에게 제공했다 (동사) / 기회를 / 자신을 보여 줄 수 있는 (to부정사의 형용사적 용법) / ~으로서 / 좋은 사람으로 / 첫 만남에

❹ It also meant [that the latter / could now ask / the former for a favor, / in return, / increasing the familiarity and trust].
또한 그것은 의미했다 (명사절 접속사(meant의 목적절)) / 후자가 (the neighbor) / 이제 부탁할 수 있다 / 전자에게 (the newcomer) / 반대로 / 친밀함과 신뢰를 증진시키면서 (분사구문)

❺ In that manner, / both parties could overcome / their natural hesitancy and mutual fear of the stranger.
그러한 방식으로 / 양쪽은 극복할 수 있을 것이다 (the neighbor+the newcomer) / 그들의 당연한 / 망설임과 낯선 사람에 대한 상호간의 두려움을

해석 Benjamin Franklin은 예전에 '너에게 친절을 행한 적이 있는 사람은 네가 친절을 베풀었던 사람보다도 너에게 또 다른 친절을 행할 준비가 더 되어 있을 것이다.'라는 옛 격언을 인용하며, 동네에 새로 온 사람은 새 이웃에게 도움을 요청해야 한다고 제안했다. Franklin의 의견으로는, 누군가에게 무언가를 요구하는 것은 사회적 상호 작용에 대한 가장 유용하고 즉각적인 초대였다. 새로 온 사람 쪽에서 그러한 요청을 하는 것은 첫 만남에 자신을 좋은 사람으로 보여 줄 수 있는 기회를 이웃에게 제공했던 것이다. 또한, 이제 반대로 후자(이웃)가 전자(새로 온 사람)에게 부탁할 수 있으며 이것은 친밀함과 신뢰를 증진시킨다는 것을 의미했다. 그러한 방식으로 양쪽은 당연한 망설임과 낯선 사람에 대한 상호간의 두려움을 극복할 수 있을 것이다.

해설 01 제안의 동사 suggest 뒤에 오는 that절의 내용이 '새로 온 사람이 새 이웃에게 도움을 요청해야 한다'라는 의미로 당위성을 나타내므로 ask를 should ask 또는 should가 생략된 동사원형 ask로 고쳐야 한다.

02 문맥상 ask가 와야 자연스러운데, (b)에서는 주어로 쓰였으므로 동명사나 to부정사 형태로 써야 한다. (c)의 경우, such 뒤에 to부정사는 올 수 없으므로 공통으로 알맞은 것은 동명사 asking이다.

03 먼저 주어와 동사를 찾은 다음, 이어지는 것이 보어인지 목적어인지 확인한다. 주어는 '양쪽(both parties)', 동사는 '극복할 수 있을 것이다(could overcome)'이다.

3. 구문분석 및 직독직해

❶ How can we access / the nutrients [∨we need] with less impact / on the environment?
어떻게 우리는 접근할 수 있는가 / 영양분에 / 우리가 필요로 하는 ((that) 목적격 관계대명사 생략 ↔ 관계사절) / 더 적은 영향을 미치면서 / 환경에

❷ 〈The most significant component of agriculture [that
농업에서 상당히 많은 부분을 차지하는 요소는
형용사의 최상급 선행사 주격 관계대명사

contributes to climate change]〉 is livestock.
기후 변화를 야기하는 가축이다
〈 〉주어 동사

❸ Globally, / beef cattle and milk cattle / have the most
세계적으로 육우와 젖소는 가장 중요한 영향을 미치고
동사1

significant impact / in terms of greenhouse gas emissions(GHGEs), /
온실가스 배출(GHGEs)에 있어서
~에 있어서

and are responsible / for 41% of the world's CO2 emissions /
책임이 있다 세계의 이산화탄소 배출의 41%와
동사2 be responsible for: ~에 책임이 있다

and 20% of the total global GHGEs.
전 세계 온실가스 배출의 20%

❹ 〈The atmospheric increases in GHGEs [(which are) caused by the
대기의 온실가스 배출 증가는 ~으로 야기된
핵심 주어 과거분사구(increases 수식)

transport, / land clearance, / methane emissions, / and grain
운송, 토지 개간, 메탄 배출, 그리고 곡물 경작으로

cultivation {(which are) associated with the livestock industry}]〉 are the
가축 산업과 연관된 〈 〉주어 부분
과거분사구(the transport cultivation 수식) 동사

main drivers / behind increases in global temperatures.
주요 요인이다 지구의 온도 상승 배후에

❺ In contrast to conventional livestock, / insects as
전통적인 가축과 대조하여 'minilivestock'으로서의 곤충들은
~와는 대조적으로 주어

"minilivestock" / are low-GHGE emitters, / use minimal land, / can
온실가스를 적게 배출하고 최소한의 땅을 사용하며
동사1 동사2

be fed on food waste / rather than cultivated grain, / and can
음식물 쓰레기를 사료로 먹을 수 있고 재배된 곡물보다 그리고
동사3(조동사의 수동태) 과거분사(수동)

be farmed anywhere / thus potentially also avoiding GHGEs
어느 곳에서나 사육될 수 있다 따라서 또한 잠재적으로 온실가스 배출을 줄이면서
동사4(조동사의 수동태) 분사구문

[(which are) caused by long distance transportation].
장거리 운송에 의해 야기되는
과거분사구

❻ If we increased insect consumption / and decreased meat
우리가 곤충 소비를 늘리면 그리고 육류 소비를 줄인다면
가정법 과거 동사의 과거형1 동사의 과거형2

consumption / worldwide, / the global warming potential of the
세계적으로 식량 체계로 인한 지구 온난화 가능성은

food system / would be significantly reduced.
현저히 줄어들 것이다
조동사의 과거형+동사원형(수동태: be+p.p.)

해석 어떻게 우리는 환경에 더 적은 영향을 미치면서 필요한 영양분에 접근할 수 있는가? 기후 변화를 야기하는 농업에 있어서 상당히 많은 부분을 차지하는 요소는 가축이다. 세계적으로 육우와 젖소는 온실가스 배출(GHGEs)에 있어 가장 중요한 영향을 미치고, 세계의 이산화탄소 배출의 41%와 전 세계 온실가스 배출의 20%를 차지한다. 가축 산업과 연관된 운송, 토지 개간, 메탄 배출, 곡물 경작으로 야기된 대기의 온실가스 배출 증가는 지구의 온도를 높이는 주된 요인이다. 전통적인 가축과 대조하여 'minilivestock'인 곤충들은 온실가스를 적게 배출하고 최소한의 땅을 사용하며 재배된 곡물보다 음식물 쓰레기를 사료로 먹을 수 있고 어느 곳에서나 사육될 수 있으며, 따라서 또한 잠재적으로 장거리 운송에 의해 야기되는 온실가스 배출을 줄일 수 있다. 우리가 세계적으로 곤충 소비를 늘리고 육류 소비를 줄인다면, 식량 체계로 인한 지구 온난화의 가능성은 현저히 줄어들 것이다.

해설 01 밑줄 친 (a)에서 can be fed ~ grain까지 해석한다. 조동사의 수동태로 쓰인 can be fed는 '먹일 수 있다'라는 의미이다.

02 increased와 decreased에 유의하여 각각 insect, meat를 쓴다. 3행의 beef cattle에서 meat를 유추할 수 있다.

03 현재 사실에 반대되는 일을 가정하는 if 가정법 과거 문장이다. 주절의 동사는 「조동사의 과거형 + 동사원형」이 되어야 하므로 will be를 would be로 고쳐 써야 한다.

4. 구문분석 및 직독직해

❶ If a food contains / more sugar / than any other ingredient, /
한 식품이 함유하고 있다면 더 많을 설탕을 다른 어떤 성분보다
비교급을 이용한 최상급 (= most sugar)

government regulations require [that sugar (should) be listed first / on
정부 규정은 요구한다 설탕이 첫 번째로 기재될 것을
요구의 동사 require that + 주어 + (should) 동사원형

the label].
라벨에

❷ But / if a food contains / several different kinds of
그러나 어떤 식품이 함유하고 있다면 몇 가지 다른 종류의 감미료를

sweeteners, / they can be listed separately, / which pushes each
= several different kinds of sweeteners
그것들은 각각 기재될 수 있다 그것은 각각 밀어 내린다
조동사+be+p.p. (조동사의 수동태) 계속적 용법의 관계대명사

one / farther down the list.
목록에서 더 아래로
비교급 (far-farther)

❸ This requirement has led / the food industry / to put in /
이 요구는 이끌었다 식품업계가 넣도록
현재완료 lead A to do: A가 ~하도록 이끌다

three different sources of sugar / so that they don't have to say
세 가지 다른 당의 원료를 그래서 그들이 말할 필요가 없도록
결과 ~할 필요가 없다

[(that 명사절 접속사) the food has that much sugar].
그 식품에 설탕이 그렇게 많이 들어 있다고
say의 목적절

❹ So sugar doesn't appear first.
그래서 설탕이 첫 번째로 나타나지 않는다.
자동사

❺ Whatever the true motive, / ingredient labeling / still does
진짜 동기가 무엇이든 성분 라벨 표기는 여전히
어떤 …일지라도 주어

not fully convey / the amount of sugar / being added to food, /
충분히 전달하지 못한다 설탕의 양을 식품에 첨가되는
동사 셀 수 없는 명사의 수량 표현 현재분사구

certainly not in a language [that's easy for consumers to
확실히 (전달하지 않는다) 언어로 소비자가 이해하기 쉬운
선행사 주격 관계대명사 to부정사의 의미상의 주어

understand].
to부정사의 부사적 용법(형용사 수식)

❻ A world-famous cereal brand's label, / for example, /
세계적으로 유명한 어떤 시리얼 브랜드의 라벨은 예를 들어
주어

indicates [that the cereal has / 11 grams of sugar / per serving].
명사절 접속사
보여 준다 시리얼이 함유하고 있다는 것을 11g의 설탕을 1회분에
동사 indicates의 목적절

❼ But nowhere / does it tell consumers [that more than
tell+간접목적어+직접목적어(목적절)
그러나 라벨의 어디에서도 소비자들에게 알려주지 않는다
부정어 + 동사 + 주어 (도치) 명사절 접속사(tell의 목적절)

one-third of the box / contains added sugar].
상자의 3분의 1 넘게 첨가 당을 함유하고 있다는 것을

해석 한 식품이 다른 어떤 성분보다 설탕을 더 많이 함유하고 있다면, 정부 규정은 설탕이 라벨에 첫 번째로 기재될 것을 요구한다. 그러나 어떤 식품이 몇 가지 다른 종류의 감미료를 함유하고 있다면, 그것들은 각각 기재될 수 있는데, 그것은 각각 목록에서 더 아

래로 밀어 내린다. 이 요구는 식품업계가 그 식품에 설탕이 그렇게 많이 들어 있다고 말할 필요가 없도록 세 가지 다른 당의 원료를 넣게 만들었다. 그래서 설탕이 첫 번째로 나타나지 않는다. 진짜 동기가 무엇이든, 성분 라벨 표기는 식품에 첨가되는 설탕의 양을 여전히 충분히 전달하지 못하고 있으며, 확실히 소비자가 이해하기 쉬운 언어로 되어 있지 않다. 예를 들어, 세계적으로 유명한 어떤 시리얼 브랜드의 라벨은 시리얼이 1회분에 11g의 설탕을 함유하고 있음을 보여 준다. 그러나 라벨의 어디에도 상자의 3분의 1 넘게 첨가 당을 함유하고 있다는 것을 소비자들에게 알려 주지 않는다.

해설 **01** that절 이하의 내용은 '설탕이 라벨에 첫 번째로 기재될 것'이라는 의미인데, 주절의 동사가 요구의 동사 require이므로 빈칸에 「(should) + 동사원형」이 와야 한다. 따라서 should be 또는 be를 쓴다.

02 '~할 필요가 없다'는 「don't have to + 동사원형」으로 쓴다. must not은 '~해서는 안 된다'라는 뜻이다.

03 가정법 과거는 「If + 주어 + 동사의 과거형 ~, 주어 + 조동사의 과거형 + 동사원형 …」 형태로 쓴다.

Unit 04 태

문법 확인 p. 36

수동태 ❶ 목적어 ❷ was / were ❸ been
수동태 문장 만들기 ❹ 1형식 ❺ 없다 ❻ 생략 ❼ to ❽ 간접목적어 ❾ to부정사
개념 마무리 OX (1) ○ (2) ○ (3) ×

실전어법 개념확인 p. 37

Point ❶ 수동태, p.p. / 1 are affected
Point ❷ 주어, 수 / 2 was influenced
Point ❸ 이용되다, used to / 3 build
Point ❹ 목적어, appear, remain, 타동사, become, resemble / 4 remains

어법 REVIEW 1 문장 어법연습하기 p. 38

A

1 came ▸ come은 목적어를 취하지 않는 자동사이므로 수동태 불가

2 had been impressed ▸ 주어가 he이므로 감정을 나타내는 동사 impress의 수동형 필요

3 seems ▸ '~처럼 보이다'라는 뜻의 seem은 목적어를 취하지 않는 자동사이므로 수동태 불가

4 wasn't read ▸ 핵심 주어는 59 percent of the news로, 뉴스가 '읽히지 않은' 것이므로 수동태

B

5 was interrupted ▸ 주어 his path(그의 행로)가 제2차 세계대전의 발발로 '중단됐다'라는 의미이므로 수동태 과거

6 ○ ▸ expect의 목적어가 the physical expression of pride이고, 목적격보어가 to부정사인 5형식 문장으로, to부정사의 수동태는 「to be + p.p.」

7 ○ ▸ 주어 the joy(즐거움)가 '제거되어 왔다'라는 의미이므로 수동태 현재완료

A

e.g. 스쿠터 회사는 안전 규정을 제공하고 있지만 탑승자들에 의해 그 규정들이 항상 지켜지는 것은 아니다.

1 인터넷의 대중적인 성장은 점점 더 많은 수의 컴퓨터가 가정과 직장으로 들어오면서 1990년대에 시작되었다.

2 어떻게 그가 그러한 결정을 하게 되었는지 내가 물었을 때, 그는 최근에 자동차 쇼에 참석했고 깊은 인상을 받았다고 대답했다.

3 여러 가지 면에서, 그러한 치료는 완전히 역설적인 것으로 보인다.

4 2016년 뉴욕시의 Columbia University의 한 연구는 소셜 미디어에서 공유된 링크로부터의 뉴스 중 59퍼센트가 먼저 읽히지 않았음을 밝혀냈다.

B

e.g. 일란성 쌍둥이를 생각해 보자. 두 사람은 모두 똑같은 유전자를 부여받는다.

5 그는 곧 박사 학위를 위한 연구를 시작했지만, 그의 행로는 제2차 세계대전의 발발로 중단됐다.

6 여러분은 자부심의 신체적 표현이 생물학적 기반을 두고 있을 것으로 기대하는가, 아니면 문화적으로 특정한 것으로 기대하는가?

7 집에서 음식을 요리하는 것과 같은 단순한 것에서의 즐거움은 우리가 그것들을 어렵고 시간 소모가 큰 것으로 인식하기 때문에 제거되어 왔다.

어법 REVIEW 2 짧은 지문 어법연습하기

p. 39

A 1 (A) remains (B) can be spent **2** (A) will be included (B) are not accepted
B 3 ⑤ **4** ②

A

1 의료 서비스는 여전히 공정하게 분배되지 않고, (의료 서비스에 대한) 접근성은 세계의 여러 지역에서 문제로 남아 있다. 의학 기술의 향상은 돈과 자원을 시설과 숙련된 사람들을 위해 쓰도록 묶어 두어, 더 큰 비용이 들게 하고, 다른 것들에 쓰일 수 있는 것에 영향을 미친다.

▸ (A) '남아 있다'라는 뜻의 remain은 목적어를 취하지 않는 자동사로, 수동태로 쓸 수 없다. 따라서 remains가 적절하다.
(B) 문맥상 '다른 것에 쓰일 수 있는'의 의미가 되어야 자연스럽다. 조동사의 수동태는 「조동사 + be + p.p.」 형태로 쓰므로 can be spent가 적절하다.

2 이 아름다운 마을에서 촬영한 여러분의 사진을 뽐내 보세요. 모든 수상작은 Springfield 공식 여행 안내 책자에 수록될 것입니다! 사진은 컬러여야 합니다.(흑백 사진은 허용되지 않음)

▸ (A) 주어가 all the winning entries(모든 수상작)이므로, '수록될 것이다'라는 의미의 수동태로 쓰여야 한다. 수동태 미래는 「will be + p.p.」 형태로 쓴다.
(B) 주어가 black-and-white photos(흑백 사진)이므로 '허용되지 않는다'라는 의미의 수동태로 쓰여야 한다. 수동태의 부정은 「be + not + p.p.」 형태로 쓴다. 따라서 are not accepted가 적절하다.

B

3 명성에 대한 욕망은 무시당한 경험에 그 뿌리를 두고 있다. 과거 어느 시점에 자신이 대단히 하찮은 사람이라는 느낌을 또한 겪어 보지 못했던 사람은 어느 누구도 유명해지고 싶지 않을 것이다. 우리는 더 일찍이 고통스럽게 박탈감을 겪게 되었을 때 우리를 대단하다고 보는 많은 관심의 필요를 느낀다.

▸ ⑤ → have been painfully exposed / 주어가 we이고 '~에 노출된 경험이 있다'라는 의미가 되도록 수동태로 고쳐야 한다. 수동태 현재완료는 「have/has + been + p.p.」 형태로 쓴다.

4 가장 중요한 것은 돈이 예측 가능한 방식으로 희소성이 있을 필요가 있다는 것이다. 귀금속은 내재적인 아름다움을 지니고 있을 뿐만 아니라 고정된 양으로 존재하기 때문에 수천 년에 걸쳐 돈으로서 바람직했다. 금과 은은 발견되고 채굴되는 속도로 사회에 유입되며, 추가적인 귀금속은 생산될 수 없고, 적어도 싸게 생산될 수는 없다.

▸ ② → exist / '존재하다'라는 뜻의 exist는 목적어를 취하지 않는 자동사로, 수동태로 쓸 수 없다.

어법 REVIEW 3 기출 유형 어법연습하기

pp. 40~41

1 ① **2** ③ **3** ③ **4** ④

1. 구문분석 및 직독직해

❶ 〈The difference / between selling and marketing〉 is very simple.
차이는 / 판매와 마케팅 사이의 / 아주 간단하다
주어〈 〉 / between A and B: A와 B 사이에 / 동사

❷ Selling focuses mainly / on the firm's desire / to sell products / for revenue.
판매는 주로 초점을 맞춘다 / 회사의 요구에 / 제품을 판매하고자 하는 / 수익을 위해
동명사 주어 동사 / to부정사의 형용사적 용법

❸ Salespeople and other forms of promotion / are used to create demand / for a firm's current products.
판매원 그리고 다른 형태의 판촉은 / 수요를 창출하기 위해 사용된다 / 회사의 현재 제품에 대한
주어 / be used to+동사원형: ~하는 데 이용되다 / 전치사구

❹ Clearly, / the needs of the seller / are very strong.
분명히 / 판매자의 요구가 / 아주 강하다
주어 / 동사(수 일치)

❺ Marketing, / however, / focuses on the needs of the consumer, / ultimately benefiting the seller as well.
마케팅은 / 그러나 / 소비자의 요구에 초점을 맞춘다 / 궁극적으로 판매자도 또한 이롭게 하며
주어 / 대조 · 반대의 접속부사 / 동사 / 분사구문 / as well: 또한

❻ When a product or service is truly marketed, / the needs of the consumer are considered / from the very beginning of the new product development process, / and the product-service mix is designed / to meet the unsatisfied needs / of the consuming public.
제품이나 서비스가 진정으로 마케팅될 때 / 소비자의 요구가 고려된다 / 신제품 개발 과정의 아주 초기에서부터 / 그리고 제품과 서비스의 결합은 기획된다 / 충족되지 않은 요구에 부응하기 위해 / 소비하는 대중들의
시간의 접속사 〈부사절〉 주어 / 동사(수동태) / 〈주절〉 주어 / 동사(수동태) / 전치사구 / 주어 / 동사(수동태) / to부정사의 부사적 용법(목적) / 과거분사 / 현재분사 / 전치사구

❼ When a product or service is marketed / in the proper manner, / very little selling is necessary / because the consumer
제품이나 서비스가 마케팅될 때 / 적절한 방식으로 / 아주 적은 판매 활동이 필요하다 / 소비자의 요구가
시간의 접속사(부사절) 주어 / 동사(수동태) / 주어 / 동사 보어 / 이유의 접속사 〈부사절〉 주어

need already exists / and the product or service / is merely
이미 존재하기 때문에 그리고 제품이나 서비스가 단지
동사 주어 동사(수동태 현재진행)

being produced / to satisfy the need.
만들어지고 있다 그 요구를 충족시키기 위해
to부정사의 부사적 용법(목적)

해석 판매와 마케팅 사이의 차이는 아주 간단하다. 판매는 주로 수익을 위해 제품을 판매하고자 하는 회사의 요구에 초점을 맞춘다. 회사의 현재 제품에 대한 수요를 창출하기 위해 판매원 그리고 다른 형태의 판촉이 사용된다. 분명히 판매자의 요구가 아주 강하다. 그러나 마케팅은 소비자의 요구에 초점을 맞추고 궁극적으로 판매자도 또한 이롭게 한다. 제품이나 서비스가 진정으로 마케팅될 때, 신제품 개발 과정의 아주 초기에서부터 소비자의 요구가 고려되며, 소비하는 대중들의 충족되지 않은 요구에 부응하기 위해 제품과 서비스의 결합이 기획된다. 적절한 방식으로 제품이나 서비스가 마케팅될 때, 소비자의 요구가 이미 존재하고 그 요구를 충족시키기 위해 제품이나 서비스가 단지 만들어지고 있기 때문에 아주 적은 판매 활동이 필요하다.

해설 ① → are used to create / '~하는 데 이용되다'라는 뜻은 「be used to + 동사원형」으로 쓴다.

2. 구문분석 및 직독직해

❶ In an experiment, / researchers presented participants with
한 실험에서 연구자들은 참가자들에게 제시했다
전치사구 주어 동사1

two photos of faces / and asked participants to choose the
두 장의 얼굴 사진을 그리고 참가자들에게 요청했다 사진을 고르라고
동사2 ask+A+to부정사: A에게 ~하라고 요청하다

photo [that they thought was more attractive], and then
그들이 더 매력적이라고 생각하는 그리고 나서
주격 관계대명사

handed participants that photo.
참가자들에게 그 사진을 건네주었다
지시대명사

(that is)
❷ Using a clever trick / V inspired by stage magic, /
교묘한 속임수를 사용하여 무대 마술에 의해 영감을 얻은
분사구문 과거분사구

when participants received the photo, / it had been switched
참가자들이 사진을 받았을 때 그것은 사진으로 교체되어 있었다
시간의 접속사 〈부사절〉 주어 동사(수동태 과거완료)

(that was) 수동태
to the photo [V not chosen by the participant] — the
참가자가 선택하지 않은
선행사 과거분사구 동격

less attractive photo.
덜 매력적인 사진

❸ Remarkably, / most participants accepted this photo / as their
놀랍게도 대부분의 참가자들은 이 사진을 받아들였다 그들 자신의
주어 동사1

own choice / and then proceeded to give arguments / for [why
선택으로 그러고 나서 계속해서 논거를 제시했다 왜
동사2 간접의문문: 의문사

they had chosen that face / in the first place].
그들이 그 얼굴을 선택했는지에 대한
주어+동사(과거완료)

❹ This revealed a striking mismatch / between our choices
이것은 놀라운 불일치를 드러냈다 우리의 선택들과 능력 사이에
between A and B: A와 B 사이에

and our ability / to rationalize outcomes.
결과를 합리화하는
to부정사의 형용사적 용법

❺ This same finding has since been observed / in various
이와 똑같은 결과가 그 이후로 관찰되었다 다양한 분야에서
주어 동사(수동태 현재완료) 전치사구

domains / including taste for jam and financial decisions.
잼의 맛과 금전적 결정을 포함한
전치사구 including 전 ~을 포함하여

해석 한 실험에서, 연구자들은 참가자들에게 두 장의 얼굴 사진을 제시하고 더 매력적이라고 생각하는 사진을 고르라고 요청한 후에, 그 사진을 참가자들에게 건네주었다. 무대 마술에 의해 영감을 얻은 교묘한 속임수를 사용하여, 참가자들이 사진을 받았을 때, 그 사진은 참가자가 선택하지 않은, 즉 덜 매력적인 사진으로 교체되어 있었다. 놀랍게도, 대부분의 참가자들은 이 사진을 그들 자신의 선택으로 받아들였고, 그러고 나서 왜 처음에 그들이 그 얼굴을 선택했는지에 대한 논거를 계속해서 제시했다. 이것은 우리의 선택들과 결과를 합리화하는 우리의 능력 사이의 놀라운 불일치를 드러냈다. 이와 똑같은 결과가 그 이후로 잼의 맛과 금전적 결정을 포함한 다양한 분야에서 관찰되었다.

해설 (A) 주어 it은 앞에 나온 the photo를 받는 대명사이므로, '교체되어 있었다'라는 의미의 수동형으로 표현해야 한다. 수동태 과거완료는 「had + been + p.p.」 형태로 쓴다.
(B) reveal은 '~을 드러내다, 폭로하다'라는 뜻의 타동사로, 뒤에 목적어 a striking mismatch가 있으므로 능동태로 써야 한다.
(C) 주어 this same finding(이와 똑같은 결과)이 '관찰해 온' 것이 아니라 '관찰되어 온' 것이므로 수동태 현재완료 「have/has + been + p.p.」로 쓴다.

3. 구문분석 및 직독직해

❶ A dramatic example of [how culture can influence our
~에 대한 극적인 예는 문화가 어떻게 우리의 생물학적인 과정에 영향을
주어 의문사절 주어 동사(조동사+동사원형)

biological processes] was provided by anthropologist Clyde
미칠 수 있는지 극적인 예는 인류학자인 Clyde Kluckhohn에 의해 제시되었다
목적어 동사(수동태 과거)

Kluckhohn, [who spent much of his career / in the American
그의 생애의 많은 부분을 보낸
계속적 용법의 관계대명사

Southwest / studying the Navajo culture].
American Southwest에서 Navajo 문화를 연구하며
분사구문(동시동작)

(whom)
❷ Kluckhohn tells of a non-Navajo woman [V he knew in
Kluckhohn은 Navajo인이 아닌 한 여인에 대한 이야기를 들려준다 그가
선행사 관계사절

Arizona] [who took a somewhat perverse pleasure / in causing a
Arizona에서 알게 된 다소 심술궂은 기쁨을 얻었던 음식에 대한
주격 관계대명사 전치사구

cultural response to food].
문화적 반응을 이끌어 내는 것에서

(that are)
❸ At luncheon parties / she often served sandwiches [V
오찬 파티에서 그녀는 자주 샌드위치를 대접했다
전치사구

filled with a light meat {that resembled tuna or chicken / but
흰살 고기로 채워진 참치나 닭고기와 비슷한 하지만
과거분사구 관계대명사 주격

had a distinctive taste}].
독특한 맛이 나는

❹ Only after everyone had finished lunch / would the hostess
모든 사람이 점심 식사를 마친 후에야 그 여주인은 비로소
only 강조어구 도치 과거완료 조동사+주어+

inform her guests [that {what they had just eaten} was neither
손님들에게 알려주었다 그들이 방금 먹은 것은 참치 샐러드나 닭고기 샐러드가
+동사원형 명사절 접속사(목적어 역할) 과거완료
명사절의 주어(관계대명사 what절) 명사절의 동사

tuna salad nor chicken salad / but rather rattlesnake salad].
아니다 그것은 방울뱀 고기 샐러드였다고
neither A nor B: A도 B도 아니다

upon+-ing = as soon as (~하자마자)
❺ Invariably, / someone would vomit / upon learning [what they had eaten].
어김없이 / 누군가는 먹은 것을 토하곤 했다 / 그들이 방금 무엇을 먹었는지 알게 되면 바로
주어 동사(would+동사원형): 과거의 습관 의문사+주어+동사(과거완료)

❻ Here, then, is an excellent example / of [how the biological process of digestion / was influenced / by a cultural idea].
그렇다면 이것은 훌륭한 예시이다 / 어떻게 소화의 생물학적인 과정이 / 영향을 받았는지 / 문화적인 관념에 의해
here 도치 동사 주어 간접의문문 주어 동사(수동태 과거) by+행위자

❼ Not only was the process influenced, / it was reversed: / the culturally based *idea* [that rattlesnake meat is a disgusting thing / to eat] triggered a violent reversal / of the normal digestive process.
동사 (=the process)
그 과정은 영향을 받았을 뿐만 아니라 / 그것은 완전히 뒤집혔다 / 문화에 기초한 '관념'은 / 방울뱀 고기는 혐오스러운 음식이라는 / 극단적인 반전을 촉발했다 / 정상적인 소화의 과정에
not only 도치 주어 / 주어 동사(수동태 과거) / 주어 └동격┘ / to부정사의 형용사적 용법 / 동사

해석 문화가 어떻게 우리의 생물학적인 과정에 영향을 미칠 수 있는지에 대한 한 극적인 예는 인류학자인 Clyde Kluckhohn에 의해 제시되었는데, 그는 자신의 생애의 많은 부분을 American Southwest에서 Navajo 문화를 연구하며 보냈다. Kluckhohn은 Arizona에 사는 자신이 아는, 음식에 대한 문화적 반응을 이끌어 내는 것에서 다소 심술궂은 기쁨을 얻었던, Navajo인이 아닌 한 여인에 대한 이야기를 들려준다. 오찬 파티에서 그녀는 참치나 닭고기와 비슷하지만 독특한 맛이 나는 흰살 고기로 채워진 샌드위치를 자주 대접했다. 그 여주인은 모든 사람이 점심 식사를 마친 후에야 비로소 손님들에게 그들이 방금 먹은 것은 참치 샐러드나 닭고기 샐러드가 아니라 방울뱀 고기 샐러드였다고 알려주곤 했다. 어김없이, 그들이 방금 무엇을 먹었는지 알게 되면 바로 누군가는 먹은 것을 토하곤 했다. 그렇다면, 이것은 소화의 생물학적인 과정이 어떻게 문화적인 관념에 의해 영향을 받았는지에 대한 훌륭한 예시이다. 그 과정은 영향을 받았을 뿐만 아니라 완전히 뒤집혔다. 방울뱀 고기는 먹기에 혐오스러운 음식이라는 문화에 기초한 '관념'이 정상적인 소화의 과정에 극단적인 반전을 촉발했다.

해설 ③ → resembled / resemble은 상호 관계를 나타내는 타동사이므로 수동태로 쓸 수 없다.

4. 구문분석 및 직독직해

❶ For example, / Pierre de Fermat issued / a set of mathematical challenges / in 1657, / many on prime numbers and divisibility.
예를 들어 / Pierre de Fermat는 제시했다 일련의 수학적 과제들을 / 1657년에 / 그중 다수는 소수와 가분성에 관한 것이었다

❷ ⟨The solution to [what is now known as Fermat's Last Theorem⟩ was not established / until the late 1990s / by Andrew Wiles.
관계대명사(선행사 포함)
~에 대한 해답은 / 현재 Fermat의 Last Theorem이라고 알려진 것 / 1990년대 후반이 되어서야 밝혀졌다 / Andrew Wiles에 의해
주어〈 〉 명사절(전치사의 목적어 역할) 동사(수동태 과거의 부정) 전치사구

❸ David Hilbert, / a German mathematician, / identified 23 unsolved problems / in 1900 / with the hope [that these problems would be solved / in the twenty-first century].
David Hilbert는 / 독일 수학자인 / 23개의 풀리지 않는 문제를 규정했다 / 1900년에 / 희망을 가지고 / 이 문제들이 풀릴 것이라는 / 21세기에는
주어 └동격┘ 동사 전치사구 └동격┘ 동사(조동사의 수동태)

❹ Although some of the problems were solved, / others remain unsolved to this day.
그 문제들 중 일부는 풀렸으나 / 나머지들은 / 오늘날에도 풀리지 않고 있다
양보의 접속사 〈부사절〉 주어 동사(수동태 과거) 부정대명사 자동사(여전히 ~이다) 과거분사형 형용사

❺ More recently, in 2000, / the Clay Mathematics Institute / named / seven mathematical problems [that had not been solved] / with the hope [that they could be solved / in the twenty-first century].
더 최근인 2000년에 / Clay Mathematics Institute는 / 지정했다 / 7개의 수학문제를 / 풀리지 않는 / 희망을 가지고 / 그것들이 풀릴 것이다 / 21세기에는
주격 관계대명사 수동태 과거완료 / 동격의 접속사 / 전치사구 └동격┘ 조동사의 수동태

❻ A $1 million prize will be awarded / for solving each of these seven problems.
100만 달러의 상금이 주어질 것이다 / 이 7개 문제를 해결하는 것에 각각
주어 수동태 미래 전치사+동명사 each of+복수 명사

해석 예를 들어, Pierre de Fermat는 1657년에 일련의 수학적 과제들을 제시했는데, 그중 다수는 소수와 가분성에 관한 것이었다. 현재 Fermat의 Last Theorem이라고 알려진 것에 대한 해답은 1990년대 후반이 되어서야 Andrew Wiles에 의해 규명되었다. 독일 수학자인 David Hilbert는 21세기에는 풀릴 것이라는 희망으로 1900년에 23개의 풀리지 않는 문제를 규정했다. 그 문제들 중 일부는 풀렸으나, 나머지들은 오늘날에도 풀리지 않고 있다. 더 최근인 2000년에 Clay Mathematics Institute는 21세기에 풀릴 것이라는 희망을 가지고 풀리지 않는 7개의 수학 문제를 지정했다. 이 7개 문제를 해결하는 것에 각각 100만 달러의 상금이 주어질 것이다.

해설 (A) 주어 the solution(해답)이 '밝혀지지 않았다'라는 의미이므로, 수동태 과거의 부정이 적절하다. 수동태 과거의 부정은 「was / were + not + p.p.」 형태로 쓴다.
(B) 주어가 seven mathematical problems로, 문제가 '풀리지 않았다'라는 의미가 되어야 하므로 수동태가 와야 한다. 수동태 과거완료는 「had + been + p.p.」 형태로 쓴다.
(C) 주어가 a $1 million prize(100만 달러의 상금)로, 상금이 '주어질 것이다'라는 의미가 되도록 수동태가 와야 한다. 수동태 미래는 「will be + p.p.」 형태로 쓴다.

어법 REVIEW 4 서술형 내신 어법연습하기

pp. 42~45

1 01 forced → was forced / 주어가 Boole이므로 '강요되었다'라는 의미가 되도록 수동태 과거로 고쳐 써야 한다.
02 ⓑ was made → made ⓓ was deeply interesting → was deeply interested 03 he was appointed the first professor of mathematics at Queen's College
2 01 is been → is 02 was designed to be performed
03 were composed / 주어가 they(the dances)로, '작곡되었다'라는 의미가 되도록 수동태 과거로 고쳐 써야 한다.
3 01 it had to be turned on manually, and it had

only *one* valve 02 used to 03 activated → were activated / 주어가 they(the sprinkler heads)이므로 '작동되었다'라는 의미가 되도록 수동태 과거로 고쳐 써야 한다.

4 01 ⓐ trembled → trembling / ⓔ had called → had been called 02 an envelope was handed to the announcer 03 상을 탈 수 있을까 불안해하다가 상을 받고 나서 기뻐했다.

1. 구문분석 및 직독직해

❶ George Boole was born / in Lincoln, England / in 1815.
George Boole은 태어났다 / 영국 Lincoln에서 / 1815년에
be born: 태어나다 / 「in+연도」

❷ Boole was forced to leave school / at the age of sixteen / after his father's business collapsed.
Boole은 학교를 그만두게 되었다 / 16세의 나이에 / 아버지의 사업이 실패한 후
be forced to: ~하도록 강요 당하다 / ~의 나이에 / 시간의 접속사(~ 후에)+주어+동사〈부사절〉

❸ He taught himself mathematics, / natural philosophy / and various languages.
그는 수학을 독학했다 / 자연 철학 / 그리고 여러 언어들
teach oneself: 독학하다, 자습하다

❹ He began to produce / original mathematical research / and made important contributions / to areas of mathematics.
그는 만들어 내기 시작했다 / 독창적인 수학적 연구를 / 그리고 중요한 공헌을 했다 / 수학 분야에서
주어 동사1 / begin+to부정사(동명사): ~하기 시작하다 / 병렬구조 / 동사2

❺ For those contributions, / in 1844, / he was awarded / a gold medal / for mathematics / by the Royal Society.
그러한 공헌으로 / 1844년에 / 그는 받았다 / 금메달을 / 수학으로 / Royal Society에서
(이유 · 원인) ~으로 / 수동태 과거: was/were+p.p. / (이유 · 원인을) ~으로 / 「by+행위자」

❻ Boole was deeply interested in / expressing the workings / of the human mind / in symbolic form, / and his two books / on this subject, / *The Mathematical Analysis of Logic* and *An Investigation of the Laws of Thought* / form / the basis of today's computer science.
Boole은 ~에 매우 관심이 있었다 / 작용을 표현하는 것 / 인간 사고방식의 / 기호 형태로 / 그리고 그의 책 두 권은 / 이 주제에 대한 *The Mathematical Analysis of Logic*과 *An Investigation of the Laws of Thought* / 형성한다 / 오늘날의 컴퓨터 과학의 기초를
주어1 동사1 / be interested in: ~에 관심이 있다 / 병렬구조 주어2 / 동사2

❼ In 1849, / he was appointed / the first professor of mathematics / at Queen's College in Cork, Ireland / and taught there / until his death / in 1864.
1849년에 / 그는 임명되었다 / 최초 수학 교수로 / 아일랜드 Cork의 Queen's College에서 / 그리고 그곳에서 가르쳤다 / 생을 마감할 때까지 / 1864년에
「in+연도」 주어 동사1 / 수동태 과거: was/were+p.p. / 병렬구조 동사2 / 능동태 / 전치사 until+명사(구): ~까지

해석 George Boole은 1815년 영국 Lincoln에서 태어났다. Boole은 아버지의 사업이 실패한 후 16세의 나이에 학교를 그만두게 되었다. 그는 수학, 자연 철학, 여러 언어를 독학했다. 그는 독창적인 수학적 연구를 만들어 내기 시작했고 수학 분야에서 중요한 공헌을 했다. 그러한 공헌으로 1844년 그는 Royal Society에서 수학으로 금메달을 받았다. Boole은 기호 형태로 인간 사고방식의 작용을 표현하는 것에 매우 관심이 있었으며 이 주제에 대한 그의 책 두 권, *The Mathematical Analysis of Logic*과 *An Investigation of the Laws of Thought*가 오늘날의 컴퓨터 과학의 기초를 형성한다. 1849년 그는 아일랜드 Cork의 Queen's College의 최초 수학 교수로 임명되어 1864년 생을 마감할 때까지 그곳에서 가르쳤다.

해설 01 force는 '억지로 ~ 하게 하다'라는 뜻의 동사이다. 과거의 사건을 서술하는 글이므로 과거형으로 쓰는 것에 유의한다.

02 ⓑ 주어가 he이고 and에 의해 연결된 병렬구조 문장이다. 앞 절의 동사가 began이고, 목적어 important contributions to areas of mathematics가 있으므로 능동형인 made로 고쳐 써야 한다. ⓓ 사람의 감정을 나타낼 때는 수동형이 와야 하므로 interesting을 interested로 고쳐 써야 한다.

03 appoint는 '임명하다'라는 뜻으로, '임명되다'는 수동태로 표현한다. 과거의 일이므로 과거시제 was appointed로 쓴다. '최초의 수학 교수'는 전치사 of를 사용하여 the first professor of mathematics로 쓴다.

2. 구문분석 및 직독직해

❶ Our culture is biased / toward the fine arts / — those creative products [that have no function other than pleasure].
우리의 문화는 편향되어 있다 / 순수 예술 쪽으로 / 창조적 생산물 / 즐거움 외에는 어떤 기능도 가지고 있지 않은
수동태 현재: am/are/is + p.p. / 선행사 / 주격 관계대명사 / no ... other than ~: ~ 이외의 아무것도 아닌 …

❷ Craft objects are less worthy; / because they serve / an everyday function, / they're not purely creative.
공예품은 덜 가치가 있다 / 그것들은 제공하기 때문에 / 일상의 기능을 / 그것들은 순수하게 창의적이지 않다
〈종속절〉 이유의 접속사(~ 때문에)+주어+동사 / 〈주절〉

❸ But this division is / culturally and historically relative.
하지만 이러한 구분은 ~이다 / 문화적으로 역사적으로 상대적인
형용사 수식

❹ Most contemporary high art began / as some sort of craft.
대부분의 현대의 고급 예술은 시작했다 / 일종의 공예로서
(자격 · 기능) ~으로서

❺ 〈The composition and performance / of [what we now call "classical music"]〉 began / as a form of craft music / satisfying required functions / in the Catholic mass, / or the specific entertainment needs / of royal patrons.
작곡과 연주는 / 우리가 오늘날 '고전 음악'이라고 부르는 것의 / 시작했다 / 공예 음악의 형태로 / 요구되는 기능을 충족시키는 / 가톨릭 미사에서 / 또는 특정한 오락적 요구 / 왕실 후원자의
긴 주어〈 〉 / 목적격 관계대명사 / 전치사구 (앞의 명사구 수식) / 동사 / 현재분사구 / 과거분사 / satisfying의 목적어1 / satisfying의 목적어2

❻ For example, / chamber music really was designed / to be performed / in chambers / — small intimate rooms / in wealthy homes — / often as background music.
예를 들면 / 실내악은 실제로 설계되었다 / 연주되도록 / 방들에서 / 작고 친밀한 방들 / 부유한 가정의 / 종종 배경 음악으로
= For instance 〈예시〉 / 수동태 과거: was/were+p.p. / to부정사 수동태: to+be+p.p. / 삽입어구

❼ The dances [(which were) composed / by famous composers / from Bach to Chopin] originally did indeed accompany dancing.
작곡된 춤곡들은 / 유명한 작곡가들에 의해 / Bach에서 Chopin에 이르는 / 원래는 사실상 춤을 동반했다
긴 주어 / (which were) 생략 / 과거분사구 / 동사 / did+동사원형 〈강조의 do〉

⑧ But today, / with the contexts and functions [√(that) 생략 they were composed for] gone, / we listen to these works / as fine art.
하지만 오늘날 / 맥락과 기능들이 그것들이 작곡된 사라진 채로 / 우리는 이러한 작품들을 듣는다 / 순수 예술로
with+목적어+p.p.: (목적어)가 ~한 채로 〈with 부대상황 구문〉
수동태 과거: was / were+p.p.

해석 우리의 문화는 순수 예술 — 즐거움 외에는 어떤 기능도 가지고 있지 않은 창조적 생산물 — 쪽으로 편향되어 있다. 공예품은 덜 가치가 있다; 그것들은 일상의 기능을 제공하기 때문에 그것들은 순수하게 창의적이지 않다. 하지만 이러한 구분은 문화적으로 역사적으로 상대적이다. 대부분의 현대의 고급 예술은 일종의 공예로써 시작했다. 우리가 오늘날 '고전 음악'이라고 부르는 것의 작곡과 연주는 가톨릭 미사에서 요구되는 기능 또는 왕실 후원자의 특정한 오락적 요구를 충족시키는 공예 음악의 형태로 시작했다. 예를 들면, 실내악은 실제로 방들 — 부유한 가정의 작고 친밀한 방들 — 에서 종종 배경 음악으로 연주되도록 설계되었다. Bach에서 Chopin에 이르는 유명한 작곡가들에 의해 작곡된 춤곡들은 원래는 사실상 춤을 동반했다. 하지만 오늘날, 그것들이 작곡된 맥락과 기능들이 사라진 채로, 우리는 이러한 작품들을 순수 예술로 듣는다.

해설 01 be동사는 형용사나 명사 보어가 필요한 불완전 자동사로, 수동태로 쓸 수 없다. 따라서 is been을 is로 고쳐 써야 한다.
02 목적을 나타내는 to부정사의 수동태와 시제에 맞는 수동태 과거를 써야 한다. to부정사의 수동태는 「to be + p.p.」 형태이다. 따라서 was designed to be performed로 쓴다.
03 복수 주어의 수동태 과거는 「were + p.p.」 형태로 쓰는 것에 유의한다.

3. 구문분석 및 직독직해

❶ James Francis was born / in England / and emigrated to the United States / at age 18.
James Francis는 태어났다 / 영국에서 / 그리고 미국으로 이주했다 / 열여덟 살에
주어 / 동사1 / be born: 태어나다 / 병렬구조 동사2 / 능동태

❷ One of his first contributions / to water engineering / was / the invention of the sprinkler system / now widely used / in buildings / for fire protection.
그의 첫 번째 공헌 중 하나는 / 물 공학에 대한 / ~이었다 / 스프링클러 시스템의 발명 / 현재 널리 사용되는 / 건물에서 / 방화(防火)를 위해
긴 주어 / 동사 / 과거분사구 (앞의 명사구 수식)

❸ Francis's design involved / a series of perforated pipes / running throughout the building.
Francis의 디자인은 포함했다 / 일련의 구멍을 낸 파이프를 / 건물 전체에 뻗어 있는
현재분사구

❹ It had two defects: / it had to be turned on manually, / and it had only *one* valve.
그것은 두 가지 결점이 있었는데, / 그것은 손으로 켜야 했다 / 그리고 그것은 단지 '하나'의 밸브만 있었다
조동사가 있는 수동태: 조동사+be+p.p.
병렬구조

❺ Once the system was activated / by opening the valve, / water would flow out / everywhere.
일단 시스템이 작동되면 / 밸브의 개방으로 / 물이 쏟아져 나오곤 했다 / 사방에서
부사절 접속사 (일단 ~하면) 수동태 과거: was/were+p.p. 「by+행위자」
주절 / 과거의 습관

❻ If the building did not burn down, / it would certainly be completely flooded.
건물이 불에 타버리지 않았다면 / 그것은 틀림없이 완전히 물에 잠기게 되었다
조건의 접속사(만약 ~라면)+주어+동사 / 과거의 습관
조동사가 있는 수동태: 조동사+be+p.p.

❼ Only some years later, [when other engineers perfected / the kind of sprinkler heads / in use nowadays], did the concept become popular.
몇 년 후에야 비로소 ~ / 다른 엔지니어들이 완성했을 때 / 종류의 스프링클러 헤드를 / 요즈음에 사용되는 / 그 개념은 대중화되었다
〈부사절〉 시간의 접속사(~할 때)+주어+동사
only 부사구+조동사(did)+주어(the concept)+동사(become) 〈도치〉
조동사 주어 / 동사원형

❽ They turned on / automatically / and were activated / only (the place) where (they were) actually needed.
여기서 turn은 자동사로, 능동이지만 수동의 의미
그것들은 켜졌다 / 자동으로 / 그리고 작동되었다 / 실제로 필요한 곳에서만
주어 동사1 / 동사2 / 수동태 과거: was/were+p.p.
관계부사

해석 James Francis는 영국에서 태어나 열여덟 살에 미국으로 이주했다. 물 공학에 대한 그의 첫 번째 공헌 중 하나는 현재 방화(防火)를 위해 건물에서 널리 사용되는 스프링클러 시스템의 발명이었다. Francis의 디자인은 건물 전체에 뻗어 있는, 일련의 구멍을 낸 파이프를 포함했다. 그것은 두 가지 결점이 있었는데, 손으로 켜야 했으며, 단지 '하나'의 밸브만 있는 것이었다. 밸브의 개방으로 일단 시스템이 작동되면, 물이 사방에서 쏟아져 나오곤 했다. 건물이 불에 타버리지 않았을 때는 그것은 틀림없이 완전히 물에 잠기게 되었다. 몇 년 후에 다른 엔지니어들이 요즈음에 사용되는 종류의 스프링클러 헤드를 완성했을 때에야 비로소 그 개념은 대중화되었다. 그것은 자동으로 켜지고, 실제로 필요한 곳에서만 작동되었다.

해설 01 전체적인 글의 시제에 맞춰 동사는 과거형으로 쓴다. 그것이 '켜지게 해야 했다'라는 의미가 되도록 조동사 had to 다음에 「be + p.p.」 형태로 쓰는 것에 유의한다.
02 조동사 would는 과거의 규칙적 습관이나 상태를 나타내는데, 이는 「used to + 동사원형」으로 바꿔 쓸 수 있다. '(과거에) ~하곤 했다'라는 뜻이다.
03 and 앞의 동사 turned on이 자동사로 쓰여 능동형으로 제시된 것과 혼동하지 않도록 유의한다.

4. 구문분석 및 직독직해

❶ It was time for / the results of the speech contest.
~할 시간이었다 / 말하기 대회의 결과 발표
It is time for: ~할 시간이다, ~할 때이다

❷ I was still skeptical [whether I would win a prize / or not].
나는 여전히 회의적이었다 / 내가 상을 탈 수 있을지 / 없을지
명사절 이끄는 종속접속사
목적어절
whether+주어+동사+or not: ~인지 아닌지

❸ My hands were trembling / due to the anxiety.
내 손은 떨리고 있었다 / 불안감 때문에
due to+명사(구): ~ 때문에
was/were+-ing: ~하고 있었다 〈과거진행형〉

❹ I thought to myself, / 'Did I work hard / enough to outperform / the other participants?'
나는 마음속으로 생각했다 / 내가 열심히 했는가 / ~보다 우수하다고 할 만큼 충분히 / 다른 참가자들
think to oneself: 조용히 생각하다, 마음속으로 생각하다
enough+to부정사: ~할 만큼 충분히

⑤ After a long wait, / an envelope was handed / to the
오랜 기다림 끝에 　봉투가 전달되었다 　사회자에게
전치사(~ 후에)+명사(구) 　수동태 과거: was/were+p.p.
announcer.

⑥ She tore open / the envelope / to pull out / the winner's
그녀는 찢어 열었다 　봉투를 　꺼내기 위해 　우승자의 이름을
tear open: 찢어 열다 　to부정사의 부사적 용법 (목적)
name.

⑦ My hands were now sweating / and my heart started
내 손은 이제 땀이 나고 있었다 　그리고 나의 심장은 뛰기 시작했다
was/were+-ing: ~하고 있었다 〈과거진행형〉
pounding / really hard and fast.
정말 격렬하고 빠르게
start+동명사(to부정사): ~하기 시작하다

⑧ "The winner of the speech contest / is Josh Brown!" / the
말하기 대회의 우승자는 　Josh Brown입니다
announcer declared.
사회자가 외쳤다

⑨ As I realized [V(that) my name had been called], I jumped with
(that) 목적어절을 이끄는 접속사 생략
내가 깨달았을 때 　내 이름을 불렸다는 것을 　나는 기쁨에 펄쩍 뛰었다
시간의 접속사(~할 때)+주어+동사 　수동태 과거완료: had+been+p.p.
joy.

⑩ "I can't believe it. / I did it!" / I exclaimed.
나는 믿을 수 없어 　내가 해냈어 　나는 소리쳤다

⑪ I felt like / I was in heaven.
나는 마치 ~처럼 느꼈다 　나는 천국에 있었다
feel like: ~처럼 느끼다(접속사)

⑫ Almost everybody / gathered around me / and started
거의 모든 사람들이 　내 주위에 모였다
주어 　동사1 　병렬구조 동사2
congratulating me / for my victory.
그리고 축하해 주기 시작했다 　나의 우승을
start+동명사(to부정사): ~하기 시작하다

해석 말하기 대회의 결과 발표 시간이었다. 나는 내가 상을 탈 수 있을지 없을지에 대해 여전히 회의적이었다. 내 손은 불안감 때문에 떨리고 있었다. '내가 다른 참가자들보다 우수하다고 할 만큼 충분히 열심히 했는가?'라고 마음속으로 생각했다. 오랜 기다림 끝에, 봉투가 사회자에게 전달되었다. 그녀는 봉투를 찢어 열고 우승자의 이름을 꺼냈다. 내 손은 이제 땀이 나고 있었고, 심장은 정말 격렬하고 빠르게 뛰기 시작했다. "말하기 대회의 우승자는 Josh Brown입니다!"라고 사회자가 외쳤다. 내 이름이 불렸다는 것을 깨달았을 때, 나는 기쁨에 펄쩍 뛰었다. "믿을 수 없어. 내가 해냈어!"라고 소리쳤다. 나는 마치 천국에 있는 것처럼 느꼈다. 거의 모든 사람들이 내 주위에 모여 나의 우승을 축하해 주기 시작했다.

해설 **01** ⓐ tremble은 '떨리다'라는 뜻의 자동사로, 목적어가 필요 없다. 내용상 진행 중인 상황이므로 과거진행 were trembling으로 써야 한다. ⓔ 내 이름이 '불렀다'가 아니라 '불렸다'가 되어야 하므로 수동태가 와야 한다. 내가 깨달은 것보다 내 이름이 불린 것이 먼저 일어난 일이므로 수동태 과거완료 「had + been + p.p.」 형태로 고쳐 써야 한다.

02 전체적인 글의 시제에 맞춰 동사는 과거형으로 쓴다. '전달되었다'는 수동태 was handed로 쓴다.

03 상을 타기 전과 후로 글쓴이의 심경 변화를 표현할 수 있다. 감정을 나타내는 단어 anxiety(불안), joy(기쁨) 등을 근거로 하여 쓴다.

Unit 05 to부정사와 동명사

문법 확인 p. 46

준동사 ❶ 명사 ❷ 동명사
to부정사와 동명사 ❸ 부사 ❹ 목적어 ❺ 전치사
개념 마무리 OX (1) × (2) ○ (3) ×

실전어법 개념확인 p. 47

Point ❶ 명사, 부사, 서술어 / 1 to walk 2 feed
Point ❷ 목적어 / 3 to reinforce 4 living
Point ❸ ~할 것을 잊다, ~하는 것을 멈추다, ~하려고 노력하다 / 5 to listen 6 baking
Point ❹ to부정사, 원형부정사 / 7 to tell 8 passing

어법 REVIEW 1 문장 어법연습하기 p. 48

A
1 being ▸ keep은 동명사를 목적어로 취한다.
2 to try ▸ want는 to부정사를 목적어로 취한다.
3 to repeat ▸ continuing의 목적어로 준동사가 와야 하므로 to부정사
4 allows ▸ 문장의 서술어이므로 준동사가 아닌 일반동사
B
5 thinking ▸ '생각하기를 멈추다'의 의미가 되어야 하므로 「stop + 동명사」
6 to repeat ▸ cause는 목적격보어로 to부정사를 취한다.
7 to spend ▸ choose는 목적어로 to부정사를 취한다.

A
e.g. 당신은 이야기에 빠져들거나 다른 이의 삶 속으로 옮겨지기를 희망한다.

1 그녀는 매일 여러 시간을 그녀의 기술을 연마하는 데 쓰지만, 그녀는 그녀의 Instagram 팔로잉에 대해 계속 질문을 받는다.

2 당신은 집에서 이러한 음식들 중 많은 것을 먹지 않고, 그것들을 모두 먹어 보기를 원한다.

3 대화 중 계속해서 이름을 반복하는 것은 당신의 기억 속에서 그것을 더 굳게 할 것이다.

4 태도는 당신이 순진하거나 어리석지 않으면서, 기대하고, 너그러이 봐주고, 용서하고, 잊어버리게 해준다.

B

e.g. 사이렌은 계속 울렸고 비행기의 으르렁거림이 하늘에서 들렸다.

5 당신이 저절로 '충분히 잘' 할 수 있을 때, 당신은 그것을 어떻게 더 잘 할 수 있는지 생각하기를 멈춘다.

6 그 가치가 당신이 그 습관을 만들 만큼 충분히 자주 그 행동을 반복하도록 하는 것이다.

7 그는 다른 곳에서 시간을 보내는 것을 선택할 수 있었지만, 그럼에도 그는 대화에서 당신의 파트를 존중하기 위해 멈추었다.

어법 REVIEW 2 짧은 지문 어법연습하기

p. 49

A 1 (A) rubbing (B) stops 2 (A) to walk (B) chasing
B 3 ① 4 ②

A

1 그는 혼잣말로 "사람들이 여기 불이 있다고 해."라고 하고는 활기차게 비비기 시작한다. 그는 계속해서 비비지만, 그는 매우 성급하다. 그는 그 불을 가지고 싶지만, 불은 생기지 않는다. 그래서 그는 좌절하여 잠시 쉬려고 멈춘다.

▸ (A) 동사 begins의 목적어로 준동사가 와야 하므로 동명사 rubbing이 알맞다.
(B) and 이후 절의 서술어이므로 일반동사 stops가 알맞다.

2 그들이 나를 잡아서 그 끔찍한 곳으로 다시 데려갈 것이라는 생각이 나를 매우 오싹하게 했다. 그래서 나는 마을에서 멀어질 때까지 오직 밤에만 걷기로 했다. 사흘 밤을 걸은 후에, 나는 그들이 나를 쫓는 것을 멈추었다는 확신이 들었다.

▸ (A) decide는 목적어로 to부정사를 취하므로 to walk가 알맞다.
(B) 의미상 '쫓는 것을 멈추었다'가 되어야 하므로 chasing이 알맞다.

B

3 그것이 어떻게 들리는지 듣기 위해 당신 자신의 에세이를 큰 소리로 읽는 것이 도움이 될 수 있고, 가끔 다른 누군가가 그것을 읽는 것을 듣는 것이 더욱 더 이로울 수 있다. 어느 쪽의 읽기든 그렇게 하지 않을 경우 당신이 조용히 편집할 때 알아차리지 못할지 모르는 것들을 듣도록 도움을 줄 것이다. 하지만 누군가 당신에게 읽어 주도록 하는 데 불편함을 느끼거나, 단지 그것을 요청할 수 있는 누군가가 없다면, 당신은 컴퓨터가 당신의 에세이를 당신에게 읽어 주도록 할 수 있다.

▸ ① → read / hear가 지각동사이므로 목적격보어로 원형부정사인 read가 알맞다.

4 저는 오는 4월 이 아파트에 10년 동안 살게 됩니다. 저는 여기서 사는 것을 즐겨왔고, 계속 그렇게 하기를 희망합니다. 제가 처음 Greenfield 아파트에 이사 왔을 때, 아파트가 최근에 칠해졌다고 들었습니다. 그때 이후, 저는 벽이나 천장에 손을 댄 적이 없습니다. 지난 한 달 넘게 둘러보며 저는 페인트가 얼마나 오래되고 흐려졌는지를 깨닫게 되었습니다.

▸ ② → to continue / hope는 목적어로 to부정사를 취하므로 to continue가 알맞다.

어법 REVIEW 3 기출 유형 어법연습하기

pp. 50~51

1 ④ 2 ② 3 ⑤ 4 ①

1. 구문분석 및 직독직해

❶ Every farmer knows [that the hard part is getting the field prepared].
모든 농부는 안다 / 어려운 부분은 밭을 준비하는 것이라는 것을
every+단수 명사 / 명사절(목적어) / 동명사(보어) O / OC(수동의 과거분사)

❷ Inserting seeds and watching them grow / is easy.
씨앗을 심고 그것들이 자라는 것을 보는 것은 / 쉽다
동명사1(주어) / 동명사2(주어) / 단수 동사

❸ In the case of science and industry, / the community prepares the field, / yet society tends to give all the credit / to the individual [who happens to plant a successful seed].
과학과 산업의 경우 / 지역 사회가 밭을 준비한다 / 하지만 사회는 모든 공로를 돌리는 경향이 있다 / 개인에게 공교롭게 성공적인 씨앗을 뿌리게 된
주격 관계대명사

❹ We need to give more credit to the community / in science, politics, business, and daily life.
우리는 지역 사회에 더 많은 공을 돌릴 필요가 있다 / 과학, 정치, 상업, 그리고 일상에서
to부정사(목적어)

❺ Martin Luther King Jr. / was a great man.
Martin Luther King Jr.는 / 위대한 사람이었다

❻ Perhaps his greatest strength was his ability / to inspire people to work together / to achieve, / against all odds, / revolutionary changes / in society's perception of race / and in the fairness of the law.
아마도 그의 가장 큰 힘은 그의 능력이었을 것이다 / 사람들이 함께 일하도록 영감을 준 / 성취하기 위해 / 악조건을 무릅쓰고 / 혁명적인 변화들을 / 인종에 대한 인식과 / 법의 공정성에
형용사적 용법 / O / OC(to부정사) / 부사적 용법(목적)

❼ But to really understand [what he accomplished] requires / looking beyond the man.
그러나 진정으로 이해하는 것은 / 그가 이룬 것을 / 요구한다 / 그 사람 너머를 보는 것을
to부정사(주어) / 관계대명사 / 동명사(목적어)

❽ Instead of treating him / as the manifestation of everything great, / we should appreciate his role / in allowing America to show [that it can be great].
그를 ~로 취급하는 대신 / 모든 위대한 것의 징후로 / 우리는 그의 역할에 감사해야 한다 / 미국이 보여주도록 하는 것에 있어 / 그것이 위대할 수 있다는 것을
전치사구+목적어 / ~로서 / 전치사+목적어 / 명사절(목적어)

해석 모든 농부는 어려운 부분은 밭을 준비하는 것이라는 것을 안다. 씨앗을 심고 그것들이 자라는 것을 보는 것은 쉽다. 과학과 산업의 경우, 지역 사회가 밭을 준비하지만, 사회는 공교롭게 성공적인 씨앗을 뿌리게 된 개인에게 모든 공로를 돌리는 경향이 있다. 우리는 과학, 정치, 상업, 그리고 일상에서 지역 사회에 더 많은 공을 돌릴 필요가 있다. Martin Luther King Jr.는 위대한 사람이었다. 아마도 그의 가장 큰 힘은 사람들이 악조건을 무릅쓰고, 인종에 대한 인식과 법의 공정성에 혁명적인 변화들을 성취하기 위해 함께 일하도록 영감을 준 그의 능력이었을 것이다. 그러나 그가 이룬 것을 진정으로 이해하는 것은 그 사람 너머를 보는 것을 요구한다. 그를 모든 위대한 것의 징후로 취급하는 대신, 우

리는 미국이 그것이 위대할 수 있다는 것을 보여주도록 하는 것에 있어 그의 역할에 감사해야 한다.

해설 ④ → to look 또는 looking / 동사 requires의 목적어이므로 준동사인 to look이나 looking이 알맞다.

2. 구문분석 및 직독직해

❶ When is the right time for the predator / to consume the fruit?
포식자에게 좋은 시간은 언제일까 / 과일을 섭취할
to부정사의 의미상 주어 / 형용사적 용법

❷ The plant uses the color of the fruit / to signal to predators [that it is ripe], [which means {that the seed's hull has hardened — / and therefore the sugar content is at its height}].
식물은 과일의 색을 이용한다 / 포식자에게 신호하기 위해 (부사적 용법(목적)) / 그것이 익었다고 (명사절) / 그것은 의미한다 (관계대명사 계속적 용법) / 씨앗의 껍데기가 단단해졌다는 것을 (명사절) / 그리고 그러므로 당도가 최대로 높다는 것을

❸ Incredibly, / the plant has chosen to manufacture fructose, / instead of glucose, / as the sugar in the fruit.
놀랍게도 / 식물은 과당을 생산하는 것을 선택했다 (choose+to부정사) / 포도당 대신에 / 과일 안에 있는 당분으로서

❹ Glucose raises insulin levels in primates and humans, / which initially raises / levels of leptin, a hunger-blocking hormone — / but fructose does not (raise insulin levels in primates and humans).
포도당은 인슐린 수치를 상승시킨다 영장류와 인간에서 / 그것은 (관계대명사 계속적 용법) / 처음에 상승시킨다 / 배고픔을 차단하는 호르몬인 렙틴의 수치를 / 그러나 과당은 그렇게 하지 않는다

❺ As a result, / the predator never receives / the normal message [that it is full].
그 결과 / 포식자는 받지 않는다 / 일반적인 메시지를 / 배가 부르다는 (= 동격의 that)

❻ That makes for a win-win / for predator and prey.
그것은 유리한 관계를 만든다 / 포식자와 피식자 모두에게

❼ The animal obtains more calories, / and because it keeps eating more and more fruit / and therefore more seeds, / the plant has a better chance / of distributing more of its babies.
동물은 더 많은 열량을 얻는다 / 그리고 그것이 계속 (부사절(이유)) / 더 많은 과일을 먹고 (keep+동명사) / 그러므로 더 많은 씨앗을 먹기 때문에 / 식물은 더 나은 기회를 가진다 / 그것의 더 많은 후손을 퍼뜨릴 (전치사+동명사)

해석 포식자에게 과일을 섭취할 좋은 시간은 언제일까? 식물은 포식자에게 그것이 익었다고 신호하기 위해 과일의 색을 이용하는데, 그것은 씨앗의 껍데기가 단단해졌고 그러므로 당도가 최대로 높다는 것을 의미한다. 놀랍게도 식물은 과일 안에 있는 당분으로서 포도당 대신에 과당을 생산하는 것을 선택했다. 포도당은 영장류와 인간에서 인슐린 수치를 상승시키는데, 그것은 처음에 배고픔을 차단하는 호르몬인 렙틴의 수치를 상승시킨다. 그러나 과당은 그렇게 하지 않는다. 그 결과, 포식자는 배가 부르다는 일반적인 메시지를 받지 않는다. 그것은 포식자와 피식자 모두에게 유리한 관계를 만든다. 동물은 더 많은 열량을 얻고, 그것이 계속 더 많은 과일을 먹고 그러므로 더 많은 씨앗을 먹기 때문에, 식물은 그것의 더 많은 후손을 퍼뜨릴 더 나은 기회를 가진다.

해설 (A) 문장의 서술어이므로 준동사가 아닌 일반동사 uses가 알맞다.
(B) choose는 목적어로 to부정사를 취하므로 to manufacture가 알맞다.
(C) keep은 목적어로 동명사를 취하므로 eating이 알맞다.

3. 구문분석 및 직독직해

❶ Translating academic language into everyday language / can be an essential tool / for you as a writer / to clarify your ideas to yourself.
학문적인 언어를 일상 언어로 옮기는 것은 (동명사(주어)) / 필수적인 도구가 될 수 있다 / 작가로서 당신에게 (to부정사의 의미상 주어) / 당신의 생각을 스스로에게 명확히 하는 (to부정사(형용사적 용법))

❷ For, / as writing theorists often note, / writing is generally not a process [in which we start with a fully formed idea in our heads {that we then simply transcribe / in an unchanged state / onto the page}].
왜냐하면 (접속사(이유)) / 글쓰기 이론가들이 종종 말하듯이 / 글쓰기는 일반적으로 과정이 (동명사(주어 역할)) 아니다 / 우리의 머릿속에서 완전히 형성된 생각으로 시작하는 (전치사+which(= where)) (선행사) / 우리가 이후에 단순히 옮겨 쓰는 (목적격 관계대명사) / 바뀌지 않은 상태로 (과거분사) / 페이지 위에

❸ On the contrary, / writing is more often a means of discovery [in which we use the writing process / to figure out {what our idea is}].
반대로, / 글쓰기는 더 흔히 발견의 수단이다 / 우리가 글쓰기 과정을 사용하는 (전치사+which(= where)) / 우리의 생각이 (부사적 용법(목적)) / 무엇인지 알아내기 위해 (간접의문문)

❹ This is why writers are often surprised to find [that {what they end up with on the page} is quite different from [{what they thought it would be} when they started].
이것이 글을 쓰는 사람들이 자주 발견하고는 놀라는 이유이다 (부사적 용법(원인)) (접속사) (관계대명사) / 그들이 페이지 위에 결국 쓰는 것이 (주어) / ~와 꽤 다르다는 것을 (동사) (=the thing which[that]) / 그들이 생각했던 것 / 그들이 시작했을 때 (부사절(시간))

❺ [What we are trying to say here] is [that everyday language is often crucial for this discovery process].
우리가 여기서 말하고자 하는 것은 ~이다 / 일상 언어는 종종 이 발견 (접속사) (명사절(보어)) / 과정에 있어 매우 중요하다

❻ Translating your ideas into more common, simpler terms / can help you figure out [what your ideas really are], as opposed to [what you initially imagined {they were}].
당신의 생각을 더 흔하고 단순한 용어로 옮기는 것은 (동명사(주어 역할)) / 당신이 알아내는 것을 도울 수 있다 (준사역동사 O OC(원형부정사)) / 당신의 생각들이 진정 무엇인지 (간접의문문(의문사+주어+동사)) / ~과 달리 / 당신이 처음에 그것들을 상상했던 것 (관계대명사)

해석 학문적인 언어를 일상 언어로 옮기는 것은 작가로서 당신에게 당신의 생각을 스스로에게 명확히 하는 필수적인 도구가 될 수 있다. 왜냐하면, 글쓰기 이론가들이 종종 말하듯이, 글쓰기는 일반적으로 우리가 이후에 페이지 위에 바뀌지 않은 상태로 단순히 옮겨 쓰는, 우리의 머릿속에서 완전히 형성된 생각으로 시작하는 과정이 아니다. 반대로, 글쓰기는 더 흔히 우리가 우리의 생각이 무엇인지 알아내기 위해 글쓰기 과정을 사용하는 발견의 수단이다. 이것이 글을 쓰는 사람들이 그들이 페이지 위에 결국 쓰는 것이 그들이 시작했을 때 생각했던 것과 꽤 다르다는 것을 자주 발견하고는 놀라는 이유이다. 우리가 여기서 말하고자 하는 것은 일상 언어는 종종 이 발견 과정에 있어 매우 중요하다는 것이다. 당신의 생각을 더 흔하고 단순한 용어로 옮기는 것은 당신이 처음에 그것들을 상상했던 것과 달리, 당신의 생각들이 진정 무엇인지 알아내는 것을 도울 수 있다.

해설 ⑤ → to figure 또는 figure / 준사역동사 help는 목적격보어로 to부정사나 원형부정사를 취한다.

4. 구문분석 및 직독직해

❶ I rode my bicycle alone from work / on the very quiet road of
나는 일이 끝나고 혼자 자전거를 탔다 / 내 동네의 아주 조용한 도로
my hometown.
위에서

❷ Suddenly, / I noticed a man with long hair / secretly riding
갑자기 / 나는 긴 머리의 남자를 알아챘다 / 은밀히 내 뒤에서
지각동사 O OC(현재분사)
behind me.
자전거를 타는

❸ I felt my heart jump.
나는 가슴이 뛰는 것을 느꼈다
지각동사 O OC(원형부정사)

❹ I quickened my legs pushing the pedals, / hoping to ride
나는 페달을 밟는 나의 다리를 빠르게 했다 / 더 빠르게 타기를
현재분사 / 분사구문(현재분사)
faster.
희망하며

❺ He kept following me / through the dark, across the field.
그는 계속 나를 따라왔다 / 어둠을 통해, 들판을 가로질러
keep+동명사: 계속 ~하다

❻ At last, / I got home / and tried to reach the bell.
마침내 / 나는 집에 와서 / 벨을 누르려고 했다
try+to부정사: ~하려고 노력하다

❼ The man reached for me.
그 남자가 내게 다가왔다

❽ I turned my head around / and saw the oddest face in the
나는 고개를 돌렸다 / 그리고 세상에서 가장 이상한 표정을 보았다
world.

❾ From deep in his throat, / I heard him say, / "Excuse me, you
그의 목 깊은 곳으로부터 / 나는 그가 말하는 것을 들었다 / 실례합니다
지각동사 O OC(원형부정사)
dropped your bag," / giving the bag back to me.
당신은 가방을 떨어뜨렸어요 / 가방을 나에게 돌려주며
분사구문(현재분사)

❿ I couldn't say anything, / but was full of shame and regret /
나는 아무 말도 할 수 없었다 / 하지만 부끄러움과 후회로 가득했다
for misunderstanding him.
그를 오해한 데 대한
전치사+동명사

해석 나는 일이 끝나고 내 동네의 아주 조용한 도로 위에서 혼자 자전거를 탔다. 갑자기, 나는 은밀히 내 뒤에서 자전거를 타는 긴 머리의 남자를 알아챘다. 나는 가슴이 뛰는 것을 느꼈다. 나는 더 빠르게 타기를 희망하며 페달을 밟는 나의 다리를 빠르게 했다. 그는 어둠을 통해, 들판을 가로질러 계속 나를 따라왔다. 마침내, 나는 집에 와서 벨을 누르려고 했다. 그 남자가 내게 다가왔다. 나는 고개를 돌렸고 세상에서 가장 이상한 표정을 보았다. 그의 목 깊은 곳으로부터, 나는 그가 나에게 가방을 돌려주며 "실례합니다, 당신은 가방을 떨어뜨렸어요."라고 말하는 것을 들었다. 나는 아무 말도 할 수 없었지만, 그를 오해한 데 대한 부끄러움과 후회로 가득했다.

해설 (A) hope는 목적어로 to부정사를 취하므로 to ride가 알맞다.
(B) hear가 지각동사이므로 목적격보어로 원형부정사 say가 알맞다.
(C) 전치사 for 뒤에는 동명사가 오므로 misunderstanding이 알맞다.

어법 REVIEW 4 서술형 내신 어법연습하기

pp. 52~55

1 01 우리의 학생들에게 그들의 음악을 지역 사회와 공유할 기회를 주기 위해 02 That's why we want to ask you to perform 03 play / 지각동사 watch의 목적격보어이므로 원형부정사

2 01 (a) to deal (b) become 또는 to become 02 핵심은 사람들이 지속적인 긴장을 놓도록 돕는 것이다 03 Mindfulness meditation allowed many of these people to increase their sense of well-being

3 01 Whenever someone stops to listen to you
02 (b) to spend (c) to respect 03 Respect → To respect 또는 Respecting / 문장에서 주어 역할을 하는 준동사

4 01 to anticipate / 동사 allow의 목적격보어이므로 to부정사 02 It helps you to get up every morning happy and determined 03 당신은 당신의 인식과 행동에 기초하여 친절하거나 잔인한 세상을 마주할 수 있다는 것을 기억할 필요가 있다.

1. 구문분석 및 직독직해

❶ Dear Mr. Stanton:
Stanton 씨께

❷ We at the Future Music School / have been providing /
우리 Future Music School은 / 제공해 오고 있습니다
현재완료진행
music education / to talented children / for 10 years.
음악 교육을 / 재능 있는 아이들에게 / 10년 동안

❸ We hold an annual festival / to give our students a chance /
우리는 매년 열리는 축제를 개최합니다 / 우리의 학생들에게 기회를 주기 위해
부사적 용법(목적)
to share their music with the community / and we always
그들의 음악을 지역 사회와 공유할 / 그리고 우리는 항상
형용사적 용법
invite a famous musician / to perform / in the opening event.
유명한 음악가를 초대합니다 / 연주하도록 / 개막 행사에서
V O OC(to부정사)

❹ Your reputation / as a world-class violinist / precedes you /
당신의 명성이 / 세계적인 바이올린 연주자로서의 / 당신을 앞섭니다
and the students consider you / the musician [who has
그리고 학생들은 당신을 ~로 여깁니다 / 음악가로 / 그들에게
V O OC(명사) 주격 관계대명사
influenced them the most].
가장 많이 영향을 준

❺ That's why / we want to ask you / to perform / at the
그것이 이유입니다 / 우리가 당신에게 요청하고 싶어 하는 / 연주하도록
V O OC(to부정사)
opening event of the festival.
축제의 개막 행사에서

〈 〉 진주어 (to부정사)
❻ It would be an honor / for them 〈to watch / one of the
그것은 영광일 것입니다 / 그들에게 / 보는 것은
가주어 / for+의미상 주어 V O
most famous violinists of all time / play at the show〉.
역대 가장 유명한 바이올린 연주자 중 한 명이 / 쇼에서 연주하는 것을
one of the 최상급+복수 명사: 가장 ~한 것들 중 하나 OC(원형부정사)

❼ It would make the festival / more colorful and splendid.
그것은 축제를 만들 것입니다 / 더 다채롭고 멋지게
V O OC(형용사구)

❽ We look forward to / receiving a positive reply.
우리는 기대합니다 긍정적인 답을 받는 것을
look forward to+-ing: ~하는 것을 기대하다

❾ Sincerely, Steven Forman
Steven Forman 드림

해석 Stanton 씨께:
우리 Future Music School은 10년 동안 재능 있는 아이들에게 음악 교육을 제공해 오고 있습니다. 우리는 우리의 학생들에게 그들의 음악을 지역 사회와 공유할 기회를 주기 위해 매년 열리는 행사를 개최하고 항상 유명한 음악가를 개막 행사에서 연주하도록 초대합니다. 세계적인 바이올린 연주자로서의 당신의 명성이 당신을 앞서고, 학생들은 당신을 그들에게 가장 많이 영향을 준 음악가로 여깁니다. 그것이 우리가 축제의 개막 행사에서 연주하도록 당신에게 요청하고 싶어 하는 이유입니다. 역대 가장 유명한 바이올린 연주자 중 한 명이 쇼에서 연주하는 것을 보는 것은 그들에게 영광일 것입니다. 그것은 축제를 더 다채롭고 멋지게 만들 것입니다. 우리는 긍정적인 답을 받는 것을 기대합니다.
Steven Forman 드림

해설 01 to give는 '~하기 위해'라는 뜻의 to부정사의 부사적 용법으로 쓰였다.
02 want의 목적어, ask의 목적격보어로 각각 to부정사가 온다.
03 지각동사는 목적격보어로 원형부정사나 분사를 취한다.

2. 구문분석 및 직독직해

❶ Application of Buddhist-style mindfulness / to Western
불교식 마음 챙김의 적용은 서양 심리학에의
psychology / came primarily from the research of Jon Kabat-
주로 Jon Kabat-Zinn의 연구에서 왔다
Zinn / at the University of Massachusetts Medical Center.
Massachusetts 대학교 의료 센터에서의

❷ He initially took on the difficult task / of treating
그는 처음에 어려운 과업을 맡았다
전치사+동명사
chronic-pain patients, / many of whom had not responded well
만성 통증 환자를 다루는 그들 중 많은 이들이 잘 반응하지 않았었던
부정대명사+전치사+관계대명사
/ to traditional pain-management therapy.
전통적인 통증 관리 요법에

❸ In many ways, / such treatment seems / completely
많은 점에서 그런 치료는 ~한 것으로 보인다
주어 동사
paradoxical — / you teach people / to deal with pain / by helping
완전히 역설적인 당신은 사람들을 가르친다 고통을 다루도록 그들을
보어 V O OC(to부정사) 준사역동사
them / to become more aware of it!
도움으로써 그것을 더 의식하게 하도록
O' OC'(to부정사)

❹ However, / the key is to help people / let go of / the
그러나 핵심은 사람들을 돕는 것이다 놓도록
준사역동사 O OC(원형부정사)
constant tension [that accompanies their fighting of pain], a
지속적인 긴장을 그들의 통증과의 싸움을 동반하는
주격 관계대명사
struggle [that actually prolongs their awareness of pain].
투쟁을 사실 그들의 고통의 인식을 더 연장하는
주격 관계대명사

❺ Mindfulness meditation allowed many of these people / to
마음 챙김 명상은 이 사람들 중 많은 이들을 ~하게 했다
V O
increase their sense of well-being / and to experience a better
그들의 행복감을 증가시키게 그리고 더 나은 삶의 질을 경험하게
OC1(to부정사) OC2(to부정사)
quality of life.

❻ How so? / Because such meditation is based on the
어떻게 그럴까 왜냐하면 그러한 명상은 원칙에 기초하고 있기 때문에
principle [that if we try to ignore or repress / unpleasant
우리가 무시하거나 억누르려 하면
동격의 that try+to부정사: ~하려고 노력하다
thoughts or sensations, / then we only end up increasing /
불쾌한 생각이나 감각을 우리는 단지 끝내 증가시킨다
end up+-ing: 끝내 ~하게 되다
their intensity].
그것들의 강렬함을

해석 불교식 마음 챙김의 서양 심리학에의 적용은 주로 Massachusetts 대학교 의료 센터에서의 Jon Kabat-Zinn의 연구에서 왔다. 그는 처음에 그들 중 많은 이들이 전통적인 통증 관리 요법에 잘 반응하지 않았었던 만성 통증 환자를 다루는 어려운 과업을 맡았다. 많은 점에서, 그런 치료는 완전히 역설적인 것으로 보인다. 당신은 사람들이 그것을 더 의식하게 하도록 도움으로써 고통을 다루도록 가르친다! 그러나, 핵심은 사람들이 통증과의 싸움을 동반하는 지속적인 긴장을, 사실 그들의 고통의 인식을 더 연장하는 투쟁을 놓도록 돕는 것이다. 마음 챙김 명상은 이 사람들 중 많은 이들이 그들의 행복감을 증가시키고 더 나은 삶의 질을 경험하게 했다. 어떻게 그럴까? 왜냐하면 그러한 명상은 우리가 불쾌한 생각이나 감각을 무시하거나 억누르려 하면 우리는 단지 그것들의 강렬함을 끝내 증가시킨다는 원칙에 기초하고 있기 때문이다.

해설 01 (a) teach가 5형식으로 쓰였으므로 목적격보어로 to부정사가 알맞다.
(b) help가 준사역동사이므로 목적격보어로 to부정사나 원형부정사가 알맞다.
02 준사역동사 help의 목적어는 people, 목적격보어는 'to let ~'이다.
03 5형식 동사 allowed의 목적격보어로 to부정사구가 온다.

3. 구문분석 및 직독직해

❶ A story is / only as believable as / the storyteller.
이야기는 ~하다 ~만큼만 믿을 만한 이야기하는 사람
as ~ as ...(원급 비교)

부사적 용법(목적)
❷ For story to be effective, / trust must be established.
이야기가 효과적이기 위해서는 신뢰가 수립되어야 한다
for+의미상 주어 조동사 수동태

❸ Yes, trust. / Whenever someone stops to listen to you, /
그렇다, 신뢰 누군가 당신의 이야기를 듣기 위해 멈출 때마다
부사절(복합관계부사) stop+to부정사: ~하기 위해 멈추다
an element of unspoken trust exists.
무언의 신뢰의 요소가 존재한다
과거분사(명사 수식)

❹ Your listener / unconsciously trusts you / to say something /
당신의 청자는 무의식적으로 당신이 ~할 거라 신뢰한다 무언가를 말할 거라
V O OC(to부정사)
worthwhile to him, / something [that will not waste his time].
그에게 가치 있는 무언가를 그의 시간을 낭비하지 않을
주격 관계대명사

동사
❺ The few minutes of attention [he is giving you] is sacrificial.
몇 분의 주의는 그가 당신에게 주고 있는 희생적이다
주어 목적격 관계대명사 생략

❻ He could choose / to spend his time elsewhere, / yet he has
그는 선택할 수 있었다 그의 시간을 다른 곳에서 쓰는 것을 하지만
choose+to부정사: ~하는 것을 선택하다
stopped to respect your part in a conversation.
그는 대화에서 당신의 파트를 존중하기 위해 멈추었다
stop+to부정사: ~하기 위해 멈추다

❼ This is / where story comes in.
이것이 ~이다 이야기가 등장하는 곳
관계부사

❽ Because a story illustrates points clearly / and often bridges
이야기가 요점들을 명확히 설명하기 때문에 그리고 종종 주제들을
부사절(이유)

topics easily, / trust can be established quickly, / and recognizing
쉽게 연결한다 신뢰가 빠르게 수립될 수 있다 그리고 이야기에
동명사(주어)

this time element to story / is essential to trust.
이 시간 요소를 인정하는 것이 신뢰에 필수적이다
동사(단수 취급)

❾ Respecting your listener's time / is the capital letter at the
당신의 청자의 시간을 존중하는 것이 당신의 문장 처음의 대문자(시작)이다
동명사(주어) 동사(단수 취급)

beginning of your sentence.

해석 이야기는 이야기하는 사람만큼만 믿을 만하다. 이야기가 효과적이기 위해서는 신뢰가 수립되어야 한다. 그렇다, 신뢰. 누군가 당신의 이야기를 듣기 위해 멈출 때마다 무언의 신뢰의 요소가 존재한다. 당신의 청자는 무의식적으로 당신이 그에게 가치 있는 무언가를, 그의 시간을 낭비하지 않을 무언가를 말할 거라 신뢰한다. 그가 당신에게 주고 있는 몇 분의 주의는 희생적이다. 그는 그의 시간을 다른 곳에서 쓰는 것을 선택할 수 있었다. 하지만 그는 대화에서 당신의 파트를 존중하기 위해 멈추었다. 이것이 이야기가 등장하는 곳이다. 이야기가 요점들을 명확히 설명하고 종종 주제들을 쉽게 연결하기 때문에 신뢰가 빠르게 수립될 수 있고, 이야기에 이 시간 요소를 인정하는 것이 신뢰에 필수적이다. 당신의 청자의 시간을 존중하는 것이 당신의 문장 처음의 시작이다.

해설 **01** '~하기 위해 멈추다'의 의미는 「stop + to부정사」 형태로 쓴다.

02 (b) choose는 목적어로 to부정사를 취하므로 to spend가 알맞다.

(c) '존중하기 위해 멈추었다'는 의미이므로 to respect가 알맞다.

03 동사가 문장에서 주어 역할을 할 때 준동사 형태로 와야 한다.

4. 구문분석 및 직독직해

❶ Attitude is your psychological disposition, / a proactive
태도는 당신의 심리적 성향이다 주도적인 방식

way / to approach life.
삶에 접근하는
형용사적 용법

❷ It is a personal predetermination / not to let anything or
그것은 개인적인 사전 결정이다 어떤 것이나 어떤 이도 허락하지 않는
사역동사 O

anyone / take control of your life / or manipulate your mood.
당신의 인생을 통제하도록 또는 당신의 기분을 조종하도록
OC1(원형부정사) OC2(원형부정사)

❸ Attitude allows you / to anticipate, excuse, forgive and
태도는 당신을 ~하게 한다 기대하고, 양해하고, 용서하고 잊게
V O OC(to부정사구)

forget, / without being naive or stupid.
순진하고 어리석지 않으면서
전치사+동명사

❹ It is a personal decision / to stay in control / and not to
그것은 개인적인 결심이다 평상심을 유지하겠다는
형용사적 용법

lose your temper.
그리고 화를 내지 않겠다는

❺ Attitude provides / safe conduct / through all kinds of
태도는 제공한다 안전 통행증을 모든 종류의 폭풍 속에서

storms.

❻ It helps you / to get up every morning happy and
그것은 당신이 ~하도록 돕는다 매일 아침 행복하고 단호한 상태로 일어나도록
준사역동사 O OC(to부정사)

determined / to get the most out of a brand new day.
새로운 날을 최대한 활용하기 위해
부사적 용법(목적)

❼ Whatever happens — / good or bad — / the proper attitude
어떤 일이 일어나든 좋든 나쁘든 적절한 태도는
부사절(양보)

makes the difference.
차이를 만든다

❽ It may not always be easy / to have a positive attitude; /
쉽지 않을지 모른다 긍정적인 태도를 갖는 것은
가주어 진주어

nevertheless, / you need to remember [you can face a kind or
그럼에도 당신은 기억할 필요가 있다 당신은 친절하거나 잔인한 세상을
(that) 명사절

cruel world / based on your perception and your actions].
마주할 수 있다 당신의 인식과 행동에 기초하여
과거분사구

해석 태도는 당신의 심리적 성향, 삶에 접근하는 주도적인 방식이다. 그것은 어떤 것이나 어떤 이도 당신의 인생을 통제하거나 또는 당신의 기분을 조종하도록 허락하지 않는 개인적인 사전 결정이다. 태도는 당신이 순진하고 어리석지 않으면서, 기대하고, 양해하고, 용서하고 잊게 한다. 그것은 평상심을 유지하고 화를 내지 않겠다는 개인적인 결심이다. 태도는 모든 종류의 폭풍 속에서 안전 통행증을 제공한다. 그것은 당신이 새로운 날을 최대한 활용하기 위해 매일 아침 행복하고 단호한 상태로 일어나도록 돕는다. 어떤 일이 일어나든, 좋든 나쁘든, 적절한 태도는 차이를 만든다. 긍정적인 태도를 갖는 것은 쉽지 않을지 모른다. 그럼에도, 당신은 당신의 인식과 행동에 기초하여 친절하거나 잔인한 세상을 마주할 수 있다는 것을 기억할 필요가 있다.

해설 **01** 일반동사가 사용된 5형식 문장에서는 목적격보어로 동명사가 아닌 to부정사를 사용한다.

02 준사역동사 help는 목적격보어로 to부정사나 원형부정사를 취한다.

03 need의 목적어는 to부정사인 to remember이고, remember의 목적어는 you can ~ actions이다.

Unit 06 분사와 분사구문

문법 확인

p. 56

현재분사와 과거분사 ❶ 명사 ❷ 주격보어 ❸ 현재분사
분사구문 ❹ 부사절 ❺ 주절 ❻ 능동 ❼ 수동
개념 마무리 OX (1) ○ (2) × (3) ○

실전어법 개념확인

p. 57

Point ❶ 능동, 수동, 앞, 뒤 / 1 overwhelming 2 displayed
Point ❷ 목적어, 주격보어, 원형부정사 / 3 unsolved 4 living
Point ❸ 현재분사, 과거분사 / 5 satisfying 6 satisfied
Point ❹ 주어, 능동 / 7 Traveling 8 needed

어법 REVIEW 1 문장 어법연습하기

p. 58

A

1 broken ▸ '부서진' 문이므로 수동의 과거분사

2 riding ▸ 목적어(a man)가 '타고' 있는 것이므로 능동의 현재분사

3 Working ▸ 주어(he)가 인쇄소에서 '일을 하는' 상황이므로 능동의 현재분사

4 deserted ▸ '버려진' 오두막이므로 수동의 과거분사

B

5 amazing ▸ 수중 생물들이 '놀라움을 주는' 것이므로 능동의 현재분사

6 unsolved ▸ 주어(others)가 '풀리지 않은' 채로 남아있는 것이므로 수동의 과거분사

7 asked ▸ 주어(62%)가 '질문을 받은' 상황이므로 수동의 과거분사

A

e.g. 그녀는 그녀의 아들이 입구에 서 있는 것을 발견하고 놀랐다.

1 예를 들어, 어떤 사람은 몇 시간의 아기 돌봄에 대한 보답으로 이웃의 고장 난 문을 고쳐줄 것을 제안할지도 모른다.

2 갑자기, 나는 긴 머리를 한 남자가 은밀하게 내 뒤에서 타고 있는 것을 알아차렸다.

3 인쇄소에서 일하며, 그는 미술에 관심을 가지게 되었고, 신선한 새 방식으로 풍경을 그리기 시작했다.

4 나는 버려진 오두막을 발견했고 그 안에 걸어 들어갔다.

B

e.g. 환하게 미소 지으며, 그녀는 앞줄에 있는 익숙한 얼굴들을 보았다.

5 Bristol의 중심에서 바다에 뛰어들어 수천 마리의 놀라운 수생 동물들을 만나세요.

6 문제들 몇몇은 풀렸지만, 나머지들은 오늘날까지 풀리지 않고 남아 있다.

7 하지만 그들 자신의 집의 가격에 대해 질문을 받았을 때, 62%가 그것이 상승했다고 믿었다.

어법 REVIEW 2 짧은 지문 어법연습하기

p. 59

A 1 (A) Tired (B) ringing 2 (A) glittering (B) stretching
B 3 ① 4 ③

A

1 피곤하여서, 나는 바닥에 누워 잠이 들었다. 나는 부드럽게 일곱 번 울리는 멀리 있는 교회 시계 소리에 잠이 깼고, 해가 천천히 뜨고 있는 것을 알아차렸다.
▸ (A) 주절의 주어(I)가 '피곤함을 느끼는' 상황이므로 수동의 과거분사 tired가 알맞다.
(B) 시계가 '울리는' 것이므로 능동의 현재분사 ringing이 알맞다.

2 Rowe는 거의 아무도 가지 않은 장소에 있는 것을 좋아하기 때문에 그가 동굴을 발견했을 때 기쁨에 폴짝 뛴다. 입구에서 그는 나중에 그의 새로운 모험을 뽐내기 위해 휴대 전화로 계속 사진을 찍는다. 동굴 입구로부터 몇 미터 떨어진 바위에 멈추어, 그는 얼음 동굴의 반짝이는 광경을 본다. 그는 얼음으로 된 벽을 만지려고 손을 뻗으면서 "믿을 수 없을 정도로 아름다워!"라고 말한다.
▸ (A) 얼음 동굴의 광경이 '반짝이고' 있는 것이므로 능동의 현재분사 glittering이 알맞다.
(B) 주절의 주어(he)가 손을 '뻗고' 있는 상황이므로 능동의 현재분사 stretching이 알맞다.

B

3 대부분의 염료는 색이 (천에) 달라붙게 하며, 뜨거운 온도에서 천에 스며들 것이다. 반면, 최초의 청바지에 사용되었던 천연 남색 염료는 실의 바깥쪽에만 달라붙었다. 남색으로 염색된 데님을 빨 때, 그 염료 중 적은 양이 씻겨나가게 되고 실이 그것들과 함께 나오게 된다. 데님을 더 많이 세탁될수록, 그것은 더 부드러워지고, 마침내 아마도 당신이 가장 좋아하는 청바지로부터 받는, 해어지고, 나만을 위해 만들어진 느낌을 얻게 된다.
▸ ① → making / 주절의 주어(dyes)가 색이 '달라붙게 하는' 상황이므로 능동의 현재분사 making이 알맞다.

4 당신의 개념들은 입력되는 감각의 의미를 추측하게 하는 뇌의 주요한 도구이다. 예를 들어, 개념은 음압의 변화에 의미를 부여하며, 그래서 당신은 그 변화를 무작위의 소음 대신 말이나 음악으로 듣는다. 서구 문화에서, 대부분의 음악은 열두 개의 동일한 간격으로 된 음의 높낮이로 나누어진 옥타브를 기반으로 하는데, 이는 17세기에

Johann Sebastian Bach가 집대성한 평균율 음계이다.

▸ ③ → spaced / 음의 높낮이(pitches)가 동일하게 '간격을 두고 배치된' 것이므로 수동의 과거분사 spaced가 알맞다.

어법 REVIEW 3 기출 유형 어법연습하기

pp. 60~61

1① 2③ 3⑤ 4④

1. 구문분석 및 직독직해

❶ The sun caught the ends of the hairs / along the bear's back.
태양이 털의 끝을 비추었다 / 그 곰의 등을 따라 난

❷ Shining black and silky, / it stood on its hind legs, half up, / and studied Brian, / just studied him.
검고 부드럽게 빛나며(분사구문(현재분사)) / 그것은 뒷다리로 서서, 몸을 반쯤 일으켰다 / 그리고 Brian을 살폈다 / 그저 살피기만 했다

❸ Then / it lowered itself / and moved slowly to the left, / eating berries as it rolled along, / delicately using its mouth / to lift each berry from the stem.
그리고 나서 / 그것은 몸을 낮추었다(재귀 용법) / 그리고 천천히 왼쪽으로 이동했다 / 나아가며 산딸기를 먹으며(분사구문(현재분사)) / 그것의 입을 섬세하게 사용하면서(분사구문(현재분사)) / 줄기에서 각각의 산딸기를 따려고(부사적 용법(목적))

❹ His tongue was stuck to the top of his mouth, / the tip half out, / and his eyes were wide.
그의 혀는 입천장에 붙었다(수동태) / 혀끝은 반쯤 나왔다 / 그리고 그의 눈은 커졌다

❺ Then / Brian made a low sound, "Nnnnnnnggg."
그러고 나서 Brian은 "Nnnnnnnggg"하는 낮은 소리를 냈다

❻ It made no sense.
그것은 아무 뜻도 없었다

❼ It was just a sound of fear, of his disbelief [that something that large / could have come so close to him / without his knowing].
그것은 단지 공포, 그의 믿기지 않음의 소리였다 / 그렇게 큰 무언가가(동격의 that, 부사 that) / 그에게 아주 가까이 올 수 있다는 / 그가 알지 못하는 채로(전치사+동명사)

❽ Brian couldn't stop shivering, / thinking [that the bear could return and attack him anytime].
Brian은 떠는 것을 멈출 수 없었다(stop+동명사: ~하는 것을 멈추다) / 그 곰이 언제든 다시 돌아와서 그를 공격할 수 있다고 생각하며(분사구문(현재분사), 명사절(목적어))

해석 태양이 그 곰의 등을 따라 난 털의 끝을 비추었다. 검고 부드럽게 빛나며, 그것은 뒷다리로 서서, 몸을 반쯤 일으켰고, Brian을 살폈다. 그저 살피기만 했다. 그러고 나서 그것은 줄기에서 각각의 산딸기를 따려고 그것의 입을 섬세하게 사용하면서, 나아가며 산딸기를 먹으며, 몸을 낮추고 천천히 왼쪽으로 이동했다. 그의 혀는 혀끝이 반쯤 나온 채 입천장에 붙었고, 그의 눈은 커졌다. 그러고 나서 Brian은 "Nnnnnnnggg"하는 낮은 소리를 냈다. 그것은 아무 뜻도 없었다. 그것은 단지 그렇게 큰 무언가가 그가 알지 못하는 채로 그에게 아주 가까이 올 수 있다는 공포, 믿기지 않음의 소리였다. 그 곰이 언제든 다시 돌아와서 그를 공격할 수 있다고 생각하며, Brian은 떠는 것을 멈출 수 없었다.

해설 (A) 주절의 주어(it)가 '빛나는' 상황이므로 능동의 현재분사 Shining이 알맞다.
(B) 주절의 주어(it)가 입을 '사용하는' 상황이므로 능동의 현재분사 using이 알맞다.
(C) 주절의 주어(Brian)가 '생각하는' 상황이므로 능동의 현재분사 thinking이 알맞다.

2. 구문분석 및 직독직해

❶ One night, / my family was having a party / with a couple from another city [who had two daughters].
어느 밤 / 나의 가족은 파티를 하고 있었다 / 다른 도시에서 온 부부와 / 두 딸이 있는(주격 관계대명사)

❷ The girls were just a few years older than I, / and I played lots of fun games / together with them.
소녀들은 나보다 겨우 몇 살 많았다 / 그리고 나는 많은 재미있는 게임들을 했다 / 그들과 함께

❸ The father of the family had an amusing, jolly, witty character, / and I had a memorable night / full of laughter and joy.
그 가족의 아버지는 재미있고, 유쾌하고, 재치 있는 성격이었다(현재분사(character 수식)) / 그리고 나는 기억할 만한 밤을 보냈다 / 웃음과 기쁨이 가득한(형용사구)

❹ While we laughed, joked, and had our dinner, / the TV suddenly broadcast an air attack, / and a screeching siren started to scream, / announcing the "red" situation.
우리가 웃고, 농담하고, 저녁을 먹는 동안,(부사절(~하는 동안)) / TV가 갑자기 공습을 방송했다 / 그리고 날카로운 소리를 내는 사이렌이(현재분사) 비명을 지르기 시작했다 / '적색' 상황을 알리며(분사구문(현재분사))

❺ We all stopped dinner, / and we squeezed into the basement.
우리는 모두 저녁 식사를 멈추었다 / 그리고 지하실 안으로 비집고 들어갔다

❻ The siren kept screaming / and the roar of planes was heard in the sky.
사이렌은 계속 비명을 질렀다(keep+동명사: 계속 ~하다) / 그리고 비행기의 으르렁거림이 들렸다(수동태) / 하늘에서

❼ The terror of war / was overwhelming.
전쟁의 공포는 / 압도적이었다(현재분사(능동))

❽ Shivering with fear, / I murmured a panicked prayer [that this desperate situation would end quickly].
공포에 떨며(분사구문(현재분사)) / 나는 공포에 질린 기도를 중얼거렸다(과거분사) / 이 절박한 상황이 빨리 끝나게 해 달라는(동격의 that)

해석 어느 밤, 나의 가족은 두 딸이 있는 다른 도시에서 온 부부와 파티를 하고 있었다. 소녀들은 나보다 겨우 몇 살 많았고, 나는 그들과 함께 많은 재미있는 게임들을 했다. 그 가족의 아버지는 재미있고, 유쾌하고, 재치 있는 성격이었고, 나는 웃음과 기쁨이 가득한 기억할만한 밤을 보냈다. 우리가 웃고, 농담하고, 저녁을 먹는 동안, TV가 갑자기 공습을 방송했고, 날카로운 소리를 내는 사이렌이 '적색' 상황을 알리며 비명을 지르기 시작했다. 우리는 모두 저녁 식사를 멈추었고, 지하실 안으로 비집고 들어갔다. 사이렌은 계속 비명을 질렀고 하늘에서 비행기의 으르렁거림이 들렸다. 전쟁의 공포는 압도적이었다. 공포에 떨며, 나는 이 절박한 상황이 빨리 끝나게 해 달라는 공포에 질린 기도를 중얼거렸다.

해설 ③ → overwhelming / 의미상 전쟁의 공포가 '압도하는' 것이므로 능동의 현재분사 overwhelming이 알맞다.

3. 구문분석 및 직독직해

❶ Children develop the capacity for solitude / in the presence / of an attentive other.
아이들은 외로움에 대한 수용력을 키울 수 있다 / 상황에서 / 다른 이가 주의를 기울이는

❷ Consider the silences [that fall] when you take a young boy / on a quiet walk in nature.
침묵을 생각해 보라 / 드리우는 (주격 관계대명사) / 어린 남자 아이를 데려갈 때 (부사절(시간)) / 자연 속에서의 조용한 산책에

❸ The child comes to feel increasingly aware of [what it is to be alone in nature], supported by being "with" someone [who is introducing him to this experience].
아이는 점점 더 인지하게 된다 / 자연 속에 혼자 있는 것이 무엇인지 (명사절(의문사절)) / 누군가와 '함께' 있는 것에 힘입어 (분사구문(과거분사)) / 그에게 이 경험을 소개해 주는 (주격 관계대명사)

❹ Gradually, / the child takes walks alone.
점차적으로 / 아이는 혼자 산책을 하게 된다

❺ Or / imagine a mother / giving her two-year-old daughter a bath, / allowing the girl's reverie with her bath toys / as she makes up stories / and learns to be alone with her thoughts, / all the while knowing / her mother is present / and available to her.
혹은 어머니를 상상해 보라 / 두 살 난 딸을 목욕시키는 (현재분사) / 그녀의 목욕 장난감들로 그 소녀의 몽상을 허락하며 (분사구문(현재분사)) / 그녀가 (부사절) 이야기를 지어내고 / 그녀의 생각들과 함께 혼자가 되는 것을 배우는 동안 (to부정사(목적어)) / ~을 잘 알면서 (분사구문(현재분사)) / 그녀의 어머니가 옆에 있고 / 그녀에게 도움이 된다는 것을

❻ Gradually, / the bath, (taken alone,) is a time [when the child is comfortable with her imagination].
점차적으로 / 목욕은 / 혼자 하게 되더라도 (삽입, 분사구문(과거분사)) / 시간이 된다 / 관계부사(시간) / 아이가 그녀의 상상과 함께 편안함을 느끼는

❼ Attachment enables solitude.
애착이 혼자 있는 것을 가능하게 한다

해석 아이들은 주의를 기울이는 다른 이가 있는 상황에서 외로움에 대한 수용력을 키울 수 있다. 어린 남자 아이를 자연 속에서의 조용한 산책에 데려갈 때 드리우는 침묵을 생각해 보라. 아이는 그에게 이 경험을 소개해 주는 누군가와 '함께' 있는 것에 힘입어 자연 속에 혼자 있는 것이 무엇인지 점점 더 인지하게 된다. 점차적으로, 아이는 혼자 산책을 하게 된다. 혹은 그녀의 어머니가 옆에 있고 그녀에게 도움이 된다는 것을 잘 알면서, 그녀가 이야기를 지어내고 그녀의 생각들과 함께 혼자가 되는 것을 배우는 동안, 그녀의 목욕 장난감들로 그 소녀의 몽상을 허락하며 두 살 난 딸을 목욕시키는 어머니를 상상해 보라. 점차적으로, 목욕은, 혼자 하게 되더라도, 아이가 그녀의 상상과 함께 편안함을 느끼는 시간이 게 된다. 애착이 혼자 있는 것을 가능하게 한다.

해설 ⑤ → taken / 주절의 주어인 목욕(the bath)이 행해지는 대상이므로 수동의 과거분사 taken이 알맞다.

4. 구문분석 및 직독직해

❶ Our culture is biased toward the fine arts — / those creative products [that have no function other than pleasure].
우리의 문화는 순수 예술 쪽으로 편향되어 있다 (수동태) / 창의적인 결과물들 / 즐거움 말고는 아무 기능이 없는 (주격 관계대명사)

❷ Craft objects are less worthy; / because they serve an everyday function, / they're not purely creative.
(공예품들은 덜 가치 있다) / 그것들은 일상의 기능들을 제공하기 때문에 / 그것들은 순수하게 창의적이지 않다

❸ But this division is / culturally and historically relative.
그러나 이 구분은 / 문화적으로 그리고 역사적으로 상대적이다

❹ Most contemporary high art began / as some sort of craft.
대부분의 현대 고급 미술은 시작되었다 / 일종의 공예로서 (~로서)

❺ The composition and performance of [what we now call "classical music"] began as a form of craft music / satisfying required functions / in the Catholic mass, / or the specific entertainment needs / of royal patrons.
~의 작곡과 연주는 / 우리가 '클래식 음악'이라 부르는 것 (관계대명사) / 공예 음악의 형태로 시작되었다 / 요구되는 (과거분사) 기능을 만족시키는 (현재분사) / 가톨릭 미사에서 / 또는 / 특정한 오락의 필요에서 / 왕실의 후원자들의

❻ For example, / chamber music really was designed / to be perfored in chambers — / small intimate rooms in wealthy homes — / often as background music.
예를 들어 / 실내악은 정말로 설계되었다 (수동태) / 방에서 연주되도록 (to부정사(수동태)) / 부유한 가정의 작고 사적인 방 / 흔히 배경 음악으로

❼ The dances composed by famous composers / from Bach to Chopin / originally did indeed accompany dancing.
유명한 작곡가들에 의해 작곡된 춤곡들은 (과거분사) / Bach에서 Chopin까지 / 원래 실제로 춤을 동반했다 (강조 do)

❽ But today, / with the contexts and functions [they were composed for] gone, / we listen to these works as fine art.
하지만 오늘날 / 그것들이 작곡된 맥락과 기능들이 사라진 채 (with+명사+분사: ~가 …한 채로; 관계대명사 생략) / 우리는 이 작품들을 순수 예술로서 듣는다

해석 우리의 문화는 순수 예술, 즉 즐거움 말고는 아무 기능이 없는 창의적인 결과물들 쪽으로 편향되어 있다. 공예품들은 덜 가치 있다. 그것들은 일상의 기능들을 제공하기 때문에 그것들은 순수하게 창의적이지 않다. 그러나 이 구분은 문화적으로 그리고 역사적으로 상대적이다. 대부분의 현대 고급 미술은 일종의 공예로서 시작되었다. 우리가 '클래식 음악'이라 부르는 것의 작곡과 연주는 가톨릭 미사, 또는 왕실의 후원자들의 특정한 오락의 필요에서 요구되는 기능을 만족시키는 공예 음악의 형태로 시작되었다. 예를 들어, 실내악은 정말로 방에서, 즉 부유한 가정의 작고 사적인 방에서 흔히 배경 음악으로 연주되도록 설계되었다. Bach에서 Chopin까지 유명한 작곡가들에 의해 작곡된 춤곡들은 원래 실제로 춤을 동반했다. 하지만 오늘날, 그것들이 작곡된 맥락과 기능들이 사라진 채, 우리는 이 작품들을 순수 예술로서 듣는다.

해설 (A) 요구되는 기능을 '만족시키는' 것이므로 능동의 현재분사 satisfying이 알맞다.
(B) 춤곡이 '작곡된' 것이므로 수동의 과거분사 composed가 알맞다.
(C) 작곡된 맥락과 기능이 '사라진' 것이므로 수동의 과거분사 gone이 알맞다.

어법 REVIEW 4 서술형 내신 어법연습하기

pp. 62~65

1 01 (a) smiling (b) raised 02 competing / '경쟁하는' 사람들이라는 의미이므로 능동의 현재분사 03 the behaviors displayed by sighted and blind athletes were very similar

2 01 The increased number of newspapers and magazines created greater competition
02 involved / 스캔들 등에 '연관된' 것을 발견한 것이므로 수동의 과거분사 03 널리 배포된 신문과 잡지

3 01 After she earned her doctorate degree from the University of Istanbul in 1940 02 (b) preserve (d) preserving 03 known / 가장 오래된 것으로 '알려진' 것이므로 수동의 과거분사

4 01 made / 전반적인 생활 수준에 대한 향상이 '만들어진' 것이므로 수동의 과거분사 02 preventing many unnecessary deaths among children 03 건강을 증진시키기 위해 설계된 기술들

1. 구문분석 및 직독직해

❶ Would you expect / the physical expression of pride / to be biologically based / or culturally specific?
당신은 생각하는가(V) / 자부심의 신체적인 표현이(O) / 생물학적으로 기반되어 있다고(OC(to부정사)) / 혹은 문화적으로 특정하다고

❷ The psychologist Jessica Tracy / has found [that young children can recognize {when a person feels pride}].
심리학자 Jessica Tracy는 / 발견했다 / 어린 아이들이 알아차릴 수 있다는 것을(접속사, 명사절) / 사람이 자부심을 느끼는 때를(의문사가 이끄는 명사절)

❸ Moreover, she found [that isolated populations / with minimal Western contact / also accurately identify / the physical signs].
더욱이 / 그녀는 발견했다 / 고립된 집단들(과거분사) / 서구와의 접촉을 최소한으로 가지는 / 또한 정확히 식별한다는 것을 / 신체의 신호들을

❹ These signs include / a smiling face, raised arms, an expanded chest, and a pushed-out torso.
이 신호들은 포함한다 / 미소 짓는 얼굴(현재분사), 들어 올려진 팔들(과거분사), 펴진 가슴(과거분사), 그리고 앞으로 내밀어진 몸통을(과거분사)

❺ Tracy and David Matsumoto examined / pride responses / among people / competing in judo matches in the 2004 Olympic and Paralympic Games.
Tracy와 David Matsumoto는 조사했다 / 자부심을 드러내는 반응들을 / 사람들 사이의 / 2004년 올림픽과 패럴림픽의 유도 경기에서 경쟁하는(현재분사구)

❻ Sighted and blind athletes / from 37 nations / competed.
앞이 보이는 그리고 보이지 않는 운동선수들이(과거분사(athletes 수식)) / 37개국에서 온 / 경쟁했다

❼ After victory, / the behaviors / displayed by sighted and blind athletes / were very similar.
승리 후 / 행동들은 / 앞이 보이는 그리고 보이지 않는 운동선수들에 의해 보여진(과거분사구) / 매우 유사했다

❽ These findings suggest [that pride responses are innate].
이 발견들은 제안한다 / 자부심을 드러내는 반응이 타고난 것이라는 것을(명사절)

해석 당신은 자부심의 신체적인 표현이 생물학적으로 기반되어 있다고 생각하는가, 혹은 문화적으로 특정하다고 생각하는가? 심리학자 Jessica Tracy는 어린 아이들이 사람이 자부심을 느끼는 때를 알아차린다는 것을 발견했다. 더욱이, 그녀는 서구와의 접촉을 최소한으로 가지는 고립된 집단들 또한 신체의 신호들을 정확히 식별한다는 것을 발견했다. 이 신호들은 미소 짓는 얼굴, 들어 올려진 팔들, 펴진 가슴, 그리고 앞으로 내밀어진 몸통을 포함한다. Tracy와 David Matsumoto는 2004년 올림픽과 패럴림픽의 유도 경기에서 경쟁하는 사람들 사이의 자부심을 드러내는 반응들을 조사했다. 37개국에서 온 앞이 보이는 그리고 보이지 않는 운동선수들이 경쟁했다. 승리 후, 앞이 보이는 그리고 보이지 않는 운동선수들에 의해 보여진 행동들은 매우 유사했다. 이 발견들은 자부심을 드러내는 반응이 타고난 것이라는 것을 제안한다.

해설 01 '미소 짓는' 얼굴과 '들어 올려진' 팔들이라는 의미이므로 각각 능동의 현재분사 smiling과 수동의 과거분사 raised가 알맞다.
02 분사와 수식하는 대상의 관계가 능동이면 현재분사(-ing)를 사용한다.
03 수동의 과거분사 displayed가 이끄는 구가 명사 the behaviors를 뒤에서 수식한다.

2. 구문분석 및 직독직해

❶ During the late 1800s, / printing became cheaper and faster, / leading to an explosion / in the number of newspapers and magazines / and the increased use of images / in these publications.
1800년대 동안 / 인쇄는 더 싸고 더 빨라졌다 / 폭발을 초래하며(분사구문(현재분사)) / 신문과 잡지 수의(전치사의 목적어1) / 그리고 증가된 이미지 사용을(과거분사, 전치사의 목적어2) / 이러한 출판물들에서의

❷ Photographs, / as well as woodcuts and engravings of them, / appeared in newspapers and magazines.
사진들이 / 목판과 그것들의 판화 뿐 아니라(A as well as B: B뿐 아니라 A도) / 신문과 잡지에 등장했다

❸ The increased number of newspapers and magazines / created greater competition — / driving some papers / to print more salacious articles / to attract readers.
늘어난 수의 신문과 잡지들은(과거분사) / 더 큰 경쟁을 만들어 냈다 / 몇몇 신문을 ~하게 하며(분사구문(현재분사), V, O) / 더 외설적인 기사를 인쇄하게(OC(to부정사)) / 독자들을 유혹하기 위해(부사적 용법)

❹ This "yellow journalism" / sometimes took the form of gossip / about public figures, / as well as about socialites [who considered themselves / private figures], and even about those / [who were not part of high society / but had found themselves /
이 '황색 언론'은 / 때로 가십의 형태를 취했다 / 공인에 관한 / 사교계 명사에 관해서 뿐 아니라(주격 관계대명사) / 그들 스스로를 ~라 여겼던(V, O) / 사적인 인물(OC(명사)) / 그리고 ~한 사람들에 관해서까지 / 사교계의 일부가 아니었던(주격 관계대명사) / 그러나 그들 스스로를 발견한

involved in a scandal, crime, or tragedy {that journalists thought
추문, 범죄 혹은 비극에 연관되었음을 언론인들이 생각했던
과거분사 주격 관계대명사

/ would sell papers}].
신문을 팔리게 할 것이라고

❺ Gossip was of course nothing new, / but 〈the rise of mass
가십은 물론 새로운 것이 아니었다 그러나 대중매체의 증가는
주어〈 〉

media / in the form of widely distributed newspapers and
널리 배포된 신문과 잡지의 형태를 한
과거분사

접속사
magazines〉 meant [that gossip moved / from limited (often oral
의미했다 가십이 이동했다는 것을 제한된 (흔히 입으로만
동사 명사절 목적어 과거분사(distribution 수식)

only) distribution / to wide, printed dissemination].
전해지는) 배포에서 광범위하고, 인쇄된 유포로
과거분사

해석 1800년대 동안, 인쇄는 신문과 잡지 수의 폭발과 이러한 출판물들에서의 증가된 이미지 사용을 초래하며 더 싸고 더 빨라졌다. 목판과 그것들의 판화뿐 아니라 사진들이 신문과 잡지에 등장했다. 늘어난 수의 신문과 잡지들은 몇몇 신문들이 독자들을 유혹하기 위해 더 외설적인 기사를 인쇄하게 하며 더 큰 경쟁을 만들어 냈다. 이 '황색 언론'은 때로 그들 스스로를 사적인 인물이라 여겼던 사교계 명사에 관해서뿐 아니라 공인에 관한, 그리고 사교계의 일부가 아니었지만, 언론인들이 신문을 팔리게 할 것이라고 생각했던 추문, 범죄 혹은 비극에 그들 스스로가 연관되었음을 발견한 사람들에 관한 가십의 형태를 취했다. 가십은 물론 새로운 것이 아니었지만, 널리 배포된 신문과 잡지의 형태를 한 대중 매체의 증가는 제한된(흔히 입으로만 전해지는) 배포에서 광범위하고, 인쇄된 유포로 가십이 이동했다는 것을 의미했다.

해설 01 '늘어난'의 의미로 increase의 수동의 과거분사 increased가 쓰였다.
02 목적어와 목적격보어의 관계가 수동이면 과거분사(p.p.)를 쓴다.
03 뒤의 명사구를 꾸미는 과거분사 distributed는 수동의 의미로 해석한다.

3. 구문분석 및 직독직해

❶ After earning her doctorate degree / from the University of
박사 학위를 받은 후에 1940년 Istanbul 대학에서
접속사+분사구문(현재분사)

Istanbul in 1940, / Halet Cambel fought tirelessly / for the
Halet Cambel은 쉬지 않고 싸웠다

advancement of archaeology.
고고학의 발전을 위해

OC(원형부정사)
❷ She helped / preserve some of Turkey's most important
그녀는 도왔다 터키의 가장 중요한 고고학 유적지 중 몇몇을
준사역동사(목적어 생략)

archaeological sites / near the Ceyhan River / and established /
보존하는 것을 Ceyhan 강 가까이에 있는 그리고 설립했다

an outdoor museum / at Karatepe.
야외 박물관을 Karatepe에

❸ There, / she broke ground / on one of humanity's oldest
거기에서, 그녀는 발굴했다 인류의 가장 오래된 것으로 알려진 문명 중

known civilizations / by discovering a Phoenician alphabet tablet.
하나를 페니키아의 알파벳 석판을 발견함으로써
과거분사 전치사+동명사

❹ Her work preserving Turkey's cultural heritage / won her
터키의 문화유산을 보존하는 그녀의 작업은 그녀에게
현재분사 4형식 동사 IO

a Prince Claus Award.
Prince Claus 상을 안겼다
DO

❺ But as well as / revealing the secrets of the past, / she also
하지만 ~뿐 아니라 과거의 비밀을 밝히는 것 그녀는 또한
전치사구+동명사

firmly addressed / the political atmosphere of her present.
확고히 다루었다 그녀의 당대의 정치적 분위기를

❻ As just a 20-year-old archaeology student, / Cambel went to
겨우 20세의 고고학도로서 Cambel은 1936년
~로서(자격)

the 1936 Berlin Olympics, / becoming the first Muslim woman /
Berlin 올림픽에 갔다 첫 번째 무슬림 여성이 되며
분사구문(현재분사)

to compete in the Games.
대회에서 경쟁한
형용사적 용법

OC(to부정사)
❼ She was later invited / to meet Adolf Hitler / but she rejected
그녀는 후에 초대받았다 Adolf Hitler를 만나도록 그러나 그녀는
5형식의 수동태

the offer / on political grounds.
그 제의를 거절했다 정치적인 이유로

해석 1940년 Istanbul 대학에서 박사 학위를 받은 후에, Halet Cambel은 고고학의 발전을 위해 쉬지 않고 싸웠다. 그녀는 Ceyhan 강 가까이에 있는 터키의 가장 중요한 고고학 유적지 중 몇몇을 보존하는 것을 도왔고 Karatepe에 야외 박물관을 설립했다. 거기에서, 그녀는 페니키아의 알파벳 석판을 발견함으로써 인류의 가장 오래된 것으로 알려진 문명 중 하나를 발굴했다. 터키의 문화유산을 보존하는 그녀의 작업은 그녀에게 Prince Claus 상을 안겼다. 하지만 과거의 비밀을 밝히는 것뿐 아니라 그녀는 또한 그녀의 당대의 정치적 분위기를 확고히 다루었다. 겨우 20세의 고고학도로서, 대회에서 경쟁한 첫 번째 무슬림 여성이 되며, Cambel은 1936년 Berlin 올림픽에 갔다. 그녀는 후에 Adolf Hitler를 만나도록 초대받았지만 그녀는 정치적인 이유로 그 제의를 거절했다.

해설 01 분사구문의 분사는 「주어 + 동사」로 바꾸어 쓸 수 있다. 주절과 시제를 일치시키는 것에 유의한다.
02 (b) 준사역동사 help 다음에 to부정사나 원형부정사가 오므로 preserve가 알맞다. (d) 분사가 수식하는 her work가 터키의 문화유산을 '보존하는' 것이므로 능동의 현재분사 preserving이 알맞다.
03 분사와 수식하는 대상의 관계가 수동이면 과거분사(p.p.)를 사용한다.

4. 구문분석 및 직독직해

❶ It turns out [that 〈the secret behind our recently extended
~임이 드러나고 있다 우리의 최근 연장된 수명 뒤의 비밀이
주어〈 〉 과거분사

life span〉 is not due to genetics or natural selection, / but rather
유전적 특징이나 자연 선택 때문이 아니라 오히려
not A but B: A가 아니라 B

to the relentless improvements / made to our overall standard
끊임없는 향상 때문이다 우리의 전반적인 생활 수준에 만들어진
과거분사

of living].

❷ From a medical and public health perspective, / these
의학과 공중위생의 관점에서

developments were nothing less than / game changing.
이러한 발전들은 그야말로 획기적이었다
그야말로 ~이다

❸ For example, / major diseases / such as smallpox, polio, and
예를 들어 많은 질병들이 천연두, 소아마비, 그리고 홍역과 같은

measles / have been eradicated / by mass vaccination.
근절되었다 집단 예방 접종에 의해

❹ At the same time, 〈better living standards / achieved through
동시에 / 더 나은 생활 수준은 (긴 주어) / 향상을 통해 달성된 (과거분사)

improvements / in education, housing, nutrition, and sanitation
교육, 주거, 영양, 그리고 위생 시스템의

systems〉 have substantially reduced / malnutrition and infections, /
상당히 줄였다 (동사(현재완료)) / 영양실조와 감염을 (목적어)

/ preventing many unnecessary deaths among children.
아이들 사이에서의 많은 불필요한 죽음을 예방하면서
분사구문(현재분사)

❺ Furthermore, / technologies / designed to improve health /
더욱이 / 기술들이 / 건강을 증진시키도록 설계된 (과거분사, 부사적 용법(목적))

have become available to the masses, / whether via refrigeration
대중이 사용할 수 있게 되었다 / 부패를 막는 냉장 기술을 통해서든 (whether A or B: A이든 B이든)

to prevent spoilage / or systemized garbage collection, [which in
(to부정사(형용사 역할)) / 체계화된 쓰레기 수거 체계를 통해서든 (과거분사) / (관계대명사 계속적 용법)

and of itself eliminated / many common sources of disease].
그 자체로 제거한 / 질병의 많은 공통 원인을
in and of itself: 그 자체로

해석 최근 연장된 우리의 수명 뒤의 비밀이 유전적 특징이나 자연 선택 때문이 아니라 오히려 우리의 전반적인 생활 수준에 만들어진 끊임없는 향상 때문임이 드러나고 있다. 의학과 공중위생의 관점에서 이러한 발전들은 그야말로 획기적이었다. 예를 들어, 천연두, 소아마비, 그리고 홍역과 같은 많은 질병들이 집단 예방 접종에 의해 근절되었다. 동시에, 교육, 주거, 영양, 그리고 위생 시스템의 향상을 통해 달성된 더 나은 생활 수준은, 아이들 사이에서의 많은 불필요한 죽음을 예방하면서 영양실조와 감염을 상당히 줄였다. 더욱이, 부패를 막는 냉장 기술을 통해서든, 그 자체로 질병의 많은 공통 원인을 제거한 체계화된 쓰레기 수거 체계를 통해서든, 건강을 증진시키도록 설계된 기술들이 대중이 사용할 수 있게 되었다.

해설 01 분사와 수식하는 대상이 수동 관계이면 과거분사(p.p.)를 쓴다.
02 능동의 현재분사를 사용한 분사구문이다.
03 'designed to ~'가 앞의 명사 technologies를 수식하는 과거분사구이다.

Unit 07 관계사

문법 확인 p. 66

관계대명사 ❶ 선행사 ❷ 형용사 ❸ whose ❹ that
관계대명사의 계속적 용법 ❺ 콤마(,)
관계대명사 what ❻ 선행사
관계부사 ❼ where ❽ 완전한
개념 마무리 OX (1) ○ (2) × (3) ×

실전어법 개념확인 p. 67

Point ❶ 주어, whose, 명사, 목적어 / 1 who 2 whose 3 whom
Point ❷ 관계대명사, that / 4 in which
Point ❸ 선행사, 명사절 / 5 that 6 what
Point ❹ 전치사, 완전한 / 7 when

어법 REVIEW 1 문장 어법연습하기 p. 68

A
1 who ▸ 선행사(a lawyer)가 사람이고 관계사절에서 주어 역할을 하므로 who
2 where ▸ 관계사 뒤에 완전한 절이 오므로 관계부사 where
3 in which ▸ 선행사를 관계사절로 넘기면 other people shape who you are in one way가 되므로 in which
4 what ▸ 선행사가 없으므로 관계대명사 what
B
5 when ▸ 선행사(later life)가 시간을 나타내고 관계사 뒤에 완전한 절이 오므로 관계부사 when
6 which 또는 that ▸ 선행사(the varied forms)가 사물이고 관계사 뒤에 불완전한 절이 오므로 관계대명사 which 또는 that
7 what ▸ 선행사가 없으므로 관계대명사 what

A
e.g. 내 가족은 두 딸이 있는 다른 도시에서 온 부부와 파티를 하고 있었다.

1 Harris는 변호사와 이야기했는데, 그 변호사는 그가 그 돈을 신탁에 넣는 것을 도왔다.

2 1862년에 그는 *Harper's Weekly*의 직원으로 합류했고, 그곳에서 그는 정치 만화에 그의 노력을 집중했다.

3 다른 사람들이 당신이 누구인지를 형성하는 한 가지 방법이 Leon Festinger의 이론에 의해 설명된다.

4 비록 그것이 자동적으로 일어나더라도, 우리는 대체로 우리가 하려고 의도하는 것을 하고 있다.

B

e.g. 인공호흡기는 많은 생명을 구할 수 있었지만, 그들의 심장이 계속 뛰었던 사람들 모두가 다른 중요한 기능들을 회복한 것은 아니었다.

5 그는 그의 딸 Anna에 의해 Jofi가 그에게 주어졌던 말년이 되어서야 개를 사랑하는 사람이 되었다.

6 레크리에이션이 취할 수 있는 다양한 형태에 더하여, 그것은 또한 광범위한 개인의 요구와 관심사를 충족시킨다.

7 당신은 당신이 똑똑히 볼 수 있는 것을 먹을 가능성이 훨씬 더 크다.

어법 REVIEW 2 짧은 지문 어법연습하기

p. 69

A 1 (A) that (B) whose **2** (A) when (B) whom
B 3 ① **4** ①

A

1 우리가 얼마나 불우한가에 대한 우리의 자각은 상대적이다. 이는 분명하기도 하고 아주 심오하기도 한 관찰이다. 어느 곳이 더 자살률이 높다고 생각하는가? 시민들이 스스로를 매우 행복하다고 선언하는 나라들인가, 아니면 전혀 매우 행복하지 않다고 하는 나라들인가?
▶ (A) 선행사 an observation이 있으므로 관계대명사 that이 알맞다.
(B) 선행사가 countries이고, 관계사절이 '(그 나라의) 시민들이 ~'라는 뜻이므로 소유격 관계대명사 whose가 알맞다.

2 만약 당신이, 여기에 있는 동안, 당신을 선뜻 내준다면 세상은 다르고 더 나은 장소가 될 수 있다. 이 생각은 어느 날 Azim이 비행기를 기다리며 공항에서 TV를 보고 있을 때 명확해졌다. 한 사제가 그 중 한 명이 아픈 갓 태어난 쌍둥이에 대한 이야기를 들려주고 있었다.
▶ (A) 관계사 뒤에 완전한 절이 오므로 관계부사 when이 알맞다.
(B) 관계사가 전치사 of의 목적어이므로 whom이 알맞다. 전치사 뒤의 whom은 who로 바꾸어 쓸 수 없다.

B

3 온라인 서점들은 이름으로 그들의 고객들을 환영하고 그들이 읽기 좋아할 만한 새로운 책들을 추천한다. 부동산 중개업 사이트들은 방문자들에게 시장에 나온 새 부동산에 대해 이야기한다. 이러한 기술들은 쿠키에 의해 가능해지는데, 이는 인터넷 서버가 그들을 기억하기 위해 개인들의 웹 브라우저에 저장하는 작은 파일들이다.
▶ ① → which 또는 that / 선행사 new books가 있고 관계사 뒤에 목적어가 없는 불완전한 절이 오므로 관계대명사 which나 that이 알맞다.

4 가격이 15달러인 계산기를 사는 상황에 놓인 사람들이 같은 제품을 20분 거리에 있는 다른 상점에서 10달러의 판촉가에 살 수 있다는 것을 판매자에게서 알게 되었다. 이 경우, 응답자의 68%가 5달러를 절약하기 위해 그 가게까지 가는 것을 결심했다. 두 번째 조건에서, 이는 125달러짜리 재킷을 사는 것을 포함했는데, 응답자들은 또한 같은 제품을 20분 거리의 상점에서 살 수 있고 그곳에서는 120달러라는 이야기를 들었다.
▶ ① → which 또는 that / 선행사(a calculator)가 사물이고 관계사절에서 주어 역할을 하므로 관계대명사 which나 that이 알맞다.

어법 REVIEW 3 기출 유형 어법연습하기

pp. 70~71

1 ② **2** ④ **3** ④ **4** ③

1. 구문분석 및 직독직해

❶ Food is / the original mind-controlling drug.
음식은 ~이다 마음을 지배하는 본래의 약

❷ Every time we eat, / we bombard our brains / with a feast of chemicals, / triggering an explosive hormonal chain reaction [that directly influences the way {we think}].
우리가 먹을 때마다 / 우리는 우리의 뇌에 퍼붓는다 / 화학물질의 향연을 / 폭발적인 호르몬의 연쇄 반응을 유발하며 (분사구문(현재분사)) / 우리가 생각하는 방식에 직접적으로 영향을 미치는 (주격 관계대명사)

❸ Countless studies have shown [that ⟨the positive emotional state / induced by a good meal⟩ enhances our receptiveness to be persuaded].
수많은 연구들이 보여 주었다 / 긍정적인 감정 상태가 (명사절 ⟨ ⟩ 주어) / 좋은 식사로 유발된 (과거분사구) / 우리의 수용성을 높여 (V O) / 설득되도록 (OC(to부정사))

❹ It triggers an instinctive desire / to repay the provider.
그것은 본능적인 욕구를 유발한다 / 제공자에게 보답하려는 (형용사적 용법)

❺ This is [why executives regularly combine business meetings with meals], [why lobbyists invite politicians to attend receptions, lunches, and dinners], and [why major state occasions almost always involve an impressive banquet].
이것이 ~이다 / 경영진이 정기적으로 업무 회의를 식사와 결합하는 이유 (관계부사(이유), (the reason)) / 로비스트들이 정치인들을 환영회, 점심 식사, 그리고 저녁 식사에 참석하도록 초대하는 이유 (병렬구조, V O OC(to부정사)) / 그리고 주요 국가 행사가 거의 항상 인상적인 연회를 포함하는 이유 (병렬구조)

해석 음식은 마음을 지배하는 본래의 약이다. 우리가 먹을 때마다, 우리는 우리가 생각하는 방식에 직접적으로 영향을 미치는 폭발적인 호르몬의 연쇄 반응을 유발하며, 우리의 뇌에 화학물질의 향연을 퍼붓는다. 수많은 연구들이 좋은 식사로 유발된 긍정적인 감정 상태가 우리의 수용성을 높여 설득되도록 한다는 것을 보여 주었다. 그것은 제공자에게 보답하려는 본능적인 욕구를 유발한다. 이것이 경영진이 정기적으로 업무 회의를 식사와 결합하는 이유이고, 로비스트들이 정치인들을 환영회, 점심 식사, 저녁 식사에 참석하도록 초대하는 이유이고, 주요 국가 행사가 거의 항상 인상적인 연회를 포함하는 이유이다.

해설 ② → which 또는 that / 선행사가 an explosive hormonal chain reaction이고 관계사절에서 주어 역할을 하므로 주격 관계대명사 which 또는 that이 알맞다.

2. 구문분석 및 직독직해

❶ Alexander Young Jackson / (everyone called him A. Y.) / was born to a poor family in Montreal / in 1882.
Alexander Young Jackson은 (모두가 그를 A. Y.로 불렀다) 수동태 Montreal의 가난한 가정에서 태어났다 1882년에

❷ His father abandoned them / when he was young, / and A. Y. had to go to work at age twelve / to help support his brothers and sisters.
그의 아버지가 그들을 저버렸다 그가 어렸을 때, A. Y.는 12살의 나이로 일을 하러 가야 했다 그의 형제자매를 부양하는 것을 거들기 위해
부사적 용법(목적) help (to) V: ~하는 것을 거들다

❸ Working in a print shop, / he became interested in art, / and he began to paint landscapes / in a fresh new style.
= As he worked
인쇄소에서 일하면서 그는 미술에 관심을 가지게 되었고 풍경을 그리기 시작했다 신선한 새 방식으로
분사구문(현재분사) 과거분사(보어 역할) begin+to부정사/동명사

❹ Traveling by train across northern Ontario, / A. Y. and several other artists painted everything [that they saw].
기차로 Ontario 북부를 가로질러 여행하면서 A. Y.와 몇몇 다른 화가들은 모든 것을 그렸다 그들이 보는
분사구문(현재분사) 목적격 관계대명사

❺ The "Group of Seven," (as they called themselves,) put the results of the tour together / to create an art show in Toronto in 1920.
'Group of Seven'은 그들이 스스로를 부르길 (삽입) 여행의 결과물을 한데 모아 1920년에 Toronto에서 미술 전시회를 열었다
부사적 용법(결과)

❻ That was the show [where their paintings were severely criticized / as "art gone mad]."
그것은 전시회였다 거기서 그들의 그림들이 혹독하게 비판을 받은 '미쳐버린 미술'로
관계부사 수동태

❼ But he kept painting, traveling, and exhibiting, / and by the time [when he died in 1974 at the age of eighty-two], / A. Y. Jackson was acknowledged / as a painting genius and a pioneer of modern landscape art.
그러나 그는 계속 그림을 그리고, 여행을 하고, 전시회를 열었다 그리고 그가 1974년에 82세의 나이로 사망할 무렵 A. Y. Jackson은 인정받았다 천재 화가이자 현대 풍경화의 개척자로서
keep+동명사 병렬구조 관계부사+완전한 절 수동태 ~로서

해석 Alexander Young Jackson(모두가 그를 A. Y.라고 불렀다)은 1882년에 Montreal의 가난한 가정에서 태어났다. 그가 어렸을 때 그의 아버지가 그들을 저버렸고, A. Y.는 그의 형제자매를 부양하는 것을 거들기 위해 12살의 나이로 일을 하러 가야 했다. 인쇄소에서 일하면서, 그는 미술에 관심을 가지게 되었고, 신선한 새 방식으로 풍경을 그리기 시작했다. 기차로 Ontario 북부를 가로질러 여행하면서, A. Y.와 몇몇 다른 화가들은 그들이 보는 모든 것을 그렸다. 그들이 스스로를 부르길, 'Group of Seven'은, 여행의 결과물을 한데 모아 1920년에 Toronto에서 미술 전시회를 열었다. 그것은 그들의 그림이 '미쳐버린 미술'로 혹독하게 비판을 받은 전시회였다. 그러나 그는 계속 그림을 그리고, 여행을 하고, 전시회를 열었고, 1974년에 82세의 나이로 사망할 무렵 A. Y. Jackson은 천재 화가이자 현대 풍경화의 개척자로서 인정받았다.

해설 (A) 선행사 everything이 있으므로 관계대명사 that이 알맞다.
(B) 관계사 뒤에 완전한 절이 오므로 관계부사 where가 알맞다.
(C) 관계사 뒤에 완전한 절이 오므로 관계부사 when이 알맞다.

3. 구문분석 및 직독직해

❶ Translating academic language into everyday language / can be an essential tool / for you as a writer / to clarify your ideas to yourself.
학문적인 언어를 일상 언어로 옮기는 것은 필수적인 도구가 될 수 있다 작가로서 당신에게 당신의 생각을 스스로에게 명확히 하는
동명사(주어) to부정사의 의미상 주어 형용사적 용법

❷ For, (as writing theorists often note,) writing is generally not a process [in which we start with a fully formed idea in our heads {that we then simply transcribe / in an unchanged state / onto the page}].
왜냐하면, 글쓰기 이론가들이 종종 말하듯이 글쓰기는 일반적으로 과정이 아니다 우리의 머릿속의 완전히 형성된 생각으로 시작하는 우리가 이후에 단순히 옮겨 쓰는 바뀌지 않은 상태로 페이지 위에
접속사(이유) (삽입) 단수 동사 동명사(주어) 전치사+which (= where) 선행사 목적격 관계대명사 과거분사

❸ On the contrary, / writing is more often a means of discovery [in which we use the writing process / to figure out what our idea is].
반대로 글쓰기는 더 흔히 발견의 수단이다 우리가 글쓰기 과정을 사용하는 알아내기 위해 우리의 생각이 무엇인지
전치사+which (= where) 부사적 용법(목적) 간접의문문(의문사+주어+동사)

❹ This is why writers are often surprised to find [that {what they end up with on the page} is quite different from {what they thought it would be} when they started].
(the reason) 접속사
이것이 글을 쓰는 사람들이 자주 발견하고는 놀라는 이유이다 그들이 페이지 위에 결국 쓰는 것이 ~와 꽤 다르다는 것을 그들이 생각했던 것 그들이 시작했을 때
관계부사 관계대명사(주어) = the thing which(that) 부사절(시간)

❺ [What we are trying to say here] is [that everyday language is often crucial for this discovery process].
우리가 여기서 말하고자 하는 것은 ~이다 일상 언어는 종종 이 발견 과정에 있어 매우 중요하다
관계대명사 명사절(보어)

❻ Translating your ideas into more common, simpler terms / can help you figure out [what your ideas really are], as opposed to [what you initially imagined {they were}].
당신의 생각을 더 흔하고 단순한 용어로 옮기는 것은 당신이 알아내는 것을 도울 수 있다 당신의 생각들이 진정 무엇인지 ~와 달리 당신이 처음에 그것들을 상상했던 것
동명사(주어) 준사역동사 O OC(원형부정사) 간접의문문 as opposed to: ~와 대조적으로 관계대명사

해석 학문적인 언어를 일상 언어로 옮기는 것은 작가로서 당신에게 당신의 생각을 스스로에게 명확히 하는 필수적인 도구가 될 수 있다. 왜냐하면, 글쓰기 이론가들이 종종 말하듯이, 글쓰기는 일반적으로 우리가 이후에 페이지 위에 바뀌지 않은 상태로 단순히 옮겨 쓰는, 우리의 머릿속에서 완전히 형성된 생각으로 시작하는 과정이 아니다. 반대로, 글쓰기는 더 흔히 우리가 우리의 생각이 무엇인지 알아내기 위해 글쓰기 과정을 사용하는 발견의 수단이다. 이것이 글을 쓰는 사람들이 그들이 페이지 위에 결국 쓰는 것이 그들이 시작했을 때 생각했던 것과 꽤 다르다는 것을 자주 발견하고는 놀라는 이유이다. 우리가 여기서 말하고자 하는 것은 일

상 언어는 종종 이 발견 과정에 있어 매우 중요하다는 것이다. 당신의 생각을 더 흔하고 단순한 용어로 옮기는 것은 당신이 처음에 그것들을 상상했던 것과 달리 당신의 생각들이 진정 무엇인지 알아내는 것을 도울 수 있다.

해설 ④ → what / 선행사가 없고 the thing(s) which(that)로 바꾸어 쓸 수 있으므로 관계대명사 what이 알맞다.

4. 구문분석 및 직독직해

❶ Identity theft can take many forms / in the digital world.
신원 도용은 많은 형태를 취할 수 있다 디지털 세계에서

❷ That's because / many of the traditional clues about identity
그것은 ~이기 때문이다 신원에 대한 전통적인 단서 중 많은 것들이

— / someone's physical appearance and presence — / are replaced /
누군가의 물리적인 출석이나 입회 같은 대체된다

by machine-based checking of "credentials".
기계에 기반한 '신용 증명물'의 확인으로

❸ Someone is able to acquire your credentials — / sign-on names,
누군가 당신의 신용 증명물을 획득할 수 있고 로그인 이름,
동사1

passwords, cards, tokens — / and in so doing / is able to
비밀번호, 카드, 대용 화폐와 같은 그리고 그렇게 해서
동사2

convince an electronic system [that they are you].
전자 시스템에 확신시킬 수 있다 그들이 당신이라고
convince+IO+DO(that절) 접속사 명사절

❹ This is an ingredient / in large numbers of cyber-related fraud, /
이것은 한 요소이다 많은 수의 사이버 관련 사기의

and cyber-related fraud is / by far / the most common form of
그리고 사이버 관련 사기는 단연코 가장 일반적인 형태의 범죄이다

crime [that hits individuals].
개인들을 공격하는
주격 관계대명사

❺ For example, / identity thieves can buy goods and services
예를 들어 신원 도용자들은 재화와 용역을 살 수 있다
동사1

[which you will never see but will pay for], intercept payments,
당신이 보지 않지만 그를 위해 지불하게 될 지불금을 가로챌 수 있다
목적격 관계대명사 동사2

and, / more drastically, / empty your bank account.
더 심하게는 당신의 은행 계좌를 비울 수 있다
동사3

해석 디지털 세계에서 신원 도용은 많은 형태를 취할 수 있다. 그것은 누군가의 물리적인 출석이나 입회 같은 신원에 대한 전통적인 단서 중 많은 것들이 기계에 기반한 '신용 증명물'의 확인으로 대체되기 때문이다. 누군가 당신의 로그인 이름, 비밀번호, 카드, 대용 화폐와 같은 신용 증명물을 획득할 수 있고, 그렇게 해서, 전자 시스템에 그들이 당신이라고 확신시킬 수 있다. 이것은 많은 수의 사이버 관련 사기의 한 요소이고, 사이버 관련 사기는 단연코 개인들을 공격하는 가장 일반적인 형태의 범죄이다. 예를 들어, 신원 도용자들은 당신이 보지 않지만 그를 위해 지불하게 될 재화와 용역을 살 수 있고, 지불금을 가로챌 수 있으며, 더 심하게는, 당신의 은행 계좌를 비울 수도 있다.

해설 (A) 주어가 many of the traditional clues로 복수이므로 are replaced가 알맞다.
(B) 선행사 the most common form of crime이 관계사절에서 주어 역할을 하므로 주격 관계대명사 that이 알맞다.
(C) 선행사 goods and services가 있으므로 관계대명사 which가 알맞다.

어법 REVIEW 4 | 서술형 내신 어법연습하기

pp. 72~75

1 01 why 또는 for which / 선행사가 이유를 나타내고 관계사 뒤에 완전한 절이 오므로 관계부사 why 또는 for which
02 have learned to create special effects that tickle our brains 03 3-D art, motion pictures, and visual illusions

2 01 where / 관계사 다음에 완전한 절이 오므로 관계부사 where 02 the values, beliefs, and attitudes that(which) would bind or separate them later in life 03 people who passed each other during the day

3 01 that / 앞에 선행사(an event)가 있으므로 관계대명사 that 02 a place where animals could roam free
03 침팬지와 코끼리를 포함한 다양한 학대받은 동물들을 보호하는

4 01 the average age to which
02 improvements in medical technology
03 affecting what can be spent on other things

1. 구문분석 및 직독직해

❶ There is a reason [why so many of us are attracted to
이유가 있다 우리 중 그렇게 많은 수가 끌리는
관계부사 (= for which)+완전한 절

recorded music / these days], especially considering [personal
녹음된 음악에 요즘 특히 고려할 때
과거분사 분사구문 that 생략

music players are common / and people are listening to music
개인용 음악 플레이어가 일반적이고 사람들이 음악을 듣고 있다는 것을

through headphones / a lot].
헤드폰을 통해 많이

❷ Recording engineers and musicians / have learned to create
녹음 기술자와 음악가는 특수 효과를 만들어 내는 것을 배웠다

special effects [that tickle our brains / by exploiting neural circuits
우리의 뇌를 즐겁게 하는 신경 회로를 이용함으로써
주격 관계대명사 전치사+동명사

{that evolved to discern / important features of our auditory
분간하도록 진화한 중요한 특징들을
주격 관계대명사

environment}].
우리의 청각 환경의

❸ These special effects are similar / in principle / to 3-D art,
이러한 특수 효과들은 비슷하다 원리상 3-D 아트,

motion pictures, or visual illusions, [none of which have been
영화, 또는 착시와 이 중 무엇도 주변에 있지 않았다
none of+관계대명사

around / long enough for our brains to have evolved / special
우리의 뇌가 발달시킬 만큼 충분히 오래
for+의미상 주어
형용사+enough+to부정사: …할만큼 충분히 ~한

mechanisms / to perceive them].
특수한 방법을 그것들을 인식하기 위한
형용사적 용법

❹ Rather, / 3-D art, motion pictures, and visual illusions / leverage
오히려 3-D 아트, 영화, 그리고 착시는

perceptual systems [that are in place to accomplish other things].
인식 체계를 이용한다 다른 것들을 해내기 위해 자리에 있는
주격 관계대명사

❺ Because they use these neural circuits / in novel ways, / we
그것들이 이러한 신경 회로를 사용하기 때문에 새로운 방식으로
부사절

find them especially interesting.
우리는 그것들이 특별히 흥미롭다는 것을 발견한다.
V O OC(현재분사)

❻ The same is true / of the way [that modern recordings are
똑같은 것이 적용된다 현대의 녹음된 음악이 만들어지는 방법에도
the way how(x) 관계부사+완전한 절

made].

해석 개인용 음악 플레이어가 일반적이고 사람들이 헤드폰을 통해 음악을 많이 듣고 있다는 것을 특히 고려할 때, 요즘 우리 중 그렇게 많은 수가 녹음된 음악에 끌리는 이유가 있다. 녹음 기술자와 음악가는 우리의 청각 환경의 중요한 특징들을 분간하도록 진화한 신경 회로를 이용함으로써 우리의 뇌를 즐겁게 하는 특수효과를 만들어 내는 것을 배웠다. 이러한 특수 효과들은 원리상 3-D 아트, 영화, 또는 착시와 비슷한데, 이 중 무엇도 우리의 뇌가 그것들을 인식하기 위한 특수한 방법을 발달시킬 만큼 충분히 주변에 오랫동안 있지 않았다. 오히려, 3-D 아트, 영화, 그리고 착시는 다른 것들을 해내기 위해 있는 인식 체계를 이용한다. 그것들이 새로운 방식으로 이러한 신경 회로를 사용하기 때문에, 우리는 그것들이 특별히 흥미롭다는 것을 발견한다. 현대의 녹음된 음악이 만들어지는 방법에도 똑같은 것이 적용된다.

해설 01 관계부사 뒤에는 완전한 절이 오고, 관계부사는 「전치사+관계대명사」로 바꿀 수 있다.
02 관계대명사 that절이 선행사 special effects를 수식한다.
03 앞 문장에서 언급한 3-D 아트, 영화, 착시를 가리킨다.

2. 구문분석 및 직독직해

❶ Psychologists Leon Festinger, Stanley Schachter, / and
심리학자 Leon Festinger, Stanley Schachter 그리고

sociologist Kurt Back / began to wonder [how friendships form].
사회학자 Kurt Back은 궁금해하기 시작했다 어떻게 우정이 형성되는지
간접의문문(의문사+주어+동사)

❷ Why do some strangers build lasting friendships, / while
왜 몇몇 낯선 사람들은 지속적인 우정을 쌓는가 다른 이들이
현재분사 부사절(대조)

others struggle / to get past basic platitudes?
어려움을 겪는 반면 기본적인 상투적인 말을 넘어서는 데

❸ Some experts explained [that friendship formation could be
몇몇 전문가들은 설명했다 우정 형성이 유아기로 거슬러 올라갈 수 있다고
접속사 명사절

traced to infancy, [where children acquired / the values, beliefs,
그곳에서 아이들은 습득했다 가치, 신념, 그리고 태도를
관계부사(계속적 용법)+완전한 절

= children
and attitudes {that would bind or separate them / later in life}].
그들을 묶거나 분리시킬 수 있는 훗날의 삶에서
주격 관계대명사

❹ But Festinger, Schachter, and Back pursued / a different
그러나 Festinger, Schachter, 그리고 Back은 추구하였다 다른 이론을

theory.

❺ The researchers believed [that physical space was the key / to
그 연구자들은 믿었다 물리적인 공간이 핵심이라고
명사절1

(believed)
friendship formation] [that "friendships are likely to develop / on
우정 형성의 우정은 발달하는 것 같다
명사절2 ~하는 것 같다

the basis of brief and passive contacts {made going to and
짧고 수동적인 접촉에 근거하여
과거분사구

from home or walking about the neighborhood.}]"
집을 오가거나 동네 주변을 걸으며 이루어지는
병렬구조(going to ~, walking about ~)

❻ In their view, / it wasn't so much that people / with similar
그들의 관점에서 유사한 태도를 지닌 사람들이 친구가 되기보다는
not so much A but rather B: A라기 보다는 오히려 B다'

attitudes / became friends, / but rather that people [who passed
하루 동안 서로를 지나치는 사람들이
주격 관계대명사

each other during the day] tended to become friends / and so
친구가 되는 경향이 있고
동사1

came to adopt similar attitudes over time.
그래서 시간이 가면서 비슷한 태도를 받아들이게 되었다
동사2

해석 심리학자 Leon Festinger, Stanley Schachter, 그리고 사회학자 Kurt Back은 어떻게 우정이 형성되는지 궁금해하기 시작했다. 왜 다른 이들은 기본적인 상투적인 말을 넘어서는 데 어려움을 겪는 반면 몇몇 낯선 사람들은 지속적인 우정을 쌓는가? 몇몇 전문가들은 우정 형성이 유아기로 거슬러 올라갈 수 있다고 설명했는데, 그곳에서 아이들은 훗날의 삶에서 그들을 묶거나 분리시킬 수 있는 가치, 신념, 그리고 태도를 습득했다. 그러나 Festinger, Schachter, 그리고 Back은 다른 이론을 추구하였다. 그 연구자들은 물리적 공간이 우정 형성의 핵심이라고, 즉, '우정은 집을 오가거나 동네 주변을 걸으며 이루어지는 짧고 수동적인 접촉에 근거하여 발달하는 것 같다.'고 믿었다. 그들의 관점에서, 유사한 태도를 지닌 사람들이 친구가 되기보다는, 하루 동안 서로를 지나치는 사람들이 친구가 되는 경향이 있고 그래서 시간이 가면서 비슷한 태도를 받아들이게 된 것이었다.

해설 01 관계부사 다음에는 완전한 절이 온다.
02 선행사 the values, beliefs, and attitudes가 있으므로 관계대명사 what 대신 관계대명사 that 또는 which가 알맞다.
03 주격 관계대명사 who가 이끄는 절이 선행사 people을 수식한다.

3. 구문분석 및 직독직해

❶ Born in 1917, Cleveland Amory / was an author, an animal
1917년에 태어난 Cleveland Amory는 작가이고, 동물 옹호자이며,
분사구문(과거분사)

advocate, and an animal rescuer.
동물 구조자였다

❷ During his childhood, / he had a great affection / for his
어린 시절 동안 그는 커다란 애정을 가지고 있었다 그의 숙모

= and she
aunt Lucy, [who was instrumental / in helping Amory get his
Lucy에 대한 그녀는 중요했다 Amory가 그의 첫 번째 강아지를 갖도록
주격 관계대명사 계속적 용법 준사역동사 O OC

first puppy / as a child], an event [that Amory remembered /
돕는 데 아이로서 사건이었다 Amory가 기억하는
(which was) 목적격 관계대명사

seventy years later / as the most memorable moment of his
70년 후 어린 시절의 가장 기억에 남는 순간으로

childhood].

❸ He graduated from Harvard College in 1939 / and later
그는 1939년에 Harvard College를 졸업했고 후에
graduate가 '졸업하다' 뜻의 자동사로 쓰이면 전치사 from 필요

became the youngest editor / ever hired by *The Saturday Evening*
최연소 편집자가 되었다 *The Saturday Evening Post*에 고용된
과거분사구

Post.

❹ Amory wrote three instant bestselling books, / including *The*
Amory는 세 권의 즉시 베스트셀러가 된 책을 썼다
전치사

Best Cat Ever, / based on his love of animals.
*The Best Cat Ever*를 포함한 동물에 관한 그의 애정에 기반하여

❺ He founded The Fund for Animals in 1967, / and he served
그는 1967년에 The Fund for Animals를 설립했고

as its president, / without pay, / until his death in 1998.
회장으로 일했다 보수 없이 1998년에 사망할 때까지

❻ He always dreamed of / a place [where animals could roam
그는 항상 꿈꿨다 장소를 동물들이 자유롭게 돌아다니고
관계부사

free / and live in caring conditions].
보살피는 환경에서 살 수 있는
현재분사

❼ Inspired by Anna Sewell's novel *Black Beauty*, Amory
Anna Sewell의 소설 *Black Beauty*에 영감을 받아서 Amory는
분사구문(과거분사)

established Black Beauty Ranch, / a 1,460-acre area [that shelters
Black Beauty Ranch를 만들었다 1,460에이커의 장소이다
주격 관계대명사

various abused animals / including chimpanzees and elephants].
다양한 학대받은 동물들을 보호하는 침팬지와 코끼리를 포함한
과거분사 전 ~을 포함하여

❽ Today, / a stone monument to Amory / stands at Black Beauty
오늘날 Amory의 석조 기념비가 Black Beauty Ranch에 세워져 있다

Ranch.

해석 1917년에 태어난 Cleveland Amory는 작가이고, 동물 옹호자이며, 동물 구조자였다. 어린 시절 동안, 그는 그의 숙모 Lucy에 대한 커다란 애정을 가지고 있었는데, 그녀는 Amory가 아이로서 그의 첫 번째 강아지를 갖도록 돕는 데 중요했고, 이는 70년 후 Amory가 어린 시절의 가장 기억에 남는 순간으로 기억하는 사건이었다. 그는 1939년에 Harvard College를 졸업했고 후에 *The Saturday Evening Post*에 고용된 최연소 편집자가 되었다. Amory는 동물에 관한 그의 애정에 기반하여 *The Best Cat Ever*를 포함한 세 권의 즉시 베스트셀러가 된 책을 썼다. 그는 1967년에 The Fund for Animals를 설립했고, 1998년에 사망할 때까지 보수 없이 회장으로 일했다. 그는 항상 동물들이 자유롭게 돌아다니고 보살피는 환경에서 살 수 있는 곳을 꿈꿨다. Anna Sewell의 소설 *Black Beauty*에 영감을 받아서, Amory는 Black Beauty Ranch를 만들었는데, 이는 침팬지와 코끼리를 포함한 다양한 학대받은 동물들을 보호하는 1,460에이커의 장소이다. 오늘날, Amory의 석조 기념비가 Black Beauty Ranch에 세워져 있다.

해설 01 관계대명사 what은 선행사를 포함하므로 앞에 선행사가 없다.
02 관계부사 where가 이끄는 절이 선행사 a place를 수식한다.
03 선행사 Black Beauty Ranch를 수식하는 관계대명사절이다.

4. 구문분석 및 직독직해

❶ The practice of medicine has meant [⟨the average age to
의료 행위는 ~의 결과를 가져왔다 평균 연령이
명사절 접속사 that 생략

which people in all nations may expect to live⟩ is higher than / it
모든 국가에서 사람들이 살 것이라고 기대하는 높다는 것을
전치사+관계대명사+완전한 절 긴 주어 ⟨ ⟩ 비교급

has been in recorded history, / and there is a better opportunity
기록된 역사에서 그랬던 것 그리고 더 나은 기회가 있다
과거분사 비교급

than ever / for an individual to survive serious disorders / such
어느 때보다 한 개인이 심각한 장애에서 살아남을
for+의미상 주어+to부정사(opportunity 수식)

as cancers, brain tumors and heart diseases].
암, 뇌종양, 심장병 같은

❷ However, / longer life spans mean / more people, / worsening
그러나 더 길어진 수명은 의미한다 더 많은 사람 악화되는

food and housing supply difficulties.
식량과 주택 공급의 어려움을

❸ In addition, / medical services are still not well distributed, /
게다가 의료 서비스는 여전히 잘 분배되지 않고
수동태

and accessibility remains a problem / in many parts of the world.
접근성은 문제로 남아 있다 세계의 여러 지역에서

❹ Improvements in medical technology / shift the balance of
의학 기술의 향상은 인구 집단의 균형을 변화시킨다

population / (to the young at first, / and then to the old).
초기에는 아이들 쪽으로, 그리고 다음에는 노인들 쪽으로

❺ They also tie up money and resources / in facilities and
그것들은 또한 돈과 자원을 묶는다 시설들과 숙련된
= 의학 기술의 향상들
관계대명사

trained people, / costing more money, / and affecting [what can
사람들에 더 많은 비용이 들게 하며 그리고 다른 것들에 쓰일 수
병렬구조(분사구문)

be spent on other things].
있는 것에 영향을 미치며

해석 의료 행위는 모든 국가에서 사람들이 살 것이라고 기대하는 평균 연령이 기록된 역사에서 그랬던 것보다 높아지고, 한 개인이 암, 뇌종양, 심장병 같은 심각한 장애에서 살아남을 가능성이 그 어느 때보다 더 높아지는 결과를 가져왔다. 그러나, 더 길어진 수명은 더 많은 사람, 악화되는 식량과 주택 공급의 어려움을 가져온다. 게다가, 의료 서비스는 여전히 잘 분배되지 않고, 접근성은 세계의 여러 지역에서 문제로 남아 있다. 의학 기술의 향상은 인구 집단의 균형을 변화시킨다(초기에는 아이들 쪽으로, 그리고 다음에는 노인들 쪽으로). 그것들은 또한 더 많은 비용이 들게 하고, 다른 것들에 쓰일 수 있는 것에 영향을 미치며, 시설과 숙련된 사람들에 쓰도록 돈과 자원을 묶는다.

해설 01 선행사는 the average age이고 이를 관계사절로 넘기면 people in all nations may expect to live to the average age가 되므로 「전치사 + 관계대명사」 형태인 to which로 바꿔 쓴다.
02 they 뒤의 also로 보아 앞 문장의 주어 improvements in medical technology를 가리킨다.
03 현재분사 affecting을 사용한 분사구문이며, '~한 것'의 의미로 선행사가 없는 관계대명사 what절이 쓰였다.

Unit 08 접속사

문법 확인 p. 76

등위접속사 ❶ 병렬구조 ❷ but
상관접속사 ❸ 짝 ❹ nor ❺ not only, but (also)
종속접속사 ❻ 종속절 ❼ 목적어 ❽ that ❾ 이유 ❿ if
개념 마무리 OX (1) ○ (2) × (3) ×

실전어법 개념확인 p. 77

Point ❶ 주어, 동사, 전치사 / 1 during 2 since
Point ❷ 완전한, 선행사, 없고, 불완전한 / 3 that 4 that 5 What
Point ❸ 등위접속사, 상관접속사, 같은 / 6 looked 7 significant
Point ❹ that, 명사절, 동격, 부사절, 주절 / 8 Whether 9 that 10 If

어법 REVIEW 1 문장 어법연습하기 p. 78

A
1 Because ▸ 뒤에 「주어+동사」의 절이 오므로 접속사 because
2 that ▸ 뒤에 완전한 형태의 절이 오므로 목적어 역할의 명사절을 이끄는 접속사 that
3 that ▸ 문맥상 결과를 나타내는 접속사 'so ~ that ...'
4 to push ▸ 등위접속사 and의 병렬구조로 앞의 to build와 같은 형태인 to push
B
5 that ▸ 뒤에 완전한 형태의 절이 오므로 목적어 역할의 명사절을 이끄는 접속사 that
6 despite 또는 in spite of ▸ 뒤에 명사 his illness가 오므로 전치사 despite 또는 in spite of
7 if 또는 whether ▸ 문맥상 '~인지 아닌지'라는 뜻의 명사절을 이끄는 접속사 if 또는 whether

A
e.g. 분명 마라톤 중에 술을 마시는 것과 같은 이러한 관행 중 일부는 더 이상 추천되지 않는다.

1 토론이 많은 준비를 요구하고 또한 (준비를) 하도록 허용하기 때문에 개인은 그들의 자료에 대한 확신과 그들이 옹호하는 주장에 대한 열정을 가지게 된다.

2 그 연구자들은 물리적 공간이 우정 형성의 핵심이라고 믿었다.

3 그러나 더 최근의 연구는 그 잎들이 단순히 영양분이 너무나도 적기 때문에 코알라가 거의 에너지가 없는 것임을 보여 주었다.

4 그 프로젝트는 장애에 관한 대화를 이어 나가고 더 나은 접근성과 포함을 요청하는 것을 목표로 하고 있다.

B
e.g. 토론은 표현 방식보다는 내용에 초점을 두게 하기 때문에 관심은 사람이 아니라 논거에 맞추어진다.

5 여러분이 먹을 수 있는 곤충이 특정한 종류의 바위 아래에서 발견될 수 있다는 것을 알 때, 그것은 '모든' 바위를 뒤집어야 하는 일을 덜어 준다.

6 그는 병이 있음에도 불구하고 같은 해에 Chicago에서 마지막 콘서트를 열었다.

7 직원이 고기를 주문했을 때, 그 식당 직원은 gravy(육즙 소스)가 조금 필요한지 아닌지 물어봐야 했다.

어법 REVIEW 2 짧은 지문 어법연습하기 p. 79

A 1 (A) While (B) because of 2 (A) despite (B) in emerging economies
B 3 ⑤

A
1 거의 모든 데님이 파란색이기 때문에 바지를 '파란 청바지'라고 부르는 것은 거의 표현이 중복된 것처럼 보인다. 청바지가 아마도 당신의 옷장 속에 있는 가장 활용도가 높은 바지이지만, 사실 파란색이 특별히 무난한 색은 아니다. 왜 파란색이 (청바지에) 가장 흔하게 사용되는 색상인지 궁금해해 본 적이 있는가? 파란색은 청색 염료의 화학적 특성 때문에 데님의 색깔로 선택되었다.
▸ (A) 뒤에 「주어 + 동사」 형태의 절이 오므로 접속사 while이 적절하다.
(B) 뒤에 명사구가 오므로 전치사구 because of가 적절하다.

2 물론, 여전히 돈과 권력을 성공과 동일시하는 수백만의 사람들, 즉 자신의 웰빙, 관계, 그리고 행복의 관점에서 대가를 치르고도 쳇바퀴에서 결코 내려오려 하지 않는 사람들이 있다. 하지만 서구와 신흥 경제 국가 모두에서 이러한 것들은 모두 막다른 길이라는 것을 인식하는 사람들이 매일 늘어나고 있다.
▸ (A) 뒤에 명사구가 오므로 전치사 despite가 적절하다.
(B) 상관접속사 both A and B는 병렬구조를 이루므로 앞의 in the West와 같은 형태인 in emerging economies가 적절하다.

B
3 뇌 가소성이라는 특성이 발달 과정 동안 가장 뚜렷함에도 불구하고, 뇌는 평생에 걸쳐 변화할 수 있는 상태로 남아 있다. 우리가 성인이 된 훨씬 이후에도 정보를 학습하고 기억할 수 있다는 것은 분명하다. 예를 들면, 고급 포도주나 Pavarotti에 노출되는 것은, 늦은 성인기에 접하더라도 한 사람의 와인과 음악에 대한 이후의 이해를 변화시킨다. 성인의 뇌는 다른 방식으로도 가소성이 있다. 예를 들면, 일반적인 노화의 특징들 중 하나는 신경세포들이 죽고 대체되지 않

는다는 것이다.

▶ ⑤ → that / 뒤에 「주어 + 동사」의 완전한 형태의 절이 오므로 보어 역할을 하는 명사절을 이끄는 접속사 that으로 고쳐야 한다.

어법 REVIEW 3 기출 유형 어법연습하기

pp. 80~81

1② 2⑤ 3③ 4③

1. 구문분석 및 직독직해

❶ 〈Testing strategies / relating to direct assessment / of content knowledge〉 still have / their value / in an inquiry-driven classroom.
테스트 전략은 (핵심 주어) / 직접 평가와 관련된 (현재분사구) / 내용 지식에 대한 / 여전히 지닌다 (동사) / 그 가치를 / 탐구 주도형 교실에서
〈 〉 주어

❷ Let's pretend / for a moment [that we wanted to ignore content / and only (to) assess a student's skill / with investigations].
가정해 보자 / 잠시 / 우리가 내용을 무시하기를 원한다고 (명사절 접속사(목적어 역할), to부정사1) / 그리고 학생의 기술만을 평가하기를 (병렬구조, to부정사2) / 관찰을 통해

❸ The problem is [that the skills and the content are interconnected].
문제는 ~이다 / 기술과 내용이 서로 연결되어 있다는 것 (명사절 접속사(보어 역할))

❹ When a student fails at pattern analysis, / it could be because they do not understand / how to do the pattern analysis properly.
학생이 패턴 분석에 실패하면 (시간의 접속사(부사절)) / 그것은 학생이 이해하지 못하기 때문일 수 있다 (접속사) / 패턴 분석을 올바르게 수행하는 방법을 (의문사+to부정사: ~하는 방법)

❺ However, / it also could be [that they did not understand / the content {that they were trying to build patterns with}].
그러나 (대조·역접의 접속부사) / 또한 그들이 이해하지 못한 것일 수도 있다 (명사절 접속사(보어 역할)) / 내용을 / 패턴을 만들려고 하는 (목적격 관계대명사)

❻ Sometimes students will understand / the processes of inquiry well, / and be capable of skillfully applying / social studies disciplinary strategies, / yet fail to do so / because they misinterpret / the content.
때때로, 학생들은 이해할 것이다 / 탐구 과정을 잘 / 능숙하게 적용할 수 있다 (등위접속사 병렬구조, be capable of+(동)명사: ~을 할 수 있다) / 사회 교과의 전략을 / 하지만 그렇게 하지 못할 것이다 (등위접속사 fail+to부정사: ~하지 못하다) / 그들이 잘못 해석하기 때문에 (이유의 접속사(부사절)) / 내용을

❼ For these reasons, / we need a measure / of a student's content understanding.
이러한 이유로 (전치사+명사(구)) / 우리는 측정이 필요하다 / 학생의 내용 이해에 대한

❽ To do this right, / we need to make sure / (that) your assessment is getting us accurate measure/ of [whether our students understand the content {(that) they use in an inquiry}].
이것을 올바르게 하기 위해서 (to부정사의 부사적 용법 (목적)) / 우리는 확실하게 할 필요가 있다 / 우리의 평가가 정확한 측정을 하게 하는지 / 학생들이 내용을 이해하는지 여부에 대한 (명사절 접속사(~인지 아닌지)) / 그들이 탐구에서 사용하는 (관계대명사절)

해석 내용 지식에 대한 직접 평가와 관련된 테스트 전략은 여전히 탐구 주도형 교실에서 그 가치를 지닌다. 우리가 내용을 무시하고 관찰을 통해 학생의 기술만을 평가하기를 원한다고 잠시 가정해 보자. 문제는 기술과 내용이 서로 연결되어 있다는 것이다. 학생이 패턴 분석에 실패하면, 그것은 학생이 패턴 분석을 올바르게 수행하는 방법을 이해하지 못하기 때문일 수 있다. 그러나 또한 패턴을 만들려고 하는 내용을 이해하지 못한 것일 수도 있다. 때때로, 학생들은 탐구 과정을 잘 이해하고 사회 교과의 전략을 능숙하게 적용할 수 있지만, 내용을 잘못 해석하기 때문에 그렇게 하지 못할 것이다. 이러한 이유로, 우리는 학생의 내용 이해에 대한 측정이 필요하다. 이것을 올바르게 하기 위해서 우리의 평가가 학생들이 탐구에서 사용하는 내용을 이해하는지 여부에 대한 정확한 측정을 하게 하는지 확실하게 할 필요가 있다.

해설 ② → that / 뒤에 「주어 + 동사 + 보어」의 완전한 형태의 절이 오므로 보어 역할을 하는 명사절을 이끄는 접속사 that으로 고쳐야 한다.

2. 구문분석 및 직독직해

❶ You know [that forks don't fly off to the Moon] and [that neither apples nor anything else on Earth / cause the Sun to crash down on us].
여러분은 알고 있다 / 포크가 달로 날아가지 않는다는 것을 (명사절 접속사1(목적어 역할)) / 등위접속사(병렬구조), 명사절 접속사2(목적어 역할) / 사과나 지구상의 그 어떤 것도 (neither A nor B(상관접속사) : A도 B도 아닌) / 태양이 (cause+목적어+to부정사: ~이 …하도록 하다) / 우리에게 추락하도록 하지 않는다는 것을

❷ The reason [(why) these things don't happen] is [that the strength of gravity's pull / depends on two thing].
이유는 / 이런 일들이 일어나지 않는 ((why) 관계부사 생략) / ~이다 / 중력의 당기는 힘의 강도가 (명사절 접속사(보어 역할)) / 두 가지에 따라 달라지기 때문이다

❸ The first is / the mass of the object.
첫째는 / 물체의 질량이다

❹ The apple is very small, / and doesn't have much mass, / so its pull on the Sun / is absolutely tiny, / certainly much smaller / than the pull of all the planets.
사과는 매우 작다 / 그리고 큰 질량을 가지고 있지 않다 / 그래서 그것이 태양에 작용하는 인력은 (접속사(그래서)) / 절대적으로 작은데 / 확실히 훨씬 더 작다 (much+비교급 (강조)) / 모든 행성의 인력보다

❺ The Earth has more mass / than tables, trees, or apples, / so almost everything / in the world / is pulled towards the Earth.
지구는 더 큰 질량을 가지고 있다 (비교급) / 탁자, 나무, 또는 사과보다 / 그래서 거의 모든 것이 (접속사(그래서)) / 지구상의 / 지구를 향해 당겨진다

❻ (the reason) That's [why apples fall from trees].
그것이 / 사과가 나무에서 떨어지는 이유이다

❼ Now, / you might know [that the Sun is much bigger / than Earth / and has much more mass].
이제 여러분은 알고 있을 것이다 / 태양이 훨씬 더 크다는 것을 (명사절 접속사(목적어 역할), 비교급 강조, 비교급) / 지구보다 / 그리고 훨씬 더 큰 질량을 가지고 있다는 것을 (등위접속사(병렬구조))

❽ So why don't apples fly off / towards the Sun?
그렇다면 왜 사과는 날아가지 않을까 / 태양을 향해

❾ The reason is [that the pull of gravity also depends / on the distance to the object / doing the pulling].
이유는 ~이다 / 중력의 당기는 힘은 또한 달라진다 (명사절 접속사(보어 역할)) / 물체와의 거리에 따라 / 잡아당기는 (현재분사구)

⑩ Although the Sun has much more mass / than the Earth, /
훨씬 더 큰 질량을 태양이 가지고 있지만 지구보다
양보의 접속사(부사절) 비교급 강조

we are much closer to the Earth, / so we feel / its gravity more.
우리가 지구에 훨씬 더 가깝다 그래서 우리는 느낀다 지구의 중력을 더 많이
비교급 강조 등위접속사(그래서)

해석 여러분은 포크가 달로 날아가지 않으며 사과나 지구상의 그 어떤 것도 태양이 우리에게 추락하도록 하지 않는다는 것을 알고 있다. 이런 일들이 일어나지 않는 이유는 중력의 당기는 힘의 강도가 두 가지에 따라 달라지기 때문이다. 첫째는 물체의 질량이다. 사과는 매우 작고 큰 질량을 가지고 있지 않아서, 그것이 태양에 작용하는 인력은 절대적으로 작은데, 확실히 모든 행성의 인력보다 훨씬 더 작다. 지구는 탁자, 나무, 또는 사과보다 더 큰 질량을 가지고 있어서, 지구상의 거의 모든 것이 지구를 향해 당겨진다. 그것이 나무에서 사과가 떨어지는 이유다. 이제 여러분은 태양이 지구보다 훨씬 더 크기가 크고 훨씬 더 큰 질량을 가지고 있다는 것을 알고 있을 것이다. 그렇다면 왜 사과는 태양을 향해 날아가지 않을까? 이유는 중력의 당기는 힘이 잡아당기는 물체와의 거리에 따라 또한 달라지기 때문이다. 태양이 지구보다 훨씬 더 큰 질량을 가지고 있지만, 우리가 지구에 훨씬 더 가까워서 지구의 중력을 더 많이 느낀다.

해설 (A) 문맥상 'the reason is that ~'의 형태로 that절이 이유를 설명하므로 that이 적절하다.
(B) 뒤에 「주어 + 동사 + 보어」의 완전한 형태의 절이 오므로 명사절을 이끄는 접속사 that이 적절하다.
(C) 뒤에 「주어 + 동사」 형태의 절이 오므로 부사절을 이끄는 양보의 접속사 although가 적절하다.

3. 구문분석 및 직독직해

❶ Charisma is eminently learnable and teachable, / and
카리스마는 분명하게 배울수 있고 가르칠 수 있으며 그리고
부사 ↗ 등위접속사 등위접속사

in many ways, / it follows / one of Newton's famed
여러 면에서 그것은 따른다 뉴턴의 유명한 운동 법칙 중 하나를
과거분사 ↗

laws of motion: *For every action, / there is an equal and opposite*
모든 작용에 대하여 같은 크기이면서 반대 방향인 반작용이

reaction.
존재한다

❷ That is to say [that all of charisma and human interaction / is
즉 ~을 의미한다 모든 카리스마와 인간 상호 작용은
명사절 접속사(목적어 역할)

a set of signals and cues {that lead to other signals and cues},
일련의 신호와 단서들이라는 것 다른 신호와 단서들로 이어지는
주격 관계대명사

and there is a science to deciphering {which signals and cues
그리고 판독하는 과학이 있다는 것을 어떤 신호와 단서들이
등위접속사 간접의문문(의문사+주어+동사)

work / the most in your favor}].
작용하는지 자신에게 가장 유리하게

❸ In other words, / charisma can often be simplified / as a
다시 말하면 카리스마는 종종 단순화될 수 있다 체크리스트로

checklist / of what to do / at what time.
무엇을 해야 하는지의 어떤 때에

❹ However, / it will require / brief forays / out of your comfort
그러나 그것은 필요로 할 것이다 일시적 시도를 편안한 상태에서 벗어나려는
대조 · 역접의 접속부사

zone.

❺ Even though there may be / a logically easy set of procedures /
비록 존재할 수 있지만 논리적으로는 수월한 일련의 절차들
양보의 접속사(부사절)

가주어

to follow, / it's still an emotional battle / to change your habits
지켜야 할 여전히 감정적인 분투이다 습관을 바꾸는 것은
to부정사의 형용사적 용법 진주어1

(to) 진주어2

and introduce new, uncomfortable behaviors [that you are not
새롭고, 불편한 행동들을 시작하는 것은 익숙하지 않은
등위접속사(병렬구조) 목적격 관계대명사(= which)

used to].

❻ I like to say [that it's just a matter of using muscles {that
나는 말하는 것을 좋아한다 그것이 단지 사용하는 근육들의 문제라고
명사절 접속사(목적어 역할) 주격 관계대명사

have long been dormant}].
오랫동안 활동을 중단한

❼ It will take some time / to warm them up, / but it's only
시간이 좀 필요할 것이다 그것들을 준비시키는 데 하지만 오직
it(가주어)+takes+시간+to부정사(진주어): ~하는 데 시간이 걸리다

through practice and action [that you will achieve your desired
연습과 행동을 통해서이다 원하는 목표를 성취하게 되는 것은
it ~ that 강조구문 과거분사 ↗

goal].

해석 카리스마는 분명하게 배울 수 있고 가르칠 수 있으며, 그리고 여러 면에서 '모든 작용에 대하여 같은 크기이면서 반대 방향인 반작용이 존재한다.'는 뉴턴의 유명한 운동 법칙 중 하나를 따른다. 즉, 모든 카리스마와 인간 상호 작용은 다른 신호와 단서들로 이어지는 일련의 신호와 단서들이며, 그리고 어떤 신호와 단서들이 자신에게 가장 유리하게 작용하는지를 판독하는 과학이 있다는 것을 의미한다. 다시 말하면, 카리스마는 종종 어떤 때에 무엇을 해야 하는지의 체크리스트로 단순화될 수 있다. 그러나 그것은 편안한 상태에서 벗어나려는 일시적 시도가 필요할 것이다. 비록 지켜야 할, 논리적으로는 수월한 일련의 절차들이 존재할 수 있지만, 습관을 바꾸고 익숙하지 않은 새롭고 불편한 행동들을 시작하는 것은 여전히 감정적인 분투이다. 나는 그것이 단지 오랫동안 활동을 중단한 근육들을 사용하는 문제라고 말하는 것을 좋아한다. 그것들을 준비시키는 데 시간이 좀 필요하겠지만, 원하는 목표를 성취하게 되는 것은 오직 연습과 행동을 통해서이다.

해설 ③ → (to) introduce / 등위접속사 and는 병렬구조를 이루므로 앞의 to change와 같은 형태인 (to) introduce로 고쳐야 한다.

4. 구문분석 및 직독직해

❶ The original idea of a patent, (remember,) was not to
원래 특허권의 의도는 기억하라 동사
주어 삽입 not A but B: A가 아니라 B

reward inventors / with monopoly profits, / but to encourage
발명가에게 보상하는 것이 아니라 독점 이익을 그들이 공유하도록
to부정사의 명사적 용법(보어 역할) to부정사의 명사적 용법(보어 역할)
└ 상관접속사 병렬구조

them to share / their inventions.
장려하는 것임을 발명품을
encourage+목적어+to부정사(5형식)

❷ A certain amount of intellectual property law is / plainly
어느 정도의 지적재산권법은 분명히
주어

necessary / to achieve this.
필요하다 이 목적을 이루기 위해
to부정사의 부사적 용법(목적)

❸ But it has gone too far.
하지만 그것은 도를 넘어섰다

❹ Most patents are now / as much / about defending monopoly
대부분의 특허권은 이제 독점을 보호하고
as much A as B: B만큼 많이 A인(원급 비교)

and discouraging rivals as / about sharing ideas.
경쟁자들을 단념시키고 있다 아이디어를 공유하는 것만큼
등위접속사 병렬구조 비교급의 병렬구조

❺ And that disrupts innovation.
그리고 그것은 혁신을 막는다

⑥ Many firms use patents / as barriers to entry, [suing upstart
많은 회사들은 특허권을 사용한다 진입 장벽으로 ~로서 신흥 혁신가들을 분사구문

innovators {who trespass on their intellectual property} even on
고소하며 지적재산을 침해하는 주격 관계대명사

the way to some other goal].
다른 목표를 향해가는 도중에도

⑦ In the years before World War I, / aircraft makers tied each
제1차 세계 대전 이전에는 항공기 제조사들이 서로를 묶어 놓았다

other up / in patent lawsuits / and slowed down innovation / until
특허권 소송에 그리고 혁신을 늦추었다 등위접속사(병렬구조) 시간의 접속사(부사절)

the US government stepped in.
미국 정부가 개입할 때까지

⑧ Much the same has happened / with smartphones and
동일한 상황이 생기고 있다 현재완료 스마트폰과 생명공학에서도

biotechnology / today.
오늘날

⑨ New entrants have to fight their way / through "patent
새로운 업체들은 헤쳐 나가야 한다 '특허 덤불'을

thickets" / if they are to build on existing technologies / to make
기존 기술을 바탕으로 조건의 접속사 to부정사의 be to 용법(의도)1 be to 용법(의도)2

new ones.
새로운 기술을 만들려고 한다면

해석 특허권의 원래 목적은 발명가에게 독점 이익을 보상하는 것이 아니라 그들이 발명품을 공유하도록 장려하는 것임을 기억하라. 어느 정도의 지적재산권법은 이 목적을 이루기 위해 분명히 필요하다. 하지만 그것은 도를 넘어섰다. 대부분의 특허권은 이제 아이디어를 공유하는 것만큼 독점을 보호하고 경쟁자들을 단념시키고 있다. 그리고 그것은 혁신을 막는다. 많은 회사들은 특허권을 진입 장벽으로 사용하여, 다른 목표를 향해 가는 도중에도 지적재산을 침해하는 신흥 혁신가들을 고소한다. 제1차 세계 대전 이전에는 항공기 제조사들이 특허권 소송에 서로를 묶어 놓아 미국 정부가 개입할 때까지 혁신을 늦추었다. 오늘날 스마트폰과 생명공학에서도 동일한 상황이 생기고 있다. 기존 기술을 바탕으로 새로운 기술을 만들려고 한다면 새로운 업체들은 '특허 덤불'을 헤쳐 나가야 한다.

해설 (A) 등위접속사 and는 병렬구조를 이루므로 앞의 defending과 같은 형태인 동명사 discouraging이 적절하다.
(B) 문맥상 '~할 때까지'라는 뜻의 부사절을 이끄는 시간의 접속사 until이 적절하다.
(C) 문맥상 '만약 ~라면'이라는 뜻으로, 부정의 의미가 없는 if가 적절하다.

어법 REVIEW 4 | 서술형 내신 어법연습하기

pp. 82~85

1 01 because / 뒤에 「주어 + 동사」 형태의 완전한 절이 오므로 because 등 이유를 나타내는 접속사로 고쳐야 한다.
02 that / 뒤에 show의 목적어가 필요하고, 「주어 + 동사」 형태의 완전한 절이 왔으므로 명사절을 이끄는 접속사 that이 적절하다. 03 When one of the pizzas was reduced in price

2 01 For / 뒤에 명사구인 several years가 오므로 전치사 for가 적절하다. 02 human beings are driven by base motivations 03 believed that humans were motivated primarily by selfish drives

3 01 When you enter a store, what do you see?
02 if / '만일 ~라면'이라는 뜻의 조건의 부사절을 이끄는 종속 접속사 if가 적절하다. 03 because of → because

4 01 (a) that (b) which 02 What this means is that 03 여러분이 그 과정에 사로잡히지 않도록 하기 위해서는 그들의 변화하는 감정들로부터 거리감과 어느 정도의 분리감 둘 다를 기르는 것이 최선이다.

1. 구문분석 및 직독직해

① When we read a number, / we are more influenced / by the
우리가 수를 읽을 때 시간의 접속사(~할 때)+주어+동사+목적어 우리는 더 영향을 받는다 수동태

leftmost digit than / by the rightmost, / since that is the order
가장 왼쪽 숫자에 의해 비교급 가장 오른쪽보다 그것이 순서이기 때문이다 이유의 접속사+주어+동사+보어 (지시대명사)

[in which we read, and process, them].
우리가 그것들을 읽고 처리하는 전치사+관계대명사

② The number 799 feels significantly less than 800 / because
수 799가 800보다 현저히 작게 느껴진다 열등 비교 우리가 전자 이유의 접속사

we see the former / as 7-something / and the latter /
(799)를 인식하기 때문에 +주어+동사+목적어 7로 시작하는 어떤 것으로 그리고 후자(800)를 등위접속사

as 8-something, / whereas 798 feels pretty much like 799.
8로 시작하는 어떤 것으로 반면에 798은 799와 상당히 비슷하게 느껴진다 접속사 = while

③ Since the nineteenth century, / shopkeepers have taken
19세기 이래 전치사+명사구 소매상인들은 이 착각을 이용해 왔다 현재완료

advantage of this trick / by choosing prices / ending in a 9, /
(by+-ing) 가격을 선택함으로써 9로 끝나는 현재분사구

to give the impression [that a product is cheaper than it is].
인상을 주기 위해 to부정사의 부사적 용법(목적) 상품이 실제보다 싸다는 동격의 접속사 that+주어+동사+보어

④ Surveys show [that ⟨around a third to two-thirds / of all retail
연구는 보여 준다 1/3에서 2/3 정도가 명사절 접속사(show의 목적절) 모든 소매 주어⟨ ⟩

prices⟩ now end in a 9].
가격의 지금은 9로 끝난다는 것을 동사

⑤ Though we are all experienced shoppers, we are still fooled.
우리가 모두 경험이 많은 소비자일지라도 양보의 접속사+주어+동사+보어 우리는 여전히 속는다 수동태

⑥ In 2008, / researchers at the University of Southern Brittany
2008년에 Southern Brittany 대학의 연구자들이 관찰했다

monitored / a local pizza restaurant [that was serving / five types
지역 피자 음식점을 제공하고 있는 주격 관계대명사 과거진행 시제 다섯 종류의

of pizza / at €8.00 each].
피자를 각각 8.00유로에

⑦ When one of the pizzas / was reduced / in price to €7.99,
피자 중 하나가 인하되었을 때, 가격이 7.99유로로 시간의 접속사+주어+동사(수동태)

its share of sales / rose / from a third of the total to a half.
그것의 판매 점유율은 증가했다 전체의 1/3에서 1/2로 from A to B: A에서 B까지

해석 우리가 수를 읽을 때 우리는 가장 오른쪽보다 가장 왼쪽 숫자에 의해 더 영향을 받는데, 그것이 우리가 그것들을 읽고 처리하는 순서이기 때문이다. 수 799가 800보다 현저히 작게 느껴지는 것은 우리가 전자(799)를 7로 시작하는 어떤 것으로, 후자(800)를 8로 시작하는 어떤 것으로 인식하기 때문인데, 반면에 798은 799와 상당히 비슷하게 느껴진다. 19세기 이래 소매상인들은 상품이 실제보다 싸다는 인상을 주기 위해 9로 끝나는 가격을 선택함으로써 이 착각을 이용해 왔다. 연구는 모든 소매 가격의 1/3에서 2/3 정도가 지금은 9로 끝난다는 것을 보여 준다. 우리가 모두 경험이 많은 소비자일지라도, 우리는 여전히 속는다. 2008년에 Southern Brittany 대학의 연구자들이 각각 8.00유로에 다섯 종류의 피자를 제공하고 있는 지역 피자 음식점을 관찰했다. 피자 중 하나가 7.99유로로 가격이 인하되었을 때, 그것의 판매 점유율은 전체의 1/3에서 1/2로 증가했다.

해설 01 due to는 '~때문에'라는 뜻의 전치사구로, 뒤에 명사(구)가 온다.
02 접속사 that 이하는 여기서 목적어 역할을 한다. 한편, 관계대명사 what은 뒤에 불완전한 문장 구조의 절이 온다.
03 시간을 나타내는 접속사 when 뒤에 「주어+동사」 형태의 절이 오도록 쓴다.

2. 구문분석 및 직독직해

❶ For several years / much research in psychology / was based /
수년 동안 / 심리학에서 많은 연구는 / 바탕을 두었다
on the assumption [that human beings are driven / by base
가정에 / 인간이 움직여진다는 / 저급한
be based on: ~에 근거하다 / 동격의 접속사 that+주어+동사(수동태)+by행위자
motivations / such as aggression, egoistic self-interest, and the
동기들에 의해 / 공격성, 이기적인 사욕, 그리고 단순한 즐거움의 추구와 같은
~와 같은 / 등위접속사
pursuit of simple pleasures].

❷ Since many psychologists began / with that assumption, /
많은 심리학자들이 출발했기 때문에 / 그 가정에서
이유의 접속사+주어+동사
they inadvertently designed / research studies [that supported
그들은 무심코 설계했다 / 조사 연구를 / 자신들의 가정을
주격 관계대명사
their own presuppositions].
뒷받침하는

❸ Consequently, 〈the view of humanity [that prevailed in
그 결과 / 인류에 대한 관점은 / 심리학에서 우세한
주어〈 〉 / 주격 관계대명사
지시대명사
psychology]〉 was that of a species [barely keeping its aggressive
종이라는 관점이었다 / 그것의 공격적 성향을 가까스로 억제하고
동사 (= the view) / 현재분사구1
tendencies in check and managing to live in social groups / more
사회 집단 속에서 간신히 살아가고 있는
등위접속사(병렬구조) 현재분사구2
out of motivated self-interest / than out of a genuine affinity for
동기화된 사욕에 의해 / 타인에 대한 진실한 친밀감
more A than B = B라기 보다는 A (A와 B는 병렬구조)
others / or a true sense of community].
혹은 진정한 공동체 의식보다

❹ 〈Both Sigmund Freud and the early behaviorists [(who were) led by John
Sigmund Freud와 초기 행동주의자들 모두는 / John B. Watson이 이끈
주어〈 〉 / 과거분사구
B. Watson]〉 believed [that humans were motivated primarily / by
믿었다 인간들이 주로 동기 부여되었다고
명사절 접속사(believed의 목적절) 수동태 과거
selfish drives].
이기적인 욕구들에 의해

❺ From that perspective, / social interaction is possible / only by
그러한 관점에서 / 사회적 상호 작용은 가능하고
by+-ing: ~함으로써
exerting control over those baser emotions and, / therefore, /
더 저급한 그러한 감정들에 통제를 가함으로써만 / 그러므로
it is always vulnerable / to eruptions of violence, greed, and
그것은 항상 취약하다 / 폭력, 탐욕 그리고 이기심의 분출에
(= social interaction)
selfishness.

해석 수년 동안 심리학에서 많은 연구는 인간이 공격성, 이기적인 사욕 그리고 단순한 즐거움의 추구와 같은 저급한 동기들에 의해 움직여진다는 가정에 바탕을 두었다. 많은 심리학자들이 그 가정에서 출발했기 때문에 그들은 자신들의 가정을 뒷받침하는 조사 연구를 무심코 설계했다. 그 결과, 심리학에서 우세한 인류에 대한 관점은 그것의 공격적 성향을 가까스로 억제하고, 타인에 대한 진실한 친밀감 혹은 진정한 공동체 의식보다는 동기화된 사욕에 의해 사회 집단 속에서 간신히 살아가고 있는 종이라는 관점이었다. Sigmund Freud와 John B. Watson이 이끈 초기 행동주의자들 모두는 인간들이 주로 이기적인 욕구들에 의해 동기 부여되었다고 믿었다. 그러한 관점에서 사회적 상호 작용은 더 저급한 그러한 감정들에 통제를 가함으로써만 가능하고, 그러므로 그것은 폭력, 탐욕 그리고 이기심의 분출에 항상 취약하다.

해설 01 접속사 while 뒤에는 「주어 + 동사」 형태의 절이 온다.
02 앞에서 언급한 가정, 즉 '인간이 저급한 동기들에 의해 움직여진다'를 가리킨다.
03 동사 believed 뒤에 목적어 역할을 하는 명사절 접속사 that이 이끄는 절이 와야 한다. that 다음에 「주어 + 동사」를 바르게 쓴다.

3. 구문분석 및 직독직해

❶ When you enter a store, / what do you see?
당신이 상점에 들어갈 때, / 무엇을 보게 되는가?
시간의 접속사 / 의문사

❷ It is quite likely [that you will see / many options and choices].
당신은 보게 될 것이다 / 많은 선택 사항들과 선택지를
가주어 / 진주어

❸ It doesn't matter [whether you want to buy / tea, coffee, jeans,
중요하지 않다 / 당신이 사고 싶어 하는가의 여부는 / 차, 커피, 청바지
가주어 / 진주어
or a phone].
혹은 전화기를

❹ In all these situations, / we are basically flooded / with options
이러한 모든 상황 속에서 / 우리는 기본적으로 넘쳐나게 된다 / 선택 사항들로
선행사
[from which we can choose].
우리가 고를 수 있는
전치사+관계대명사

❺ What will happen / if we ask someone, / whether online or
무슨 일이 일어날까? / 만약 우리가 누군가에게 묻는다면 온라인이든
의문사 / 조건의 접속사 〈부사절〉
offline, [if he or she prefers having more alternatives or less]?
오프라인이든 더 많은 선택 사항을 선호하는지 더 적은 선택 사항을 선호하는지를
접속사 if절 (명사절 = 목적절) / prefer+-ing: ~을 선호하다

❻ The majority of people will tell us [that they prefer having /
대다수의 사람들은 우리에게 말할 것이다 / 그들이 갖는 것을 선호한다고
명사절 접속사(tell의 목적절)
more alternatives].
더 많은 선택 사항을

❼ This finding is interesting / because, (as science suggests,) /
〈부사절〉 이유의 접속사+주어+동사
이러한 발견은 흥미롭다 / 왜냐하면 ~이기 때문이다 과학이 보여 주듯이,
삽입

the more options we have, / the harder our decision making
선택의 폭이 더 넓어질수록 우리의 의사 결정 과정은 더 어려워질 것이다
the+비교급 the+비교급

process will be.

〈부사절〉 시간의 접속사+주어+동사

❽ The thing is [that {when the amount of options exceeds / a
중요한 점은 ~이다 선택사항의 양이 넘어서면
명사절 접속사(보어 역할)

certain level}, our decision making will start to suffer].
일정 수준을 우리의 의사 결정이 고통스러워지기 시작할 것이다
〈주절〉 주어 동사

해석 당신이 상점에 들어갈 때, 무엇을 보게 되는가? 당신은 많은 선택 사항들과 선택지를 보게 될 것이다. 당신이 차, 커피, 청바지 혹은 전화기를 사고 싶어 하는가의 여부는 중요하지 않다. 이러한 모든 상황 속에서, 우리는 기본적으로 우리가 고를 수 있는 선택 사항들로 넘쳐나게 된다. 만약, 온라인이든 오프라인이든, 우리가 누군가에게 더 많은 선택 사항을 선호하는지 더 적은 선택 사항을 선호하는지를 묻는다면, 무슨 일이 일어날까? 대다수의 사람들은 그들이 더 많은 선택 사항을 갖는 것을 선호한다고 우리에게 말할 것이다. 이러한 발견은 흥미로운데 왜냐하면, 과학이 보여 주듯이, 선택의 폭이 더 넓어질수록, 우리의 의사 결정 과정은 더 어려워질 것이기 때문이다. 중요한 점은 선택 사항의 양이 일정 수준을 넘어서면, 우리의 의사 결정이 고통스러워지기 시작할 것이라는 점이다.

해설 01 시간을 나타내는 접속사 when이 쓰인 문장으로, when 뒤에 「주어 + 동사」를 바르게 쓴다. 주절과 종속절의 관계에 유의하여 쓴다.

02 what은 선행사를 포함하는 관계대명사로, 뒤에 불완전한 절이 온다.

03 뒤에 명사(구)가 아닌 「주어 + 동사」 형태의 절이 오므로 접속사 because로 고쳐 써야 한다. as science suggests는 삽입된 절이다.

4. 구문분석 및 직독직해

❶ We like to make a show of [how much our decisions are
우리는 보여 주고 싶다 우리의 결정이 얼마나 많이 근거하는지
간접의문문 = 명사절 (목적절)

based / on rational considerations], but the truth is [that we are
이성적 고려에 하지만 진실은 ~이다 우리는
접속사(보어 역할)

largely governed / by our emotions,{which continually influence /
주로 지배당하고 있다 우리의 감정에 의해 그리고 이것은 계속적으로 영향을 준다
「by+행위자」 계속적 용법의 관계대명사

our perceptions}].
우리의 인지에

접속사(보어 역할)

❷ [What this means] is [that the people around you, /
이것이 의미하는 것은 ~이다 여러분의 주변 사람들이
선행사를 포함하는 관계대명사 what+불완전한 절(목적어 없음)

constantly under the pull of their emotions, / change their ideas /
끊임없이 그들 감정의 끌어당김 아래에 있는 그들의 생각을 바꾼다.
that절의 동사

by the day or by the hour, / depending on their mood].
날마다 혹은 시간마다 그들의 기분에 따라
by the+시간 단위: ~마다 분사구문

❸ You must never assume [that 〈what people say or do / in a
여러분은 가정해서는 안 된다 사람들이 말하거나 행동하는 것이
접속사(명사절) 선행사를 포함하는 관계대명사 what

particular moment〉 is a statement of their permanent desires].
특정한 순간에 그들의 영구적인 바람에 대한 진술이라고
〈 〉 주어 동사

❹ Yesterday / they were in love with your idea; today they seem
어제 그들은 여러분의 생각에 완전히 빠져 있었지만 오늘 그들은
seem+형용사

cold.
냉담해 보인다

미래시제

❺ This will confuse you / and if you are not careful, / you will
이것이 여러분을 혼란스럽게 할 것이다 그리고 만약 여러분이 조심하지 않는다면
조건의 접속사 〈부사절〉- 현재시제

waste / valuable mental space / trying to figure out / their real
허비할 것이다 소중한 정신적 공간을 알아내려고 노력하는 데 그들의 실제
waste+A+(in) -ing: ~하는 데 A를 낭비하다 목적어1

feelings, / their mood of the moment, and their fleeting
감정 그 순간 그들의 기분 그리고 그들의 빠르게 지나가는
목적어2 등위접속사 목적어3

motivations.
열의

❻ It is best to cultivate / both distance and a degree of
기르는 것이 최선이다 거리감과 어느 정도의 분리감 둘 다를
가주어 진주어 both A and B: A와 B 둘 다

detachment / from their shifting emotions / so that you are not
그들의 변화하는 감정들로부터 여러분이 사로잡히지
목적을 나타내는 접속사

caught up / in the process.
않도록 하기 위해서는 그 과정에
수동태 부정

해석 우리는 우리의 결정이 얼마나 많이 이성적 고려에 근거하는지 보여 주고 싶지만, 진실은 우리는 우리의 감정에 의해 주로 지배당하고 있고, 이것은 계속적으로 우리의 인지에 영향을 준다. 이것이 의미하는 것은 끊임없이 그들 감정의 끌어당김 아래에 있는 여러분의 주변 사람들이 날마다 혹은 시간마다 그들의 기분에 따라 그들의 생각을 바꾼다는 것이다. 여러분은 사람들이 특정한 순간에 말하거나 행동하는 것이 그들의 영구적인 바람에 대한 진술이라고 가정해서는 안 된다. 어제 그들은 여러분의 생각에 완전히 빠져 있었지만, 오늘 그들은 냉담해 보인다. 이것이 여러분을 혼란스럽게 할 것이고, 만약 여러분이 조심하지 않는다면, 여러분은 그들의 실제 감정, 그 순간 그들의 기분, 그들의 빠르게 지나가는 열의를 알아내려고 노력하는 데 소중한 정신적 공간을 허비할 것이다. 여러분이 그 과정에 사로잡히지 않도록 하기 위해서는 그들의 변화하는 감정들로부터 거리감과 어느 정도의 분리감 둘 다를 기르는 것이 최선이다.

해설 01 (a) 보어 역할을 하는 명사절을 이끄는 접속사 that이 적절하다. (b) 콤마(,) 뒤에서 선행사 our emotions를 설명하므로 계속적 용법의 관계대명사 which가 적절하다.

02 '~하는 것'은 선행사를 포함하는 관계대명사 what으로 나타낸다. that은 보어 역할을 하는 명사절을 이끄는 접속사이다.

03 「It ~ to부정사」의 가주어, 진주어 구문이며, both A and B는 'A와 B 둘 다'의 의미이다. 접속사 so that은 '~하기 위해서'라는 뜻으로, 목적을 나타내는 부사절을 이끈다.

Unit 09 명사와 대명사

문법 확인 p. 86

명사 ❶ 주어 ❷ 복수형 ❸ 없다 ❹ a little ❺ few
대명사 ❻ 반복 ❼ 없다 ❽ 목적어 ❾ 불특정한
개념 마무리 OX (1) × (2) ○ (3) ○

실전어법 개념확인 p. 87

Point ❶ 단수 동사, a few, amount, 단수 / 1 much 2 was
Point ❷ 대명사 / 3 it, it 4 hers
Point ❸ one(s), 반복, the others, some / 5 one 6 others
Point ❹ 재귀대명사 / 7 him 8 yourself

어법 REVIEW 1 문장 어법연습하기 p. 88

A
1 it ▸ Bill's sleeping bag을 가리키는 인칭대명사
2 much ▸ sugar는 셀 수 없는 명사
3 himself ▸ 영국의 왕이 '자기 자신'을 풍요롭게 할 수 있었다는 의미이므로 재귀대명사
4 the others ▸ 참가자의 '나머지'를 의미
B
5 intelligence ▸ intelligence는 부정관사를 쓸 수 없는 셀 수 없는 명사
6 its ▸ 단수인 an animal을 받는 대명사의 소유격
7 them ▸ some of the stars를 가리키는 복수 인칭대명사

A
e.g. 그녀는 그것(자물쇠)이 믿을 만하지 않다고 생각하는 자물쇠 수리공의 조언을 듣지 않고, 화려해 보이는 문 자물쇠를 선택했다.

1 Paul은 Bill의 침낭 위로 넘어졌지만, 침낭의 느낌이 이상했다.

2 식품업계는 그 식품에 설탕이 그렇게 많이 들어 있다고 말할 필요가 없다.

3 영국의 왕이 그 자신을 풍요롭게 할 수 있었지만, 프랑스 왕을 약탈함으로써만 가능했다.

4 그러고 나서, 참가자 중 절반은 10분 동안 블록 맞추기 퍼즐 비디오 게임을 한 반면, 나머지는 조용히 앉아 있었다.

B
e.g. 그의 풍경화 중 대부분은 검은 색조로 그려졌다.

5 삶에서 그렇게 많은 것에 대해 매우 똑똑한 사람이 그 똑똑함을 학업에 적용할 수 없는 것처럼 보이는 것은 낭비이다.

6 동물은 자기가 포식자라고 여기는 것이 자신의 '도주' 거리 내로 접근하는 것을 감지하면, 그저 단순히 도망갈 것이다.

7 몇몇 별들은 이미 오래전에 죽었지만 우리는 그 별들의 이동하는 빛 때문에 여전히 그것들을 본다.

어법 REVIEW 2 짧은 지문 어법연습하기 p. 89

A 1 (A) Some (B) creatures 2 (A) a certain amount of (B) Many
B 3 ② 4 ③

A

1 대부분의 박테리아는 우리에게 유익하다. 어떤 것들은 우리의 소화기관에 살면서 우리가 음식을 소화시키는 것을 도와주고, 어떤 것들은 주위에 살면서 우리가 지구에서 숨 쉬고 살 수 있도록 산소를 만들어 낸다. 하지만 불행하게도, 이런 훌륭한 생명체들 중 몇몇이 때로 우리를 병들게 할 수 있다.
▸ (A) 이어지는 동사 live로 보아 부정대명사의 복수형이 알맞다. one은 불특정한 하나를 가리키고 some은 불특정한 다수를 가리킨다.
(B) 앞에 a few of가 있으므로 셀 수 있는 명사의 복수형이 알맞다.

2 Human Library에서는, 특별한 인생 이야기를 가진 사람들은 자원해서 '책'이 된다. 얼마간의 시간 동안, 당신은 그들에게 질문할 수 있고 그들의 이야기를 들을 수 있다. 그 이야기들 중 많은 것들은 일종의 고정관념과 관련이 있다.
▸ (A) 셀 수 없는 명사 time 앞에 올 수 있는 수량 표현으로 a certain amount of가 알맞다.
(B) 뒤에 셀 수 있는 명사의 복수형인 stories가 오므로 many가 알맞다.

B

3 음파는 공기를 통해서 뿐만 아니라 많은 고체 물질을 통해 이동할 수 있다. 또한 공기 자체의 밀도는 그것을 통과하는 음파의 크기를 결정하는 요소로 작용한다.
▸ ② → itself / 어법상 주어를 강조하는 재귀대명사가 필요한데, 주어가 the density of the air로 단수이므로 itself가 알맞다.

4 파트너들이 자신에 관한 모든 것을 서로에게 말함으로써 관계를 시작하는 사례도 일어나기는 하지만, 그러한 사례는 드물다. 대부분의 경우에, 털어놓는 이야기의 양은 시간이 지나면서 증가한다. 우리는 자신에 대해 비교적 거의 드러내지 않음으로써 관계를 시작한다.
▸ ③ → disclosure / the amount of는 복수형이 불가한 셀 수 없는 명사를 수식하는 수량 표현이므로 disclosure가 알맞다.

어법 REVIEW 3 | 기출 유형 어법연습하기

pp. 90~91

1 ① 2 ③ 3 ④ 4 ④

1. 구문분석 및 직독직해

❶ 〈Credit arrangements of one kind or another〉 have existed / in all known human cultures.
이런저런 종류의 신용 거래는 〈 〉 주어(명사+전치사구) / 동사(현재완료(계속)) 존재해 왔다 / 모든 알려진 인류 문화에 (과거분사)

❷ 〈The problem in previous eras〉 was not / that no one had the idea / or knew how to use it.
이전 시대의 문제는 〈 〉 주어(명사+전치사구) / 아니었다 동사 / 아무도 접속사(명사절/보어) / 그 생각을 못 했거나 또는 그것을 사용하는 방법을 몰랐던 것 (how+to부정사: ~하는 방법)

❸ It was [that people seldom wanted / to extend much credit] because they didn't trust [that the future would be better than the present].
사람들이 원하는 경우가 좀처럼 없었던 것이 문제였다 많은 신용 거래를 하는 것을 / 접속사(명사절/보어) / 명사적 용법(목적어) / 수량 형용사 / 믿지 않았기 때문에 접속사(부사절/이유) / 미래가 현재보다 더 나을 것으로 접속사(명사절/목적어) / 비교급+than

❹ They generally believed [that times past had been better / than their own times] and [that the future would be worse].
그들은 대체로 믿었다 / 지나간 시간이 더 나았으며 접속사(명사절/목적어1) 대과거(had+p.p.) / 자신들의 시간(현재)보다 비교급+than / 미래는 더 나쁠 것이라고 접속사(명사절/목적어2)

❺ To put that in economic terms, / they believed [that the total amount of wealth / was limited].
그것을 경제 용어로 말하면 독립부정사 / 그들은 믿었다 접속사(명사절/목적어) / 그들은 부의 총량이 / 제한되어 있다고 과거 수동태(be동사 과거형+p.p.)

❻ People therefore considered it / a bad bet / to assume [that they would be producing more wealth ten years down the line].
그러므로 사람들은 생각했다 / 나쁜 선택이라고 추정하는 것은 consider+가목적어+목적격보어+진목적어(to부정사) / 자신들이 더 많은 부를 만들어 낼 것으로 접속사(명사절/목적어) / 십 년이 지난 후

❼ Business looked / like a zero-sum game.
사업은 보였다 / 제로섬 게임과 같아 (전치사)

❽ Of course, / the profits of one particular bakery / might rise, / but only at the expense / of the bakery next door.
물론 / 한 특정 빵집의 수익이 / 오를 수 있었다 / 그러나 희생을 통해서만 (가능했다) ~의 희생을 통해서 / 이웃 빵집의

❾ The king of England / might enrich himself, / but only by robbing the king of France.
영국의 왕이 / 스스로를 부유하게 재귀대명사(재귀 용법) / 할 수 있었다 / 그러나 프랑스 왕을 약탈함으로써만 (가능했다) by+-ing: ~함으로써

❿ You could cut the pie / in many different ways, / but it never got any bigger.
파이를 자를 수 있었다 / 많은 다른 방법으로 (수량 형용사) / 그러나 그것은 절대 조금도 더 커지지 않았다 (= the pie)

해석 이런저런 종류의 신용 거래는 모든 알려진 인류 문화에 존재해 왔다. 이전 시대의 문제는 아무도 그 생각을 못 했거나, 그것을 사용하는 방법을 몰랐던 것이 아니었다. 미래가 현재보다 더 나을 것으로 믿지 않았기 때문에 사람들이 많은 신용 거래를 하는 것을 원하는 경우가 좀처럼 없었던 것이 문제였다. 그들은 대체로 지나간 시간이 자신들의 시간(현재)보다 더 나았으며, 미래는 더 나쁠 것이라고 믿었다. 그것을 경제 용어로 말하면, 그들은 부의 총량이 제한되어 있다고 믿었다. 그러므로 사람들은 십 년이 지난 후 자신들이 더 많은 부를 만들어 낼 것으로 추정하는 것은 나쁜 선택이라고 생각했다. 사업은 제로섬 게임과 같아 보였다. 물론, 한 특정 빵집의 수익이 오를 수 있었지만, 이웃 빵집의 희생을 통해서만 가능했다. 영국의 왕이 스스로를 부유하게 할 수 있었지만, 프랑스 왕을 약탈함으로써만 가능했다. 많은 다른 방법으로 파이를 자를 수 있었지만, 그것은 절대 조금도 더 커지지 않았다.

해설 ① → much / credit은 셀 수 없는 명사이므로 much로 수식해야 한다.

2. 구문분석 및 직독직해

❶ When I started my career, / I looked forward to / the annual report from the organization / showing statistics / for each of its leaders.
내가 일을 시작했을 때 접속사(부사절/시간) / 나는 손꼽아 기다렸다 ~을 고대하다 / 조직의 연간 보고서를 / 통계를 보여주는 현재분사(the annual report 수식) / 각 리더에 대한

❷ As soon as I received them in the mail, / I'd look for my standing / and compare my progress / with the progress of all the other leaders.
그것을 메일로 받자마자 접속사(부사절/시간) / 나는 내 순위를 찾아 동사원형1 / 나의 발전을 비교하곤 했다 (would) 동사원형2(병렬구조) / 다른 모든 리더의 발전과

❸ After about five years of doing that, / I realized [how harmful it was].
그렇게 한 지 5년쯤 지나서 / 나는 깨달았다 / 그것이 얼마나 해로운지 간접의문문(의문사구+주어+동사)

❹ Comparing yourself to others / is really just a needless distraction.
당신 자신과 다른 사람을 비교하는 것은 동명사 주어+단수 동사 / 사실 불필요하게 / 정신을 흩뜨리는 것일 뿐이다

❺ The only one [∨you should compare yourself to] is you.
(that) / 동사 / 당신 자신과 비교해야 하는 유일한 대상은 주어 / 재귀대명사(재귀 용법) / 당신뿐이다

❻ Your mission is / to become better today / than you were yesterday.
당신의 임무는 ~이다 / 오늘 더 나아지는 것 명사적 용법(보어) / 비교급+than / 어제보다

❼ You do that / by focusing on [what you can do today] / to improve and grow.
당신은 그렇게 한다 / 집중함으로써 by+-ing: ~함으로써 / 오늘 당신이 무엇을 할 수 있는가에 의문사절(의문사+주어+동사) / 나아지고 성장하기 위해 부사적 용법(목적)

❽ Do that enough, / and if you look back and compare / the you of weeks, months, or years ago / to the you of
충분히 그렇게 한 다음 / 되돌아보고 비교한다면 접속사(부사절/조건) compare A to B: A와 B를 비교하다 / 몇 주, 몇 달, 또는 몇 년 전의 당신과 / 오늘의 당신을

today, / you should be greatly encouraged / by your
당신은 대단히 고무될 것이다 자신의 발전에
조동사 수동태(조동사+be+p.p.)
progress.

해석 내가 일을 시작했을 때, 나는 각 리더에 대한 통계를 보여 주는 조직의 연간 보고서를 손꼽아 기다렸다. 그것을 메일로 받자마자, 나는 내 순위를 찾아 다른 모든 리더의 발전과 나의 발전을 비교하곤 했다. 그렇게 한 지 5년쯤 지나서, 나는 그것이 얼마나 해로운지 깨달았다. 당신 자신과 다른 사람을 비교하는 것은 사실 불필요하게 정신을 흩뜨리는 것일 뿐이다. 당신 자신과 비교해야 하는 유일한 대상은 당신뿐이다. 당신의 임무는 어제보다 오늘 더 나아지는 것이다. 나아지고 성장하기 위해 오늘 당신이 무엇을 할 수 있는가에 집중함으로써 당신은 그렇게 한다. 충분히 그렇게 한 다음, 되돌아보고, 몇 주, 몇 달, 또는 몇 년 전의 당신과 오늘의 당신을 비교한다면, 당신은 자신의 발전에 대단히 고무될 것이다.

해설 (A) the organization을 가리키는 대명사의 소유격 its가 알맞다.
(B) '다른 사람들'이라는 불특정 다수를 표현하는 others가 알맞다.
(C) '나 자신'을 비교한다는 의미이므로 재귀대명사 yourself가 알맞다.

3. 구문분석 및 직독직해

❶ Children sometimes see and say things / to please
아이들은 때때로 여러 것들을 보고 말한다 어른들을 즐겁게 하려고
부사적 용법(목적)
adults; / teachers must realize / this and the power [it implies].
교사들은 이해해야 한다 이 사실과 그것이 암시하는 힘을
(목적격 관계대명사 that)

❷ Teachers [who prefer that children see beauty as they
교사들은 미(美)를 자신들이 보는 대로 아이들이 보기를 선호하는
주어 주격 관계대명사 접속사(~대로)
= see beauty
themselves do] are not encouraging / a sense of aesthetics
북돋아 주지 못하고 있다 미적 감각을
재귀대명사(강조 용법) 동사
in children.
아이들의

❸ They are fostering / uniformity and obedience.
그들은 조장하고 있는 것이다 획일성과 복종을

❹ Only children [who choose and evaluate for themselves]
아이들만이 스스로 선택하고 평가하는
주어 주격 관계대명사 스스로
can truly develop / their own aesthetic taste.
진정으로 발전시킬 수 있다 자기 자신만의 미적 취향을
동사

❺ Just as / becoming literate / is a basic goal of education, /
~인 것처럼 읽고 쓸 수 있게 되는 것이 교육의 기본 목표이다.
~처럼 동명사구 주어+단수 동사
one of the key goals / of all creative early childhood
핵심 목표 중 하나는 모든 창의적 초기 아동 프로그램들의
one of+복수 명사+단수 동사
programs / is to help young children develop the ability / to
능력을 발전시키도록 아이들을 돕는 것이다
명사적 용법(보어) / help+목적어+동사원형
speak freely / about their own attitudes, feelings, and ideas
자유롭게 말할 수 있는 미술에 관한 자신들의 태도, 감정 그리고 생각에 관하여
형용사적 용법 = young children's
about art.

❻ Each child has / a right to a personal choice / of beauty,
각각의 아이는 가지고 있다 개인적인 선택권을 미,
each+단수 명사+단수 동사
joy, and wonder.
기쁨, 그리고 경이에 대한

❼ Aesthetic development takes place / in secure settings /
미적 발달은 생겨난다 안전한 환경에서
free of competition and adult judgment.
경쟁과 어른의 판단이 없는
~이 없는

해석 아이들은 때때로 어른들을 즐겁게 하려고 보고 말한다. 교사들은 이 사실과, 그것이 암시하는 힘을 이해해야 한다. 미(美)를 자신들이 보는 대로 아이들이 보기를 선호하는 교사들은 아이들의 미적 감각을 북돋아 주지 못하고 있다. 그들은 획일성과 복종을 조장하고 있는 것이다. 스스로 선택하고 평가하는 아이들만이 진정으로 자기 자신만의 미적 취향을 발전시킬 수 있다. 읽고 쓸 수 있게 되는 것이 교육의 기본 목표인 것처럼, 모든 창의적 초기 아동 프로그램들의 핵심 목표 중 하나는 어린아이들이 미술에 관한 자신들의 태도, 감정 그리고 아이디어에 관하여 자유롭게 말할 수 있는 능력을 발전시키도록 돕는 것이다. 각각의 아이는 미, 기쁨, 그리고 경이에 대한 개인적인 선택권을 가지고 있다. 미적 발달은 경쟁과 어른의 판단이 없는 안전한 환경에서 생겨난다.

해설 ④ → goal / 주어가 동명사구인 becoming literate이므로 단수 명사가 와야 한다.

4. 구문분석 및 직독직해

❶ The desire for fame / has its roots / in the experience
명성에 대한 욕망은 그 뿌리를 두고 있다
= the desire's
of neglect.
무시당한 경험에

❷ No one would want to be famous [who hadn't also, /
주격 관계대명사
어느 누구도 유명해지고 싶지 않을 것이다 또한 겪어 보지 못했던 사람은
아무도 ~않다(no one ~ hadn't: 이중부정 → 강한 긍정)
과거완료 수동태(had been+p.p.)
somewhere in the past, / been made to feel extremely
과거 어느 시점에 자신이 대단히 하찮은 사람이라는 느낌을
삽입어구 사역동사 make의 수동태에서 동사원형은 to부정사로 바뀜
insignificant].

❸ We sense / the need for a great deal of admiring
우리는 느낀다 대단하다고 보는 많은 관심의 필요를
많은 양의 ~
attention / when we have been painfully exposed to earlier
더 일찍이 고통스럽게 박탈감에 노출되었을 때
접속사(부사절) 현재완료 수동태(have been+p.p.)
deprivation.

❹ Perhaps / one's parents were hard / to impress.
어쩌면 어떤 이의 부모는 어려웠을 것이다 감명을 주기가
부사적 용법(형용사 수식)

❺ They never noticed one much, / they were so busy with
그들(부모)은 결코 그에게 많은 주의를 기울이지 못했고 다른 일로 너무 바빴다
부정대명사 be busy with+(동)명사: ~로 바쁘다
other things, / focusing on other famous people, / unable to
다른 다른 유명한 사람들에게 집중하거나 다정한 감정을
분사구문1 (being) 분사구문2
have or express kind feelings, / or just working too hard.
갖거나 이를 표현할 수 없었거나 또는 그저 너무 열심히 일하고 있었다
분사구문3

❻ There were / no bedtime stories / and one's school
없었고 잠들기 전에 읽어 주는 이야기가
There were+복수 주어
reports weren't the subject / of praise and admiration.
그의 성적 통지표는 대상이 아니었다 칭찬과 감탄의

❼ That's why / one dreams [that one day the world will
부정대명사
그러한 이유 때문에 그는 꿈꾼다 언젠가 세상이 관심을 가져 주기를
그것이 ~한 이유이다(+결과) 접속사(명사절)
pay attention].

❽ When we're famous, / our parents will have to admire us
우리가 유명하면 우리의 부모 역시 우리를 대단하게 볼 수밖에 없을 것이다
접속사(부사절) 조동사는 연이어 두 개를 쓸 수 없음

too.

해석 명성에 대한 욕망은 무시당한 경험에 그 뿌리를 두고 있다. 과거 어느 시점에 자신이 대단히 하찮은 사람이라는 느낌 또한 겪어보지 못했던 사람은 어느 누구도 유명해지고 싶지 않을 것이다. 우리는 더 일찍이 고통스럽게 박탈감에 노출되었을 때 대단하다고 보는 많은 관심의 필요를 느낀다. 어쩌면 어떤 이의 부모는 감명을 주기가 어려웠을 것이다. 그들(부모)은 결코 그에게 많은 주의를 기울이지 못했고, 다른 유명한 사람들에게 집중하거나, 다정한 감정을 갖거나 이를 표현할 수 없었거나, 또는 그저 너무 열심히 일하며 다른 일로 너무 바빴다. 잠들기 전에 읽어 주는 이야기가 없었고, 그의 성적 통지표는 칭찬과 감탄의 대상이 아니었다. 그러한 이유 때문에 그는 언젠가 세상이 관심을 가져 주기를 꿈꾼다. 우리가 유명하면, 우리의 부모 역시 우리를 대단하게 볼 수밖에 없을 것이다.

해설 (A) the desire를 가리키는 대명사의 소유격 its가 알맞다.
(B) 이어지는 admiring attention은 셀 수 없는 명사구이므로 a great deal of로 수식한다.
(C) admire의 목적어가 주어인 our parents와 다른 대상이므로 대명사의 목적격 us가 알맞다.

어법 REVIEW 4 서술형 내신 어법연습하기

pp. 92~95

1 01 this is quite evident in the great amount(deal) of displeasure 02 this reveals itself in unconscious movements 03 자기 손 안의 무언가를 가지고 놀거나 방을 돌아다니는 것

2 01 because the others aren't around 02 those areas 03 (c) calculation → calculations / 뒤에 오는 동사 are가 복수형 (d) much → many / pilots는 셀 수 있는 명사의 복수형

3 01 by telling everything about themselves to each other 02 ourselves / '우리 자신들'이라는 의미의 재귀대명사 03 potential partners

4 01 waiting for news about them 02 to talk more about other people, events, and ideas than you talk about yourself 03 그것은 당신이 당신 자신의 이야기를 반복해서 하는 것보다 당신의 브랜드에 더 도움이 된다.

1. 구문분석 및 직독직해

❶ We have to recognize [that there always exists in us /
우리는 인식해야 한다 우리 안에 항상 존재한다는 것을
접속사(명사절) there 도치구문 동사

the strongest need / to utilize *all* our attention].
가장 강렬한 욕구가 우리의 '모든' 주의력을 활용하려는
the+최상급 주어 형용사적 용법

❷ And this is quite evident / in the great amount of displeasure
그리고 이것은 꽤 명백해진다 엄청난 양의 불쾌감에서
셀 수 없는 명사(선행사)

(that 관계대명사) (관계부사 when 생략)
[∨we feel / any time∨the entirety of our capacity for attention
우리가 느끼는 우리의 주의력의 용량 전체가 사용되지 않고 있을 때마다

is not being put to use].
현재진행 수동태 부정형(be동사+not+being+p.p.)

❸ When this is the case, / we will seek to find outlets / for
이런 경우가 되면 우리는 배출구를 찾으려 할 것이다

our unused attention.
사용되지 않은 주의력의
과거분사

❹ If we are playing a chess game / with a weaker opponent, /
만약 우리가 체스 게임을 하고 있다면 더 약한 상대와
접속사(부사절/조건) – 현재시제 비교급

we will seek to supplement this activity / with another : / such as
우리는 이 활동을 보충하려고 할 것이다 또 다른 것으로
미래시제 부정대명사 ~와 같은

watching TV, or listening to music, / or playing another chess
TV 시청이나 음악 감상 또는 동시에 다른 체스 게임 하기와 같은
부정대명사

game at the same time.
동시에

❺ Very often this reveals itself / in unconscious movements, /
이것은 매우 자주 스스로를 드러내며 무의식적인 움직임들로
목적어(재귀대명사)

such as playing with something in one's hands / or pacing around
자기 손 안의 무언가를 가지고 놀거나 방을 돌아다니는 것과 같은
~와 같은 동명사1 동명사2 (병렬구조)

the room; / and if such an action also serves / to increase pleasure
그리고 만약 그런 행동이 또한 도움이 된다면 기쁨을 증가시키거나
접속사(부사절/조건)

(to)
or relieve displeasure, / all the better.
불쾌감을 덜어주는 데 더할 나위 없이 좋을 것이다
병렬구조

해석 우리는 우리의 '모든' 주의력을 활용하려는 가장 강렬한 욕구가 우리 안에 항상 존재한다는 것을 인식해야 한다. 그리고 이것은 우리 주의력의 용량 전체가 사용되지 않고 있을 때마다 우리가 느끼는 엄청난 양의 불쾌감에서 꽤 명백해진다. 이런 경우가 되면, 우리는 사용되지 않은 주의력의 배출구를 찾으려 할 것이다. 만약 우리가 더 약한 상대와 체스 게임을 하고 있다면, 우리는 이 활동을 또 다른 것, 즉 TV 시청이나 음악 감상, 또는 동시에 다른 체스 게임 하기와 같은 것으로 보충하려고 할 것이다. 이것은 자기 손 안의 무언가를 가지고 놀거나 방을 돌아다니는 것과 같은 무의식적인 움직임들로 매우 자주 스스로를 드러내며, 만약 그런 행동이 기쁨을 증가시키거나 불쾌감을 덜어주는 데에도 또한 도움이 된다면 더할 나위 없이 좋을 것이다.

해설 01 셀 수 없는 명사인 displeasure는 the great amount(deal) of로 수식한다.
02 동사 reveals의 목적어가 주어와 동일하므로 재귀대명사 itself로 쓴다.
03 앞에 나오는 playing with something in one's hands or pacing around the room을 such an action으로 받고 있다.

2. 구문분석 및 직독직해

❶ "Survivorship bias" / is a common logical fallacy.
'생존 편향'은 흔한 논리적 오류이다

❷ We're prone to listen to the success stories / from survivors
우리는 성공담을 듣는 경향이 있다 생존자들의
~하는 경향이 있는

부정대명사
/ because the others aren't around to tell the tale.
왜냐하면 다른 이들은 주변에 남아 이야기를 해 줄 수 없기 때문이다
접속사(부사절/이유)

❸ A dramatic example from history / is the case of / statistician
역사상 극적인 예는 ~의 경우이다 통계학자

Abraham Wald [who, during World War II, / was hired by
Abraham Wald 2차 세계대전 동안 미국 공군에 의해 고용된
주격 관계대명사 삽입어구 수동태

the U.S. Air Force / to determine / how to make / their
결정하기 위해 만들 수 있는 방법을
부사적 용법(목적) how+to부정사: ~하는 방법

bomber planes / safer].
그들의 폭격기를 더 안전하게
make+목적어+형용사: ~을 …하게 만들다

❹ The planes [that returned] tended to have bullet holes /
살아 돌아온 비행기는 총알 자국을 갖고 있는 경향이 있었다
주어1 주격 관계대명사 동사1

along the wings, body, and tail, / and commanders wanted to
날개, 본체, 그리고 꼬리 부분을 따라 그리고 지휘관들은 이 부분들을
주어2 동사2

reinforce those areas / because they seemed to get hit /
강화하기를 원했다 그 부분들이 총알을 맞는 부분인 것처럼 보였기 때문에
= those areas

most often.
가장 자주

❺ Wald, however, saw [that the important thing was {that
그러나 Wald는 알게 되었다 중요한 것은 ~였다는 것을
접속사(명사절-목적어) 접속사(명사절/보어)

these bullet holes had not destroyed the planes}, / and {what
이 총알 구멍들이 비행기를 파괴한 것이 아니 었다
주어 동사 과거완료(had+p.p.) 관계대명사(주어)

needed more protection} were the areas {that were not hit}].
더 보호해야 할 것은 부분이었다 (총알을) 맞지 않은
동사 주격 관계대명사

❻ Those were the parts [where, if a plane was struck by
그것들은 ~한 부분들이었다 만약 비행기가 총알을 맞았다면
관계부사 삽입절 수동태

a bullet, / it would never be seen again].
다시는 그것(비행기)을 볼 수 없게 했었을
= a plane 조동사 수동태 부정형

❼ His calculations based on that logic / are still in use today, /
그 논리에 기초한 그의 계산은 오늘날에도 여전히 사용되며
주어 과거분사구 동사

and they have saved many pilots.
그것은 많은 조종사들의 목숨을 구했다
= his calculations

해석 '생존 편향'은 흔한 논리적 오류이다. 우리는 생존자들의 성공담을 듣는 경향이 있는데, 왜냐하면 다른 이들은 주변에 남아 이야기를 해 줄 수 없기 때문이다. 역사상 극적인 예는 2차 세계대전 동안 폭격기를 더 안전하게 만들 수 있는 방법을 결정하기 위해 미국 공군에 의해 고용된 통계학자 Abraham Wald의 경우이다. 살아 돌아온 비행기는 날개, 본체, 그리고 꼬리 부분을 따라 총알 자국을 갖고 있는 경향이 있었고, 그 부분들이 가장 총알을 자주 맞는 부분인 것처럼 보였기 때문에 지휘관들은 이 부분들을 강화하기를 원했다. 그러나 Wald는 중요한 것은 이 총알 구멍들이 비행기를 파괴한 것이 아니며, 더 보호해야 할 것은 (총알을) 맞지 않은 부분이라는 것을 알게 되었다. 그것들은 만약 비행기가 총알을 맞았다면 다시는 그것(비행기)을 볼 수 없게 했었을 부분들이었다. 그 논리에 기초한 그의 계산은 오늘날에도 여전히 사용되며, 그것은 많은 조종사들의 목숨을 구했다.

해설 01 생존자가 아닌 '나머지 다른 이들'을 나타내므로 부정대명사 the others를 쓴다.

02 they는 앞에 나온 those areas를 가리키며, 구체적으로는 the wings, body, and tail을 가리킨다. 주어 commanders를 받는 것으로 혼동하지 않도록 주의한다.

03 (c) 주어 his calculation의 동사 are가 복수형이므로 복수명사로 써야 한다. (d) pilot은 셀 수 있는 명사이므로 수량형용사로 many가 알맞다.

3. 구문분석 및 직독직해

❶ Although instances occur [in which partners start their
사례가 일어나기는 하지만 파트너들이 그들의 관계를 시작하는
접속사(부사절/양보) 선행사 전치사+관계대명사

relationship / by telling everything about themselves / to each
자신에 관한 모든 것을 말함으로써 서로에게
by+-ing: ~함으로써 재귀대명사(재귀 용법)

other], such instances are rare.
그러한 사례는 드물다

❷ In most cases, / the amount of disclosure / increases
대부분의 경우에 털어놓는 이야기의 양은 증가한다

over time.
시간이 지나면서

❸ We begin relationships / by revealing relatively little about
우리는 관계를 시작한다 자신에 대해 비교적 거의 드러내지 않음으로써
거의 ~ 않다

ourselves; / then if our first bits of self-disclosure / are well
그런 뒤 만약 우리가 처음에 조금 털어놓은 자신에 관한 이야기가
재귀대명사(재귀 용법) 접속사(부사절/조건) 수동태

received / and bring on similar responses / from the other
잘 받아들여지고 비슷한 반응을 불러온다면 상대방으로부터도

person, / we're willing to reveal more.
우리는 기꺼이 더 많이 드러낸다
기꺼이 ~하다

❹ This principle is important / to remember.
이러한 원칙이 중요하다 기억하는 것이
부사적 용법(형용사 수식)

❺ It would usually be a mistake / to assume [that the way
대개 잘못된 생각일 것이다 ~라고 여기는 것은
가주어 진주어 접속사(명사절)

to build a strong relationship / would be to reveal the most
확고한 관계를 형성하는 방법이 가장 사적인 세부 사항을 드러내는 것이라고
형용사적 용법 명사적 용법(보어) 최상급

private details / about yourself / when first making contact
자신에 관한 처음 교제할 때
재귀대명사(재귀 용법) 접속사+분사구문「주어+be동사」 생략

with another person].
또 다른 사람과

❻ Unless the circumstances are unique, / such baring of your
상황이 독특하지 않다면 그와 같이 여러분의 마음을 드러내는 것은
접속사(조건: 만약 ~하지 않다면) 동명사 주어

soul / would be likely to scare potential partners away /
파트너가 될 가능성이 있는 사람들을 놀라게 하여 쫓아버릴 가능성이 있다
~할 가능성이 있다

rather than bring them closer.
더 가까이 다가오게 하기보다는
~보다는 = potential partners

해석 파트너들이 자신에 관한 모든 것을 서로에게 말함으로써 관계를 시작하는 사례가 일어나기는 하지만, 그러한 사례는 드물다. 대부분의 경우에, 털어놓는 이야기의 양은 시간이 지나면서 증가한다. 우리는 자신에 대해 비교적 거의 드러내지 않음으로써 관계를 시작하고, 그런 뒤 우리가 처음에 조금 털어놓은 자신에 관한 이야기가 잘 받아들여지고 상대방으로부터도 비슷한 반응을 불러온다면, 우리는 기꺼이 더 많이 드러낸다. 이러한 원칙을 기억하는 것이 중요하다. 다른 사람과 처음 교제할 때 확고한 관계를 형성하는 방법이 자신에 관한 가장 사적인 세부 사항을 드러내는 것이라고 여기는 것은 대개 잘못된 생각일 것이다. 상황이 독특하지 않다면, 그와 같이 여러분의 마음을 드러내는 것은 파트너가 될 가능성이 있는 사람들을 더 가까이 다가오게 하기보다는 놀라게 하여 쫓아버릴 가능성이 있다.

해설 01 '말함으로써'는 by telling, '자신들에 관한'은 앞에 나온 주어가 partners이므로 about themselves로 쓴다.

02 복수형 재귀대명사는 -selves로 표현한다.

03 them은 앞에 나오는 potential partners를 가리킨다.

4. 구문분석 및 직독직해

❶ Your story is [what makes you special].
당신의 이야기는 ~이다 당신을 특별하게 만드는 것
관계대명사(보어) make+목적어+목적격보어(형용사)

❷ But the tricky part / is showing [how special you are / without talking about yourself].
그러나 까다로운 부분은 보여 주는 것이다 당신이 얼마나 특별한지를 당신 자신에 대한 이야기를 하지 않고
동명사(보어) 간접의문문(목적어) 전치사+동명사 재귀대명사(재귀 용법)

❸ Effective personal branding / isn't about talking about yourself / all the time.
효과적인 퍼스널브랜딩은 당신 자신에 대해 이야기하는 것이 아니다 항상
전치사+동명사 재귀대명사(재귀 용법)

❹ Although everyone would like to think [that friends and family / are eagerly waiting by their computers / hoping to hear some news / about {what you're doing}], they're not.
모든 사람들은 ~라고 생각하고 싶겠지만 친구들과 가족이 컴퓨터 옆에서 간절히 기다린다고 소식을 듣기를 희망하며 당신이 무엇을 하고 있는지에 대한 그렇지 않다
접속사(부사절/양보) 접속사(명사절/목적어) 분사구문(동시동작) 간접의문문

❺ Actually, / they're hoping [you're sitting by your computer, / waiting for news about them].
사실 그들은 희망한다 당신이 컴퓨터 옆에 앉아 있기를 그들에 대한 소식을 기다리며
(접속사 that) 분사구문(동시동작) (= friends and family)

❻ The best way / to build your personal brand / is to talk more / about other people, events, and ideas / than you talk / about yourself.
당신의 퍼스널브랜드를 구축하는 최선의 방법은 이야기를 더 많이 하는 것이다 다른 사람들, 사건들, 그리고 생각들에 대한 이야기를 하는 것보다 당신 자신에 대한
형용사적 용법 명사적 용법(보어) 비교급 than 재귀대명사(재귀 용법)

❼ By doing so, / you promote / their victories and their ideas, / and you become an influencer.
그렇게 함으로써 당신은 홍보해 주고 다른 사람들의 성취와 생각을 당신은 영향력이 있는 사람이 된다
by+-ing: ~함으로써

❽ You are seen as someone [who is not only helpful, / but is also a valuable resource].
당신은 사람으로 여겨진다 도움이 되는 사람일 뿐 아니라 귀중한 자원이 되는
수동태 주격 관계대명사
not only A but also B: A 뿐만 아니라 B도(= B as well as A)

❾ That helps your brand more / than if you just talk about yourself / over and over.
그것은 당신의 브랜드에 더 도움이 된다 당신이 당신 자신에 대해 이야기하는 것보다 반복해서
비교급+than 재귀대명사(재귀 용법)

해석 당신의 이야기는 당신을 특별하게 만드는 것이다. 그러나 까다로운 부분은 당신 자신에 대한 이야기를 하지 않고 당신이 얼마나 특별한지를 보여 주는 것이다. 효과적인 퍼스널브랜딩은 항상 당신 자신에 대해 이야기하는 것이 아니다. 모든 사람들은 친구들과 가족이 당신이 무엇을 하고 있는지에 대한 소식을 듣기를 희망하며 컴퓨터 옆에서 간절히 기다린다고 생각하고 싶겠지만, 그렇지 않다. 사실, 그들은 당신이 그들에 대한 소식을 기다리며 컴퓨터 옆에 앉아 있기를 희망한다. 당신의 퍼스널브랜드를 구축하는 최선의 방법은 당신 자신에 대한 이야기를 하는 것보다 타인, (그들의) 사건들, 그리고 (그들의) 생각들에 대한 이야기를 더 많이 하는 것이다. 그렇게 함으로써, 당신은 다른 사람들의 성취와 생각을 홍보해 주고, 영향력이 있는 사람이 된다. 당신은 도움이 되는 사람일 뿐 아니라, 귀중한 자원이 되는 사람으로 여겨진다. 그것은 당신이 당신 자신의 이야기를 반복해서 하는 것보다 당신의 브랜드에 더 도움이 된다.

해설 01 news는 셀 수 없는 명사이므로 부정관사 a를 동반할 수 없다. about의 목적어는 friends and family를 가리키며, 절의 주어인 you와 다르므로 대명사의 목적격인 them으로 써야 한다.

02 '~에 대한 이야기를 더 많이 하는 것'은 to부정사의 명사적 용법을 이용하여 to talk more about으로 쓴다. '다른 사람들'은 other people로 쓰고, '당신 자신에 대한'은 재귀대명사를 이용하여 about yourself로 쓴다.

03 'more than ~'은 '~보다 더'의 의미이고, 재귀대명사 yourself는 '당신 자신'이라는 뜻이다.

Unit 10 형용사와 부사

문법 확인 p. 96

형용사와 부사의 역할 ❶ 수식 ❷ 보어 ❸ 동사 ❹ 문장 전체
주의해야 할 형용사와 부사 ❺ 열심히 ❻ 뒤 ❼ 최근에
❽ 거의 ~ 않다
개념 마무리 OX (1) ○ (2) ○ (3) ×

실전어법 개념확인 p. 97

Point ❶ 수식, 부사, 앞 / 1 collaborative 2 proudly
Point ❷ 주격보어, 목적격보어, 없다 / 3 relative
4 efficient
Point ❸ 늦은, 거의 ~ 않다 / 5 highly
Point ❹ 부정, 결코 ~ 않다 / 6 hardly

어법 REVIEW 1 문장 어법연습하기 p. 98

A
1 difficult ▸ 5형식 동사 makes의 목적격보어로 쓰인 형용사
2 hard ▸ 문맥상 '심하게'라는 뜻의 부사 hard
3 always invite ▸ 빈도부사는 일반동사의 앞에 위치
B
4 nearly ▸ 문맥상 '거의'라는 뜻의 부사 nearly
5 various ▸ 뒤의 명사구 writers and thinkers를 앞에서 수식하는 형용사
6 visible ▸ be동사 are의 보어 역할을 하는 형용사
7 Similarly ▸ 문장 전체를 수식하는 '마찬가지로, 유사하게'라는 뜻의 부사 similarly

A
e.g. 하지만 그녀는 다른 것에 관해 말했다.

1 변화의 느린 속도는 또한 나쁜 습관을 버리기 어렵게 만든다.

2 내 손은 이제 땀이 나고 있었고 심장은 정말 격렬하고 빠르게 뛰기 시작했다.

3 저희는 항상 유명한 음악가를 개막 행사에서 연주하도록 초청합니다.

B
e.g. 우리는 모두 특정한 신문을 읽기를 좋아한다.

4 대조적으로, 다람쥐가 갑자기 도망쳐서 자신에게 관심을 갖게 하기 전에 나는 내 정원에서 다람쥐를 거의 밟을 뻔한 적이 몇 번 있었다!

5 수세기에 걸쳐 다양한 작가들과 사상가들은 외부의 관점에서 인간들을 바라보며 사회적 삶의 연극적 속성과 마주해 왔다.

6 개인의 사각 지대는 다른 사람들에게는 보이지만 당신에게는 보이지 않는 부분이다.

7 마찬가지로, 우리는 단지 완충 지대를 만듦으로써 우리의 일과 삶에서 필수적인 일을 할 때의 마찰을 줄일 수 있다.

어법 REVIEW 2 짧은 지문 어법연습하기 p. 99

A 1 (A) severe (B) curious enough 2 (A) completely (B) Wisely
B 3 ④ 4 ⑤

A
1 미국의 생리학자인 Hudson Hoagland의 아내가 심각한 독감에 걸려 아프게 되었다. Hoagland 박사는 그가 짧은 시간 동안 아내의 방을 떠날 때마다, 오랫동안 자리를 떠나 있었다고 아내가 불평하는 것을 알아차릴 정도로 호기심이 많았다.
▸ (A) 뒤의 명사 flu를 수식하는 형용사 severe(심각한)가 적절하다.
(B) enough가 부사로 쓰일 때는 형용사를 뒤에서 수식한다.

2 그의 철학 단편 소설인 *Candide*에서, 그는 당대의 다른 사상가들이 표명했던 인류와 우주에 대한 종교적인 낙관론을 완전히 훼손했고, 이를 매우 재미있는 방식으로 하여 그 책은 즉시 베스트셀러가 되었다. 현명하게도, Voltaire는 속표지에서 자신의 이름을 지웠는데, 만약 그렇지 않았다면 그 책의 출판은 종교적 신념을 조롱한 이유로 다시 그를 감옥에 갇히게 했을지도 모른다.
▸ (A) 동사 undermined를 수식하는 부사 completely(완전히)가 적절하다.
(B) 문장 전체를 수식하는 부사 wisely(현명하게도)가 적절하다.

B
3 직원들이 만족하지 못하면, 그들의 불행은 고객들의 경험을 악화시키고, 그 결과 소비자들은 덜 구매하며, 회사의 실적은 악화된다. 분명히, 업무에서 무엇이 직원들을 만족하게 하는가를 회사가 아는 것은 중요하다.
▸ ④ → important / be동사 뒤에서 주격보어 역할을 하는 형용사 important로 고쳐야 한다.

4 아이들은 관심을 가져 주는 타인이 있을 때 혼자 있을 수 있는 능력을 발달시킨다. 여러분이 어린 아이를 자연에서 조용히 산책시킬 때 다가오는 고요를 생각해 보아라. 그 아이는, 그에게 이러한 경험을 처음으로 접하게 해 준 누군가와 '함께' 있다는 것에 의해 지지받으며, 자연 속에서 혼자 있는 것이 어떤 것인지를 점점 알아간다고 느끼게 된다. 점차적으로, 그 아이는 혼자 산책한다.
▸ ⑤ → Gradually / 문장 전체를 수식하는 부사 gradually(점차적으로)로 고쳐야 한다.

어법 REVIEW 3 기출 유형 어법연습하기

pp. 100~101

1③ 2① 3④ 4③

1. 구문분석 및 직독직해

❶ For its time, / ancient Greek civilization / was remarkably advanced.
그 당시 / 고대 그리스 문명은 / 놀라울 정도로 진보했었다
부사(형용사 수식)

❷ The Greeks figured out / mathematics, geometry, and calculus / long before calculators were available.
그리스인들은 이해했다 / 수학, 기하학, 그리고 미적분학을 / 계산기가 사용 가능하기 훨씬 전에
훨씬 이전에 / 주격보어(형용사)

❸ Centuries before telescopes were invented, / they proposed [that the earth might rotate on an axis / or (might) revolve around the sun].
망원경이 발명되기 수세기 전 / 그들은 제안했다 / 지구가 축을 중심으로 회전할지도 모른다고 / 또는 태양 주변을 돌지도 모른다고
시간의 접속사 / 수동태 과거 / 명사절 접속사(목적어 역할) / that절의 동사1 / 병렬구조 that절의 동사2

❹ Along with these mathematical, scientific advances, / the Greeks produced / some of the early dramatic plays and poetry.
이러한 수학적, 과학적 진보와 함께 / 그리스인들은 만들었다 / 몇몇 초기 연극과 시를
형용사(명사 수식) / 형용사(명사 수식)
early 형 빠른; 초기의 부 빨리

❺ In a world ruled by powerful kings and bloodthirsty warriors, / the Greeks even developed / the idea of democracy.
세상에서 / 강력한 왕이나 피에 굶주린 전사에 의해 지배되는 / 그리스인들은 심지어 ~도 발전시켰다 / 민주주의에 대한 생각을
과거분사구

❻ But they were still a primitive people.
하지만 그들은 여전히 원시적인 사람들이었다
= the Greeks

❼ There were many aspects of the world / around them [that they didn't understand very well].
세상의 많은 측면들이 있었다 / 그들 주변 / 그들이 잘 이해하지 못했던
there were+복수 명사: ~이 있었다(도치) 선행사 / 목적격 관계대명사

❽ They had big questions, / like *Why are we here?* / and *Why is smoke coming out of that nearby volcano?*
그들은 커다란 의문점을 가졌다 / '왜 우리가 여기에 존재하는가?'와 같은 / 그리고 '왜 저 근처의 화산에서 연기가 나오고 있는가?'
전 ~와 같은

해석 그 당시, 고대 그리스 문명은 놀라울 정도로 진보했었다. 그리스인들은 계산기가 사용 가능하기 훨씬 전에 수학, 기하학, 미적분학을 이해했다. 망원경이 발명되기 수세기 전, 그들은 지구가 축을 중심으로 회전하거나, 혹은 태양 주변을 돌지도 모른다고 제안했다. 이러한 수학적, 과학적 진보와 함께, 그리스인들은 몇몇 초기 연극과 시를 만들었다. 강력한 왕이나 피에 굶주린 전사에 의해 지배되는 세상에서 그리스인들은 심지어 민주주의에 대한 생각도 발전시켰다. 하지만 그들은 여전히 원시적인 사람들이었다. 그들이 잘 이해하지 못했던 그들 주변 세상의 많은 측면들이 있었다. 그들은 '왜 우리가 여기에 존재하는가?' 그리고 '왜 저 근처의 화산에서 연기가 나오고 있는가?'와 같은 커다란 의문점을 가졌다.

해설 (A) 형용사 advanced를 수식하는 부사 remarkably가 적절하다.
(B) 뒤의 명사 advances를 수식하는 형용사 mathematical이 적절하다.
(C) 뒤의 명사 kings를 수식하는 형용사 powerful이 적절하다.

2. 구문분석 및 직독직해

❶ Humans are omnivorous, / meaning [that they can consume and (can) digest / a wide selection of plants and animals / found in their surroundings].
인간은 잡식성이다 / 그들이 먹고 소화할 수 있다는 것을 의미하는 / 다양한 식물과 동물을 / 주변 환경에서 발견된
명사절 접속사(목적어 역할) / 분사구문(=and it means) / that절의 동사1 / that절의 동사2 / 과거분사구

❷ The primary advantage / to this / is [that they can adapt to nearly all earthly environments].
주된 이점은 / 이것의 / 그들이 ~에 적응할 수 있다는 것이다 / 거의 모든 지구의 환경
형용사(명사 수식) / 명사절 접속사(보어 역할) / 부사(형용사 수식)
nearly 부 거의 / near 부 가까운; 가까이에

❸ The disadvantage / is [that no single food provides / the nutrition / necessary for survival].
불리한 점은 / 단 한 가지의 음식만으로는 제공하지 못한다는 것이다 / 영양분을 / 생존에 필요한
명사절 접속사(보어 역할)
necessary for: ~을 위해 필요한(형용사구 후치 수식)

❹ Humans must be flexible enough / to eat a variety of items / sufficient for physical growth and maintenance, / yet (must be) cautious enough / not to randomly ingest foods [that are physiologically harmful / and, possibly, fatal].
인간은 충분히 융통성 있어야 한다 / 다양한 것들을 먹을 수 있을 만큼 / 신체적 성장과 유지에 충분한 / 하지만 충분히 조심스러워야 한다 / 음식을 무작위로 섭취하지 않을 만큼 / 생리학적으로 해로운 / 그리고 어쩌면 치명적인
형용사+enough+to부정사: ~할 만큼 충분히 …한 / ~해야 한다 〈의무의 조동사〉 / 부사(앞의 형용사 수식) / 형용사구 후치 수식 / to부정사의 부정 / 부사(앞의 형용사 수식) / 주격 관계대명사 / that절의 형용사(보어)1 / that절의 형용사(보어)2

❺ 〈This dilemma, / the need to experiment combined with the need for conservatism〉, is known as the omnivore's paradox.
이 딜레마 / 즉 실험의 필요는 / 보수성에 대한 필요와 결합된 / 잡식 동물의 역설이라고 알려져 있다
동격의 콤마 / 긴 주어〈 〉 / 과거분사구 / 동사 / be known as: ~으로 알려져 있다

❻ It results in / two contradictory psychological impulses / regarding diet.
그것은 ~을 낳는다 / 두 가지의 모순된 심리적 충동 / 음식과 관련된
result in: ~을 낳다, 야기하다 / 전 ~에 관하여

❼ The first is an attraction / to new foods; / the second is a preference / for familiar foods.
첫 번째는 끌림이다 / 새로운 음식에 대한 / 두 번째는 선호이다 / 익숙한 음식에 대한
;는 의미상 밀접한 연관이 있는 문장을 나열할 때 사용

해석 인간은 주변 환경에서 발견된 다양한 식물과 동물을 먹고 소화할 수 있는 잡식성이다. 이것의 주된 이점은 그들이 거의 모든 지구의 환경에 적응할 수 있다는 것이다. 불리한 점은 단 한 가지의 음식만으로는 생존에 필요한 영양분을 제공하지 못한다는 것이다. 인간은 신체적 성장과 유지에 충분한 다양한 것들을 먹을 수 있을 만큼 충분히 융통성이 있어야 하지만, 생리학적으로 해롭고 어쩌면 치명적인 음식을 무작위로 섭취하지 않을 만큼 충분히 조심스러워야 한다. 이 딜레마, 즉 보수성에 대한 필요와 결합된 실험의 필요는 잡식 동물의 역설이라고 알려져 있다. 그것은 음식과 관련된 두 가지의 모순된 심리적 충동을 낳는다. 첫 번째는 새로운 음식에 대한 끌림이고, 두 번째는 익숙한 음식에 대한 선호이다.

해설 ① → nearly / 문맥상 '거의 모든 지구의 환경'이 되어야 자연스러우므로 '거의'라는 뜻의 부사 nearly로 고쳐야 한다. near은 '가까운; 가까이에'라는 뜻이다.

3. 구문분석 및 직독직해

❶ When we see / an adorable creature, / we must fight / an overwhelming urge / to squeeze that cuteness.
우리가 볼 때 / 귀여운 생명체를 / 우리는 ~와 싸워야 한다 / 압도적인 충동 / 그 귀여운 것을 꽉 쥐고자 하는
시간의 접속사+주어+동사 / 형용사(명사 수식) / to부정사의 형용사적 용법(앞의 명사 수식)

❷ And pinch it, / and cuddle it, / and maybe even bite it.
그리고 그것을 꼬집고 그것을 꼭 껴안고 심지어 그것을 깨물고 싶을 수도 있다
병렬구조

❸ This is a perfectly normal psychological tick / — an oxymoron called "cute aggression" / — and even though it sounds cruel, / it's not about causing harm at all.
이것은 완전히 정상적인 심리학적 행동이다 / 즉 모순 어법 / '귀여운 공격성'이라고 불리는 / 그리고 비록 그것이 잔인하게 들리기는 하지만 / 그것은 해를 끼치는 것에 관한 것은 결코 아니다
부사(형용사 수식) / 과거분사구 / 양보의 접속사+주어+동사 / 감각동사+형용사(주격보어) / 전치사+동명사 / not ~ at all: 결코 ~ 않다

❹ In fact, / strangely enough, / this compulsion may actually / make us more caring.
사실 / 충분히 이상하게도 / 이러한 충동은 실제로는 ~하게 한다 / 우리로 하여금 (남을) 더 잘 보살피게
부사(앞의 부사 수식) / make+목적어+목적격보어(형용사): ~으로 하여금 …하게 하다 〈5형식〉

❺ 〈The first study / to look at cute aggression / in the human brain〉 has now revealed [that this is a complex neurological response], involving several parts of the brain.
최초의 연구가 / 귀여운 공격성을 살펴본 / 인간 뇌에서 / 이제 드러냈다 / 이것이 복잡한 신경학적인 반응이라는 것을 / 뇌의 여러 부분과 관련된
긴 주어 〈 〉 / to부정사의 형용사적 용법(앞의 명사 수식) / 동사(현재완료) / 명사절 접속사(목적어 역할) / 현재분사구

❻ The researchers propose [that cute aggression may stop us from becoming so emotionally overloaded / that we are unable to look after / things {that are super cute}].
연구자들은 제시한다 / 귀여운 공격성이 막을지도 모른다고 / 우리를 너무 감정적으로 과부하되어서 / 우리가 / 돌볼 수 없게 만드는 것을 / 정말 귀여운 것들을
명사절 접속사(목적어 역할) / stop A from -ing: A가 ~하는 것을 막다 / so ~ that …: 너무 ~해서 …하다 / be unable to+동사원형: ~할 수 없다 / 주격 관계대명사(선행사에 수 일치)

❼ "Cute aggression may serve / as a tempering mechanism [that allows us to function / and actually (to) take care of something {(that) we might first perceive / as overwhelmingly cute}]," explains the lead author, Stavropoulos.
귀여운 공격성은 기능할지도 모른다 / 조절 기제로 / ~하게 해 주는 / 우리를 제대로 기능하도록 / 그리고 어떤 것을 실제로 돌보도록 / 우리가 처음에 인지하는 / 압도적으로 귀엽다고 / 주 저자인 Stavropoulos는 설명한다
조동사+동사원형 / ~으로서 〈자격 · 기능〉 / to부정사1 / 병렬구조 / to부정사2 / 주격 관계대명사 / allow+목적어+to부정사: ~이 …할 수 있게 허락하다 / (that) 생략 / ~으로서 〈자격 · 기능〉

해석 우리가 귀여운 생명체를 볼 때, 우리는 그 귀여운 것을 꽉 쥐고자 하는 압도적인 충동과 싸워야 한다. 그리고 꼬집고, 꼭 껴안고, 심지어 깨물고 싶을 수도 있다. 이것은 완전히 정상적인 심리학적 행동, 즉 '귀여운 공격성'이라고 불리는 모순 어법이며, 비록 그것이 잔인하게 들리기는 하지만, 그것은 해를 끼치는 것에 관한 것은 결코 아니다. 사실, 충분히 이상하게도, 이러한 충동은 실제로는 우리로 하여금 (남을) 더 잘 보살피게 한다. 인간 뇌에서 귀여운 공격성을 살펴본 최초의 연구가 이것이 뇌의 여러 부분과 관련된 복잡한 신경학적인 반응이라는 것을 이제 드러냈다. 연구자들은 귀여운 공격성이 우리가 너무 감정적으로 과부하되어서 정말 귀여운 것들을 돌볼 수 없게 만드는 것을 막을지도 모른다고 제시한다. "귀여운 공격성은 우리가 제대로 기능하도록 해 주고, 우리가 처음에 압도적으로 귀엽다고 인지하는 것을 실제로 돌볼 수 있도록 해 주는 조절 기제로 기능할지도 모른다."라고 주 저자인 Stavropoulos는 설명한다.

해설 (A) 뒤의 형용사 normal을 수식하는 부사 perfectly가 적절하다.
(B) enough는 부사로 쓰일 때 형용사나 부사를 뒤에서 수식한다. 따라서 strangely enough가 적절하다.
(C) 뒤의 명사 parts를 수식하는 형용사 several이 적절하다.

4. 구문분석 및 직독직해

❶ Nothing happens immediately, / so in the beginning / we can't see / any results / from our practice.
아무것도 즉시 일어나는 것은 없다 / 그래서 처음에 / 우리는 볼 수 없다 / 어떤 결과도 / 우리가 하는 일로부터
접속사(so 이후의 절이 결과) / 조동사+동사원형

❷ This is like the example of the man [who tries to make fire / by rubbing two sticks of wood together].
이것은 그 사람의 예와 같다 / 불을 피우려고 하는 / 두 개의 나무 막대기를 서로 문질러서
~와 같은(전치사) / 주격 관계대명사 / try+to 부정사: ~하려고 노력하다 / by+동명사: ~함으로써

❸ He says to himself, / "They say [(that) there's fire here]," and he begins rubbing energetically.
그는 혼잣말을 한다 / ~이라고들 한다 / 여기에 불이 있다 / 그리고 / 그는 힘차게 문지르기 시작한다
(that) 접속사 생략 / 부사(앞의 동사 수식) / begin+동명사(to부정사): ~하기 시작하다

❹ He rubs on and on, / but he's very impatient.
그는 계속해서 문지른다 / 하지만 그는 매우 참을성이 없다
접속사(역접)

❺ He wants to have / that fire, / but the fire doesn't come.
그는 갖고 싶어 한다 / 그 불을 / 하지만 불은 일어나지 않는다
want+to부정사: ~하고 싶어 하다

❻ So he gets discouraged / and stops to rest / for a while.
그래서 그는 풀이 죽는다 / 그리고 쉬려고 멈춘다 / 잠시
get+형용사: ~한 상태가 되다 / stop+to부정사: ~하기 위해 멈추다 / 접속사(결과) / 동사1 / 병렬구조 / 동사2

❼ Then he starts again, / but the going is slow, / so he rests again.
그러고 나서 그는 다시 시작한다 / 하지만 진행이 더디다 / 그러므로 그는 다시 휴식을 취한다
접속사(역접) / 접속사(결과)

❽ By then / the heat has disappeared; / he didn't keep at it / long enough.
그때쯤에는 / 열이 사라져버렸다 / 그가 그것을 계속하지 않았기 때문이다 / 충분히 오랫동안
현재완료: have/has+p.p. / 부사(앞의 부사 수식)

❾ He rubs and rubs / until he gets tired / and then he stops altogether.
그는 문지르고 또 문지른다 / 그가 지치게 될 때까지 / 그런 다음에 그는 완전히 멈춘다
시간의 접속사+주어+동사

❿ Not only is he tired, / but (also) he becomes more and more discouraged / until he gives up completely, / "There's no fire here."
그는 지쳤을 뿐만 아니라 / 그는 점점 더 좌절한다 / 그가 완전히 포기할 때까지 / 여기에는 불이 없어
도치 구문(부정어구 강조) / not only A but (also) B: A뿐만 아니라 B도 / 부정어구+동사+주어 / become+비교급+and+비교급: 점점 더 ~해지다 / 시간의 접속사+주어+동사

⑪ Actually, / he was doing the work, / but there wasn't
사실 그는 작업을 하고 있었다 하지만
문장 전체를 수식하는 부사 과거진행형: was/were+-ing (~하고 있었다)

enough heat / to start a fire.
충분한 열이 없었다 불을 피울 수 있을 만큼의
형용사(명사 수식) to부정사의 형용사적 용법(앞의 명사 수식)

⑫ The fire was there / all the time, / but he didn't carry on /
불은 거기에 있었다 줄곧 하지만 그는 계속하지 못했다
접속사(그러나, 하지만) 계속하다

to the end.
끝까지

해석 아무것도 즉시 일어나는 것은 없으므로, 처음에 우리는 우리가 하는 일로부터 어떤 결과도 볼 수 없다. 이것은 두 개의 나무 막대기를 서로 문질러서 불을 피우려고 하는 사람의 예와 같다. 그는 "여기에 불이 있다고들 하잖아."라고 혼잣말을 하고는 힘차게 문지르기 시작한다. 계속해서 문지르지만, 그는 매우 참을성이 없다. 그는 그 불을 갖고 싶어 하지만, 불은 일어나지 않는다. 그래서 그는 풀이 죽어서 잠시 쉬려고 멈춘다. 그러고 나서 다시 시작하지만, 진행이 더디므로, 그는 다시 휴식을 취한다. 그때쯤에는 열이 사라져 버렸는데, 그가 충분히 오랫동안 그것을 계속하지 않았기 때문이다. 그는 문지르고 또 문지르다가 결국 지치게 되고, 그런 다음에 완전히 멈춘다. 그는 지쳤을 뿐만 아니라, 점점 더 좌절하여 "여기에는 불이 없어."라고 하며 완전히 포기한다. 사실 그는 작업을 하고 있었지만, 불을 피울 수 있을 만큼의 충분한 열이 없었다. 불은 줄곧 거기에 있었지만, 그는 끝까지 계속하지 못했다.

해설 ③ → impatient / be동사를 서술하는 주격보어 역할을 해야 하므로 형용사 impatient로 고쳐야 한다.

어법 REVIEW 4 서술형 내신 어법연습하기

pp. 102~105

1 01 hard 02 is strong enough to make a lot of people cling to the status quo 03 cognitive / 뒤의 명사 capacities를 수식하는 형용사 cognitive로 고쳐 써야 한다.

2 01 does poorly in school 02 seems unable to apply that intelligence to academic work 03 narrowly

3 01 cuts so deeply that doing so harms the product's quality 02 businesses 03 important / be동사 are의 보어가 와야 하므로 형용사 important로 고쳐 써야 한다.

4 01 experimentally → experimental / 뒤의 명사 studies를 수식하는 형용사로 고쳐 써야 한다. 02 우리가 그들의 능력에 대해 아이들을 칭찬할 때, 아이들은 더 조심하게 된다. 03 feeling helpless when they make mistakes

1. 구문분석 및 직독직해

① The belief [that humans have morality and animals don't]
믿음은 인간들은 도덕성을 가지고 있고 동물들은 그렇지 않다는
동격의 접속사

is such a longstanding assumption / that it could well be called
너무나 오래된 가정이라서 그것은 충분히 습관적 사고로 불릴 수 있다
동사 such ~ that ...: 너무 ~해서 …하다 조동사의 수동태

a habit of mind, / and bad habits, (as we all know,)
그리고 나쁜 습관은 우리가 모두 알다시피
접속사(삽입절)

are extremely hard to break.
고치기가 극도로 어렵다
to부정사의 부사적 용법(앞의 형용사 수식)

② A lot of people / have caved in to this assumption /
많은 사람들이 이러한 가정에 굴복해 왔는데
현재완료

비교급의 병렬구조

because it is easier / to deny morality to animals / than to deal
왜냐하면 더 쉽기 때문이다 동물에게서 도덕성을 부정하는 것이
가주어 it 비교급 진주어 to부정사(비교 대상1) to부정사2(비교 대상2)

with the complex effects of the possibility [that animals have /
가능성의 복잡한 영향들을 다루는 것보다 동물들이
동격의 접속사

moral behavior].
도덕적 태도를 가진다는

③ The historical tendency, (∨framed in the outdated dualism /
(which is)
역사적 경향은 시대에 뒤처진 이원론의 틀에 갇힌
과거분사구 삽입

of us versus them,) is strong enough / to make a lot of people
우리 대 그들이라는 충분히 강력하다 많은 사람들이
형용사+enough+to부정사: ~하기에 충분히 …한

cling to the status quo.
현재 상태를 고수하도록 만들기에
사역동사 make+목적어+동사원형: ~을 …하게 만들다

④ Denial of [who animals are] conveniently allows / for
동물들이 누구인가에 대한 부정은 편의대로 허용한다
주어 간접의문문(의문사+주어+동사) 부사 동사

maintaining false stereotypes / about the cognitive and
잘못된 고정관념을 유지하는 것을 동물들의 인지적, 감정적 능력에 대한
동명사(전치사의 목적어)

emotional capacities of animals.

⑤ Clearly a major paradigm shift is needed, / because
분명히 중대한 패러다임의 전환이 요구되는데 왜냐하면 ~하기 때문에
부사 주어 동사(수동태)

the lazy acceptance of habits of mind / has a strong influence /
습관적 사고에 대한 안일한 수용이 강한 영향을 미친다

수동태

on [how animals are understood and treated].
동물들이 어떻게 이해되고 다루어지는지에
간접의문문(의문사+주어+동사)

해석 인간들은 도덕성을 가지고 있고 동물들은 그렇지 않다는 믿음은 너무나 오래된 가정이라서 충분히 그것은 습관적 사고로 불릴 수 있고, 우리가 모두 알다시피 나쁜 습관은 고치기가 극도로 어렵다. 많은 사람들이 이러한 가정에 굴복해 왔는데, 왜냐하면 동물들이 도덕적 태도를 가진다는 가능성의 복잡한 영향들을 다루는 것보다 동물에게서 도덕성을 부정하는 것이 더 쉽기 때문이다. 우리 대 그들이라는 시대에 뒤처진 이원론의 틀에 갇힌 역사적 경향은 많은 사람들이 현재 상태를 고수하도록 만들기에 충분히 강력하다. 동물들이 누구인가에 대한 부정은 동물들의 인지적, 감정적 능력에 대한 잘못된 고정관념을 유지하는 것을 편의대로 허용한다. 분명히 중대한 패러다임의 전환이 요구되는데, 왜냐하면 습관적 사고에 대한 안일한 수용이 동물들이 어떻게 이해되고 다뤄지는지에 강한 영향을 미치기 때문이다.

해설 01 문맥상 '어려운'이라는 뜻의 형용사 hard가 적절하다. hardly는 '거의 ~ 않다'라는 뜻의 부사이다.

02 '만들 만큼 충분히 강력한'은 strong enough to make로 쓸 수 있고, '많은 사람들이 현재 상태를 고수하도록'은 사역동사 make를 사용하여 'make a lot of people cling to the status quo'로 쓸 수 있다.

03 cognitive와 emotional 두 개의 형용사가 and로 연결되어 뒤의 명사 capacities를 수식하고 있다.

2. 구문분석 및 직독직해

❶ Everyone knows a young person [who is impressively
모든 사람은 어떤 젊은이를 알고 있다 인상적으로
주어(단수) 동사(단수) 주격 관계대명사 부사

"street smart" / but does poorly in school].
'세상 물정에 밝은' 그러나 학교에서는 부진한
형용사

❷ We think V / it is a waste [that one {who is so intelligent /
(접속사 that) 주어
우리는 생각한다 낭비라고 매우 똑똑한 사람이
가주어 it 진주어 that 주격 관계대명사

about so many things in life} seems unable to apply /
삶에서 많은 것에 대해 적용할 수 없는 것처럼 보이는 것이
동사

that intelligence / to academic work].
지시대명사
그 똑똑함을 학업에

❸ [What we don't realize] is [that schools and colleges
우리가 깨닫지 못하는 것은 ~이다 학교나 대학이
관계대명사(선행사 포함) 주어 동사 접속사(보어 역할)

might be at fault / for missing the opportunity / to draw such
잘못을 하고 있을지도 모른다는 것 기회를 놓치는 그러한 세상 물정에
to부정사의 형용사적 용법1

street smarts / and V guide them toward good academic work].
(to)
밝은 사람들을 끌어들여 그리고 그들을 뛰어난 학업으로 안내해 줄
to부정사의 형용사적 용법2

❹ Nor do we consider / one of the major reasons [why
또한 우리는 고려하지 않는다 주요한 이유들 중 하나를 왜
부정어구 도치(부정어구+조동사+주어+동사원형) 관계부사

schools and colleges overlook / the intellectual potential of street
학교와 대학이 간과하는지 세상 물정에 밝은 사람들의 지적 잠재력을

smarts]: the fact [that we associate / those street smarts /
말하자면 ~라는 사실이다 우리는 연관시킨다 그러한 세상 물정에 밝은 사람들을
동격의 접속사

with anti-intellectual concerns].
반지성적인 근심거리와
associate A with B: A를 B와 연관시키다

❺ We associate / the educated life, / the life of the mind,
우리는 연관시킨다 교육받은 삶 지성인의 삶을

too narrowly / with subjects and texts [that we consider /
지나치게 좁게 과목과 교과서에 우리가 고려하는
목적격 관계대명사

inherently weighty and academic].
본질적으로 중요하며 학문적이라고
부사 형용사(목적격보어)

해석 모든 사람은 세상 물정에 매우 밝지만, 학교에서는 부진한 어떤 젊은이를 알고 있다. 우리는 삶에서 많은 것에 대해 매우 똑똑한 사람이 그 똑똑함을 학업에 적용할 수 없는 것처럼 보이는 것이 낭비라고 생각한다. 우리가 깨닫지 못하는 것은 학교나 대학이 그러한 세상 물정에 밝은 사람들을 끌어들여 그들을 뛰어난 학업으로 안내해 줄 기회를 놓치는 잘못을 하고 있을지도 모른다는 것이다. 또한 우리는 왜 학교와 대학이 세상 물정에 밝은 사람들의 지적 잠재력을 간과하는지에 대한 주요한 이유들 중 하나를 고려하지 않는다. 말하자면, 우리는 그러한 세상 물정에 밝은 사람들을 반지성적인 근심거리와 연관시킨다는 사실이다. 우리는 교육받은 삶, 지성인의 삶을 우리가 본질적으로 중요하며 학문적이라고 고려하는 과목과 교과서에 지나치게 좁게 연관시킨다.

해설 01 동사 does를 수식하는 부사가 필요하다. poor를 '부진하게, 형편없이'라는 뜻의 부사 poorly로 고쳐 써야 한다.

02 unable이 동사 seems의 보어 역할을 하는 형용사로 쓰인 것에 유의하여 쓴다.

03 문장의 동사 associate를 수식하는 부사 narrowly가 적절하다.

3. 구문분석 및 직독직해

❶ Cutting costs can improve profitability / but only up to a point.
비용 절감은 수익성을 향상시킬 수 있다 하지만 어느 정도까지이다
동명사 주어 동사 어느 정도

❷ If the manufacturer cuts costs so deeply / that doing so
만약 제조업자가 비용을 너무 크게 절감해서 그렇게 하는 것이
부사절 접속사(조건) so ~ that ...: 너무 ~해서 ···하다

harms the product's quality, / then the increased profitability /
제품의 질을 손상시키게 된다면 그러면 그 증가된 수익성은
과거분사

will be short-lived.
단기적일 것이다

❸ A better approach is / to improve productivity.
더 나은 접근법은 ~이다 생산성을 향상시키는 것
to부정사의 명사적 용법(보어 역할)

❹ If businesses can get more production / from the same
만약 기업이 더 많은 생산을 얻을 수 있다면 똑같은 수의
부사절 접속사(조건)

number of employees, / they're basically tapping into free money.
직원들로부터 그들은 기본적으로 거저 얻게 되는 것이다
부사

❺ They get more product to sell, / and the price of each
그들은 판매할 상품을 더 많이 얻는다 그리고 각 상품의 가격은 떨어진다
to부정사의 형용사적 용법(명사 수식)

product falls.

❻ As long as ⟨the machinery or employee training / needed
~하는 한 기계 또는 직원 연수가
⟨종속절⟩ 긴 주어 과거분사구

for productivity improvements⟩ costs less than / the value of
생산성 향상에 필요한 ~보다 비용이 적게 든다 생산성 향상으로
동사 ~보다 적게

the productivity gains, / it's an easy investment /
얻는 이윤의 가치 그것은 쉬운 투자이다
⟨주절⟩

for any business to make.
어떤 기업이든 할 수 있는
to make의 의미상의 주어

❼ Productivity improvements / are as important to the economy
생산성 향상은 경제에도 중요하다
as+형용사의 원급+as: ~만큼 ···한

as they are to the individual business [that's making them].
개별 기업에 중요한 만큼 그것을 만들어 내는
주격 관계대명사

❽ Productivity improvements generally raise / the standard of
생산성 향상은 일반적으로 올려 준다 생활 수준을
부사 동사1

living / for everyone / and are a good indication / of a healthy
모두를 위한 그리고 좋은 지표가 된다 건강한 경제의
동사2

economy.

해석 비용 절감은 수익성을 향상시킬 수 있지만, 어느 정도까지이다. 만약 제조업자가 비용을 너무 크게 절감해서 그렇게 하는 것이 제품의 질을 손상시키게 된다면, 그 증가된 수익성은 단기적일 것이다. 더 나은 접근법은 생산성을 향상시키는 것이다. 만약 기업이 똑같은 수의 직원들로부터 더 많은 생산을 얻을 수 있다면, 그들은 기본적으로 거저 얻게 되는 것이다. 그들은 판매할 상품을 더 많이 얻고, 각 상품의 가격은 떨어진다. 생산성 향상에 필요한 기계 또는 직원 연수가 생산성 향상으로 얻는 이윤의 가치보다 비용이 적게 든다면, 그것은 어떤 기업이든 할 수 있는 쉬운 투자이다. 생산성 향상은 그것을 만들어 내는 개별 기업에 중요한 만큼 경제에도 중요하다. 일반적으로 생산성 향상은 모두를 위한 생활 수준을 올려 주고 건강한 경제의 좋은 지표가 된다.

해설 01 '너무 ~해서 ···하다'라는 의미를 나타내는 'so ~ that ...' 구문이 쓰인 문장이다. deeply는 '크게'라는 뜻으로, 동사 cuts를 수식하는 부사이다.

02 they는 바로 앞 문장의 주어 businesses를 가리킨다.
03 important는 보어로 쓰였을 뿐만 아니라 '~만큼 …한'이라는 뜻의 'as ... as ~' 구문에 쓰인 형용사의 원급이다.

4. 구문분석 및 직독직해

❶ It might seem [that praising your child's intelligence or
~처럼 보일지도 모른다 당신의 아이의 지능이나 재능을 칭찬하는 것은
it seems that ~: ~처럼 보이다 동명사구 주어
(would)
talent / would boost his self-esteem / and motivate him].
그의 자존감을 높인다 그리고 그에게 동기를 부여한다
동사1 동사2

❷ But it turns out [that this sort of praise backfires].
그러나 ~으로 밝혀진다 이런 종류의 칭찬은 역효과를 일으킨다
가주어 진주어 that절

❸ Carol Dweck and her colleagues / have demonstrated
Carol Dweck과 그녀의 동료들은 그 효과를 보여 주었다
the effect / in a series of experimental studies:
일련의 실험적 연구들에서

❹ "When we praise kids / for their ability, / kids become more cautious. They avoid challenges."
우리가 아이들을 칭찬할 때 그들의 능력에 대해 아이들은 더 조심하게 된다 그들은 도전을 피한다
시간의 접속사(~할 때) 불완전 자동사+주격보어(형용사) 비교급

❺ It's as if they are afraid / to do anything [that might make them fail / and lose your high appraisal].
그것은 마치 그들이 두려워하는 것과 같다 어떤 것을 하길 자신들을 실패하게 만들지도 모를 그리고 당신의 높은 평가를 잃게 할지도 모를
마치 ~처럼 to부정사의 부사적 용법 주격 관계대명사 (might)
사역동사 make+목적어+동사원형

❻ Kids might also get the message [that intelligence or talent is something {that people either have or don't have}].
아이들은 또한 메시지를 받을지도 모른다 지능이나 재능이 어떤 것이라는 사람들이 가지거나 가지지 못하는
동격의 접속사 목적격 관계대명사 상관접속사 either A or B: A 또는 B

❼ This leaves kids feeling helpless / when they make mistakes.
이것은 아이들이 무기력하게 느끼도록 만든다 그들이 실수할 때
leave+목적어+현재분사 불완전 자동사+주격보어(형용사) 부사절 접속사

❽ What's the point of trying to improve / if your mistakes indicate [that you lack intelligence]?
향상하도록 노력하는 것이 무슨 소용이겠는가 만약 당신의 실수가 나타낸다면 당신이 지능이 부족하다는 것을
try+to부정사: ~하기 위해 노력하다 부사절 접속사(조건) 명사절 이끄는 접속사(목적어절)

해석 당신의 아이의 지능과 재능을 칭찬하는 것은 그의 자존감을 높이고 그에게 동기를 부여하는 것처럼 보일지도 모른다. 그러나 이런 종류의 칭찬은 역효과를 일으키는 것으로 밝혀진다. Carol Dweck과 그녀의 동료들은 일련의 실험적 연구들에서 그 효과를 보여 주었다: "우리가 그들의 능력에 대해 아이들을 칭찬할 때, 아이들은 더 조심하게 된다. 그들은 도전을 피한다." 그것은 마치 그들이 자신들을 실패하게 만들고 당신의 높은 평가를 잃게 할지도 모를 어떤 것을 하길 두려워하는 것과 같다. 아이들은 또한 지능이나 재능이 사람들이 가지거나 가지지 못하는 어떤 것이라는 메시지를 받을지도 모른다. 이것은 아이들이 실수할 때 무기력하게 느끼도록 만든다. 만약 당신의 실수가 당신이 지능이 부족하다는 것을 나타낸다면 향상하도록 노력하는 것이 무슨 소용이겠는가?

해설 01 experimental은 '실험적인', experimentally는 '실험적으로'라는 뜻이다.
02 become의 보어 역할을 하는 형용사 cautious(조심스러운)에 유의하여 해석한다.
03 helpless가 feeling의 보어 역할을 하는 형용사로 쓰인 것에 유의하여 쓴다.

Unit 11 비교

문법 확인 p. 106

비교구문 ❶ as ❷ than
비교구문의 문장 구조 ❸ 형용사 ❹ 보어 ❺ 동사
원급/비교급을 이용한 최상급 표현 ❻ 원급 ❼ 단수 명사
❽ 비교급 ❾ anything
개념 마무리 OX (1) × (2) ○ (3) ×

실전어법 개념확인 p. 107

Point ❶ same, 비교급, the / 1 largest 2 as
Point ❷ very, much, far, the very / 3 much 4 Even
Point ❸ 문법적 형태, 소유대명사, that / 5 when 6 hers
Point ❹ 배수사, 분수 표현 / 7 a third 8 larger

어법 REVIEW 1 문장 어법연습하기 p. 108

A
1 fast ▸ as + 원급 + as: ~만큼 …한/하게
2 far ▸ 비교급 강조 수식어는 far
3 that ▸ 비교 대상이 the increase (in electric car stock)로 단수
4 nothing ▸ nothing more than: ~에 불과한, ~에 지나지 않는
5 larger ▸ the + 비교급 ~, the + 비교급 …: ~하면 할수록 더 …한/하게

B
6 softer ▸ the + 비교급 ~, the + 비교급 …: ~하면 할수록 더 …한/하게
7 more tightly ▸ 앞에 비교급(closer)이 왔으므로 부사 tightly의 비교급

A
e.g. 그런 의미에서, 두 번째 숲은 첫 번째만큼 완벽했다.
1 그는 가능한 한 빨리 달렸고 자신을 공중으로 내던졌다.
2 컴퓨터들은 사람들이 할 수 있는 것보다 훨씬 더 빠른 속도로 정확하게 데이터를 처리할 수 있다.
3 2014년과 2016년 사이에, 일본에서의 전기차 재고량의 증가는 노르웨이의 그것(증가)보다 더 적었다.
4 초기의 시계들은 회전하는 드럼통 주위에 감긴 줄에 묶인 무게 추에 불과했다.

5 당연히, 그것은 종에 따라 다르며, 보통 동물이 더 클수록 그것의 도주 거리는 더 길다.

B

e.g. 이런 종류의 통합을 촉진할 수 있는 가장 좋은 방법 중 하나는 무섭거나 고통스러운 경험의 이야기를 되풀이하도록 돕는 것이다.

6 데님을 더 많이 빨수록, 더 부드러워지게 되고, 마침내 아마도 당신이 가장 좋아하는 청바지로부터 얻는 닳아 해어지고, 나만을 위해 만들어졌다는 느낌을 얻게 된다.

7 고체는, 예를 들어 나무처럼, 공기가 전형적으로 음파를 전달하는 것보다 훨씬 더 잘 전달하는데 왜냐하면 공기 중에서보다 고체 물체의 분자들이 훨씬 더 가깝고 더 촘촘하게 함께 뭉쳐 있기 때문이다.

어법 REVIEW 2 | 짧은 지문 어법연습하기

p. 109

A 1 (A) high (B) that **2** (A) smallest (B) than
B 3 ① **4** ②

A

1 건강 과학 발명 분야에서, 여성 응답자의 비율은 남성 응답자의 그것(비율)보다 두 배만큼 높았다. 환경 관련 발명 분야에서 남성과 여성 간 퍼센트 포인트의 차이가 가장 작았다. 웹 기반 발명 분야에서, 여성 응답자의 비율은 남성 응답자의 그것(비율)의 절반보다 더 적었다.

▸ (A) 배수사 + as + 원급 + as: ~보다 몇 배 …한/하게
(B) 지시대명사가 가리키는 비교 대상이 the percentage (of female respondents)이므로 단수형 that이 적절하다.

2 네 지역 중에서, 아프리카는 15세 미만 사람들의 비율이 가장 컸고 65세를 초과한 사람들의 비율은 가장 작았다. 아시아에서, 15세 미만 사람들의 퍼센트 포인트는 65세를 초과한 사람들의 그것(퍼센트 포인트)의 두 배였다. 북미에서 15세 미만의 인구 비율은 아시아의 그것(인구 비율)보다 더 작았다.

▸ (A) 앞의 'the largest ~'와 바로 앞에 있는 the로 보아 최상급 표현이 적절하다.
(B) 앞에 비교급 smaller가 있으므로 than이 적절하다.

B

3 기차가 낡은 마차보다 훨씬 더 빨라서, 지역 시간의 고유한 차이는 심각한 골칫거리가 되었다. 1847년에, 영국 철도 회사들은 머리를 맞대어 논의했고, 그 이후 모든 열차 운행 시간표를 Liverpool, Manchester 또는 Glasgow의 지역 시간 대신, Greenwich 천문대 시간에 맞춰 조정할 것에 동의했다. 점점 더 많은 기관들이 열차 회사들의 선례를 따랐다.

▸ ① → much, a lot 등 / 비교급을 강조하는 수식어로 very는 쓸 수 없으며, even, much, still, far, a lot 등이 와야 한다.

4 여러분의 몸은 여러분이 사고하기 위해, 움직이기 위해, 운동하기 위해 필요한 만큼의 에너지를 저장한다. 여러분이 오늘 더 활동적일수록, 오늘 더 많은 에너지를 소비하고 그러면 내일 소모할 더 많은 에너지를 가지게 될 것이다. 신체 활동은 여러분에게 더 많은 에너지를 주고 여러분이 지치는 것을 막아 준다.

▸ ② → The more / 「the + 비교급 ~, the + 비교급 …」 구문이므로, the more가 알맞다.

어법 REVIEW 3 | 기출 유형 어법연습하기

pp. 110~111

1 ② **2** ② **3** ④ **4** ⑤

1. 구문분석 및 직독직해

❶ The table above shows / the number of trips and
위의 표는 보여 준다 / 여행 수와 경비를 (~의 수)

expenditures / for wellness tourism, / travel for health and
건강 관광의 / 건강과 웰빙을 위한 여행인

well-being, / in 2015 and 2017.
2015년과 2017년의

❷ Both the total number of trips and the total expenditures
총 여행 수와 총 경비 둘 다
both A and B: A와 B 둘 다(복수 취급)

were higher in 2017 / compared to those in 2015.
2017년에 더 높았다 / 2015년의 그것들에 비해서 (~와 비교하여)
= the total number of trips and the total expenditures

❸ Of the six listed regions, / Europe was the most visited
나열된 여섯 개 지역 중에서 / 유럽이 가장 많이 방문된 장소였으며 (최상급)

place / for wellness tourism / in both 2015 and 2017, /
건강 관광을 위해 / 2015년과 2017년 두 해 모두

followed by Asia-Pacific.
아시아-태평양이 그 뒤를 따랐다
followed by ~: 다음에 ~가 오다

❹ In 2017, / the number of trips to Latin America-The
2017년에 / 라틴 아메리카-카리브해로의 여행 수가 (주어)

Caribbean / was more than five times higher / than that to
다섯 배 이상 더 높았다
단수 동사 배수사+비교급: ~보다 몇 배 더 …한 / = the number of trips

The Middle East-North Africa.
중동-북아프리카로의 그것보다

❺ While North America was the only region [where more
북아메리카가 유일한 지역이었던 반면
접속사(부사절/양보) / 관계부사

than 200 billion dollars was spent] in 2015, / it was joined
2천억 달러 이상이 소비된 / 2015년에는

by Europe / in 2017.
유럽이 합류했다 2017년에는

❻ Meanwhile, / expenditures in The Middle East-North
한편 / 중동-북아프리카와 아프리카에서의 경비는

Africa and Africa / were each less than 10 billion dollars / in
각각 100억 달러 미만이었다 (열등 비교)

both 2015 and 2017.
2015년과 2017년 두 해 모두

해석 위의 표는 2015년과 2017년의 건강과 웰빙을 위한 여행인 건강 관광의 여행 수와 경비를 보여 준다. 총 여행 수와 총 경비 둘 다 2015년의 그것들에 비해서 2017년에 더 높았다. 나열된 여섯 개 지역 중에서, 유럽이 2015년과 2017년 두 해 모두 건강 관광을 위해 가장 많이 방문된 장소였으며, 아시아-태평양이 그 뒤를 따랐다. 2017년에, 라틴 아메리카-카리브해로의 여행 수가 중동-북아프리카로의 그것보다 다섯 배 이상 더 높았다. 2015년에는 북아메리카가 2천억 달러 이상이 소비된 유일한 지역이었던 반면, 2017년에는 유럽이 합류했다. 한편, 중동-북아프리카와 아프리카에서의 경비는 각각 2015년과 2017년 두 해 모두 100억 달러 미만이었다.

해설 ② → those / 지시대명사가 가리키는 비교 대상이 the total

number of trips and the total expenditures이므로, 복수형 those로 고쳐야 한다.

2. 구문분석 및 직독직해

❶ The above graph shows / the number of jobs / directly
위의 도표는 보여 준다 일자리의 수를
~의 수 과거분사구

created by travel and tourism / in 2016 and 2017 / for five
관광업에 의해 직접적으로 만들어진 2016년과 2017년에

regions.
다섯 개 지역에서

❷ The number of jobs / directly generated by travel and
일자리의 수는 관광업에 의해 직접적으로 만들어진
the number of+복수 동사 과거분사구

tourism / in North East Asia and South Asia / was greater in
동북아시아와 남아시아에서
비교급+than

2017 than in 2016.
2017년에 2016년보다 더 많았다

❸ Of the five regions, / North East Asia showed the
다섯 개 지역 중에 동북아시아는 가장 높은 수치를 보여 주었다

highest number / in direct job creation / by travel and
직접적 일자리 창출에서 관광업에 의한

tourism / in 2017, / with 30.49 million jobs.
2017년에 3천 49만 개로

❹ In 2016, / the number of jobs in South Asia [that travel
2016년에는 남아시아에서의 일자리 수가 관광업이
주어 주격 관계대명사

and tourism directly contributed] was the largest of the five
직접적으로 제공했던 다섯 개 지역들 중에서 가장 많았다
동사 최상급

regions, / but it ranked the second highest / in 2017.
그러나 두 번째로 높았다 2017년에는
서수+최상급

❺ Though the number of jobs in North America / directly
북미에서 일자리의 수는 관광업에
접속사(부사절/(양보) 과거분사구

created by travel and tourism / was lower in 2017 than in
의해 직접적으로 만들어진 2017년에 2016년보다 더 낮았지만
비교급+than

2016, / it still exceeded 10 million / in 2017.
여전히 1천만 개를 초과했다 2017년에도

❻ In 2017, / travel and tourism directly contributed 5.71
2017년에 관광업이 571만 개의 일자리를 직접적으로 제공했고

million jobs / in Latin America, / which was over six times
남미에서 이것은 여섯 배가 넘었다
관계대명사 계속적 용법

= jobs

more / than those of Oceania in 2017.
2017년의 오세아니아의 그것들(일자리)보다
배수사+비교급: ~보다 몇 배 더 …한

해석 위의 도표는 2016년과 2017년에 다섯 개 지역에서 관광업에 의해 직접적으로 만들어진 일자리의 수를 보여 준다. 동북아시아와 남아시아에서 관광업에 의해 직접적으로 만들어진 일자리의 수는 2017년에 2016년보다 더 많았다. 다섯 개 지역 중에, 동북아시아는 2017년에 관광업에 의한 직접적 일자리 창출에서 3천 49만 개로 가장 높은 수치를 보여주었다. 2016년에는, 관광업이 직접적으로 제공했던 남아시아에서의 일자리 수가 다섯 개 지역들 중에서 가장 많았지만, 2017년에는 두 번째로 높았다. 북미에서 관광업에 의해 직접적으로 만들어진 일자리의 수는 2017년에 2016년보다 더 낮았지만, 2017년에도 여전히 1천만 개를 초과했다. 2017년에, 관광업이 남미에서 571만 개의 일자리를 직접적으로 제공했고, 이것은 2017년의 오세아니아의 그것들보다 여섯 배가 넘었다.

해설 (A) 앞에 비교급 greater가 있으므로 than이 적절하다.
(B) 동사 rank가 '(순위를) 차지하다'라는 뜻이므로, twice(두 배)가 아니라 서수 second(두 번째)가 적절하다.
(C) 지시대명사가 가리키는 비교 대상이 jobs이므로 복수형인 those가 적절하다.

3. 구문분석 및 직독직해

❶ The above graph shows / the injury rate by day of game /
위의 도표는 보여 준다 경기 요일별 부상률을

in the National Football League (NFL) / from 2014 to 2017.
내셔널 풋볼리그(NFL)의 2014년부터 2017년까지
from A to B: A부터 B까지

❷ The injury rate of Thursday games / was the lowest in
목요일 경기 부상률은 2014년에 가장 낮았고
최상급

2014 / and the highest in 2017.
2017년에 가장 높았다
최상급

❸ The injury rate of Saturday, Sunday and Monday games /
토요일, 일요일 그리고 월요일 경기 부상률은

decreased steadily / from 2014 to 2017.
꾸준히 감소하였다 2014년부터 2017년까지

❹ In all the years except 2017, / the injury rate of
2017년을 제외한 모든 해에 목요일 경기 부상률이

Thursday games / was lower than / that of Saturday, Sunday
더 낮았다
비교급+than = the injury rate

and Monday games.
토요일, 일요일 그리고 월요일의 그것(경기 부상률)보다

❺ The gap / between the injury rate of Thursday games
차이는 목요일 경기 부상률과
주어 between A and B: A와 B 사이의

and that of Saturday, Sunday and Monday games / was the
토요일, 일요일 그리고 월요일 경기 부상률 간의
= the injury rate 동사

largest in 2014 / and the smallest in 2017.
2014년에 가장 컸고 2017년에 가장 작았다

❻ In two years out of the four, / the injury rate of
4년 중 두 해에 목요일 경기 부상률이

Thursday games / was higher than that of the 4-year total.
4년 전체의 그것(목요일 경기 부상률)보다 더 높았다
비교급+than = the injury rate (of Thursday games)

해석 위의 도표는 2014년부터 2017년까지 내셔널 풋볼리그(NFL)의 경기 요일별 부상률을 보여 준다. 목요일 경기 부상률은 2014년에 가장 낮았고 2017년에 가장 높았다. 토요일, 일요일 그리고 월요일 경기 부상률은 2014년부터 2017년까지 꾸준히 감소하였다. 2017년을 제외한 모든 해에 목요일 경기 부상률이 토요일, 일요일 그리고 월요일 경기 부상률보다 더 낮았다. 목요일 경기 부상률과 토요일, 일요일 그리고 월요일 경기 부상률 간의 차이는 2014년에 가장 컸고 2017년에 가장 작았다. 4년 중 두 해에, 목요일 경기 부상률이 4년 전체의 그것(목요일 경기 부상률)보다 더 높았다.

해설 ④ → higher / 뒤에 than이 나오므로 비교급인 higher가 알맞다.

4. 구문분석 및 직독직해

❶ Improved consumer water consciousness / may be the
물에 대한 향상된 소비자 의식이
과거분사

cheapest way / to save the most water, / but it is not the
가장 저렴한 방법일지 모른다 가장 많은 물을 절약하는 그러나 그것이
최상급 형용사적 용법

only way [consumers can contribute / to water conservation].
유일한 방법은 아니다 소비자들이 기여할 수 있는 물 보존에
(관계부사 생략)

❷ With technology progressing / faster than ever before, /
기술이 진보하면서 이전보다 더 빠르게
with+목적어+현재분사 비교급+than

there are plenty of devices [that consumers can install in
많은 장치들이 있다 소비자들이 자신의 가정에 설치할 수 있는
there are+복수 주어 주격 관계대명사

their homes / to save more].
(물을) 더 절약하기 위해
부사적 용법(목적)

❸ More than 35 models of high-efficiency toilets / are on
35개가 넘는 고효율 변기 모델이

the U.S. market today, / some of which use / less than 1.3
오늘날 미국 시장에 있으며 그것들 중 일부는 사용한다 1.3갤런 미만을
계속적 용법의 관계대명사 열등 비교

gallons / per flush.
물을 내릴 때마다

❹ Starting at $200, / these toilets are affordable / and can
200달러에서 시작하는 이 변기들은 가격이 저렴하고
현재분사

help the average consumer save / hundreds of gallons of
일반 소비자가 절약하는 데 도움이 될 수 있다 수백 갤런의 물을
help+목적어+목적격보어(원형부정사)

water / per year.
일 년에

❺ Appliances / officially approved as most efficient] are
가장 효율이 높다고 공식적으로 승인된 기기들은
주어 과거분사구 동사(수동태)

tagged with the Energy Star logo / to alert the shopper.
Energy Star 로고가 붙어 있다 소비자가 알 수 있게
부사적 용법(목적)

❻ Washing machines with that rating / use 18 to 25
그런 등급의 세탁기들은 18에서 25갤런의 물을 사용한다

gallons of water / per load, / compared with older machines
1회 세탁 시 구형 기계에 비해
~와 비교하여

[that use no less than 40 gallons].
무려 40갤런을 사용하는
주격 관계대명사 ~만큼이나

❼ High-efficiency dishwashers / save even more water.
고효율 식기세척기는 훨씬 더 많은 물을 절약한다
비교급 강조(= much, far)

❽ These machines use / up to 50 percent less water / than
이런 기계들은 사용한다 50퍼센트까지 더 적은 물을
~까지 비교급+than

older models.
구형 모델보다

해석 물에 대한 향상된 소비자 의식이 가장 많은 물을 절약하는 가장 저렴한 방법일지 모르지만, 그것이 소비자들이 물 보존에 기여할 수 있는 유일한 방법은 아니다. 기술이 이전보다 더 빠르게 진보하면서, 소비자들이 물을 더 절약하기 위해 자신의 가정에 설치할 수 있는 많은 장치들이 있다. 35개가 넘는 고효율 변기 모델이 오늘날 미국 시장에 있으며, 그것들 중 일부는 물을 내릴 때마다 1.3갤런 미만을 사용한다. 200달러에서 시작하는 이 변기들은 가격이 저렴하고 일반 소비자가 일 년에 수백 갤런의 물을 절약하는 데 도움이 될 수 있다. 가장 효율이 높다고 공식적으로 승인된 기기들은 소비자가 알 수 있게 Energy Star 로고가 붙어 있다. 그런 등급의 세탁기들은 무려 40갤런을 사용하는 구형 기계에 비해, 1회 세탁 시 18에서 25갤런의 물을 사용한다. 고효율 식기세척기는 훨씬 더 많은 물을 절약한다. 이런 기계들은 구형 모델보다 50퍼센트까지 더 적은 물을 사용한다.

해설 (A) 대부분의 2음절 이상 형용사의 최상급은 형용사 앞에 most를 붙인다.
(B) no less than: ~만큼이나
(C) 뒤에 비교급 more가 오므로 비교급을 강조하는 even이 적절하다.

어법 REVIEW 4 서술형 내신 어법연습하기

pp. 112~115

1 01 large → the largest / 뒤에 이어지는 of all five regions로 보아 최상급 비교구문 02 유럽의 비율의 두 배가 넘는 03 the smallest, less than a third

2 01 higher than any other country 02 the internet usage rate 03 low → lowest / 앞에 the가 있고 뒤에 among the five regions가 이어지므로 최상급 비교구문

3 01 ② very → much(even, still, far 등) / 뒤에 비교급이 이어지므로 강조 수식어로 very는 불가 02 has more mass than tables, trees, or apples
03 (b) Sun (c) Earth

4 01 ② more frequent → more frequently / 동사 happen을 수식하는 부사의 비교급 02 The chances of bomb attacks are much rarer than we think
03 ones / outcomes

1. 구문분석 및 직독직해

❶ The two pie charts above show [the number of natural
위의 두 원 그래프는 보여 준다

disasters / and the amount of damage / by region / in 2014].
자연재해 횟수와 피해액을 지역별 2014년의
병렬구조(명사구+and+명사구)

❷ The number of natural disasters in Asia / was the largest / of
아시아의 자연재해 횟수가 가장 많았으며
~의 수(+단수 동사) 최상급

all five regions / and accounted for 36 percent, / which was
모든 다섯 지역 중 36%를 차지했다 이는 두 배가 넘는다
차지하다 관계대명사의 계속적 용법

more than twice / the percentage of Europe.
유럽의 비율의
more than+배수사: 몇 배보다 더 많은

❸ Americas had the second largest number / of natural disasters, /
아메리카가 두 번째로 많았다 자연재해 횟수가
최상급

taking up 23 percent.
23%를 차지하면서
분사구문

❹ The number of natural disasters in Oceania / was the smallest /
오세아니아의 자연재해 횟수가 가장 적었으며
최상급

and less than a third / of that in Africa.
3분의 1도 안 되었다 아프리카의 그것(자연재해 횟수)의
열등 비교 = the number of natural disasters

❺ The amount of damage in Asia / was the largest / and more
아시아의 피해액이 가장 많았으며
최상급

than the combined amount / of Americas and Europe.
합쳐진 액수보다 더 많았다 아메리카와 유럽의
과거분사

⑥ Africa had the least amount of damage / even though
아프리카가 피해액은 가장 적었다
최상급 접속사(부사절/양보)

it ranked third / in the number of natural disasters.
비록 3위를 차지했지만 자연재해 횟수에서는

해석 위의 두 원 그래프는 2014년의 지역별 자연재해 횟수와 피해액을 보여 준다. 모든 다섯 지역 중 아시아의 자연재해 횟수가 가장 많고 36%를 차지했는데, 이는 유럽의 비율의 두 배가 넘는다. 아메리카가 23%를 차지하면서 자연재해 횟수가 두 번째로 많았다. 오세아니아의 자연재해 횟수가 가장 적었으며 아프리카의 그것(자연재해 횟수)의 3분의 1도 안 되었다. 아시아의 피해액이 가장 많았으며 아메리카와 유럽이 합쳐진 액수보다 더 많았다. 아프리카가 비록 자연재해 횟수에서는 3위를 차지했지만, 피해액은 가장 적었다.

해설 01 뒤에 '~중에서'를 의미하는 「of + 명사」가 이어지므로 최상급 비교구문이 알맞다.
02 more than + 배수사: 몇 배보다 더 많은
03 '가장 작은'은 small의 최상급 표현을 이용하여 the smallest로 쓴다. '~도 안 되는'은 열등 비교인 less than, '3분의 1'은 a third이므로 '3분의 1도 안 되는'은 less than a third로 쓴다.

2. 구문분석 및 직독직해

① The above graph shows [the global internet usage rate / in
위의 도표는 보여 준다 전 세계 인터넷 사용 비율을

2017, / sorted by gender and region].
2017년의 성별, 지역별로 분류된
과거분사(the global internet usage rate in 2017 수식)

② Among the five regions, / both male and female internet
다섯 개의 지역 중에서 남성과 여성 인터넷 사용 비율 둘 다
both A and B: A와 B 둘 다

usage rate / in Europe / was higher than any other country, /
유럽에서 다른 어떤 국가보다 더 높았으며
비교급+than any other+단수 명사: 다른 어떤 ~보다 더 …한

accounting for 83% and 76% respectively.
각각 83%, 76%를 차지하며
분사구문

③ In each region, / the male internet usage rate / was higher /
각 지역에서 남성 인터넷 사용 비율이 더 높았다
비교급+than

than the female internet usage rate / except for in the Americas.
여성 인터넷 사용 비율보다 아메리카 대륙을 제외하고는
~을 제외하고는

④ 〈The percentage point gap of internet usage / between males
인터넷 사용 퍼센트 포인트 차이는 남성과 여성의
주어(명사+전치사구)

and females〉 was the highest / in the Arab States.
가장 높았다 아랍 국가들에서
동사 최상급

⑤ The internet usage rate of males in the Arab States / was
아랍 국가들의 남성 인터넷 사용 비율은 ~와 같았다

the same as / that of males in Asia Pacific.
아시아 태평양의 남성의 그것(인터넷 사용 비율)
~와 같은(원급 비교) = the internet usage rate

⑥ The percentage of female internet usage in Africa / was the
아프리카에서 여성 인터넷 사용 비율은

lowest / among the five regions, / but it was higher / than half
가장 낮았지만 다섯 개 지역 가운데 더 높았다
최상급 비교급+than

that of female internet usage / in Asia Pacific.
여성 인터넷 사용의 그것(비율)의 절반보다는 아시아 태평양에서의
= the percentage

해석 위의 도표는 성별, 지역별로 분류된 2017년의 전 세계 인터넷 사용 비율을 보여 준다. 다섯 개의 지역 중에서, 유럽에서 남성과 여성 모두의 인터넷 사용 비율이 각각 83%, 76%를 차지하며 다른 어떤 국가보다 더 높았으며, 아메리카 대륙을 제외하고는, 각 지역에서 남성 인터넷 사용 비율이 여성 인터넷 사용 비율보다 더 높았다. 남성과 여성의 인터넷 사용의 퍼센트 포인트 차이는 아랍 국가들에서 가장 높았다. 아랍 국가들의 남성 인터넷 사용 비율은 아시아 태평양의 남성 인터넷 사용의 그것(비율)과 같았다. 아프리카에서 여성 인터넷 사용 비율은 다섯 개 지역 가운데 가장 낮았지만, 아시아 태평양에서의 여성 인터넷 사용의 그것(비율)의 절반보다는 더 높았다.

해설 01 '다른 어떤 ~보다 …한'은 「비교급 + than any other + 단수 명사」로 쓸 수 있다.
02 앞에 나온 비교 대상의 반복을 피하기 위해 쓰인 대명사로, 여기서는 the internet usage rate를 대신한다.
03 the + 형용사의 최상급 + among ~: ~ 중에서 가장 …한

3. 구문분석 및 직독직해

① You know [that forks don't fly off to the Moon] and [that
여러분은 알고 있다 포크가 달로 날아가지 않으며
접속사(명사절)1 접속사(명사절)2

neither apples nor anything else on Earth / cause the Sun to
사과나 지구상의 그 어떤 것도 태양이 우리에게
neither A nor B: A와 B 둘 다 아닌 V O

crash down on us].
추락하도록 하지 않는다는 것을
OC(to부정사)

② The reason (관계부사 why) these things don't happen is [that the strength
이런 일들이 일어나지 않는 이유는 ~이다
접속사(명사절) – 보어

of gravity's pull / depends on two things].
중력의 당기는 힘의 강도가 두 가지에 따라 달라진다

③ The first is / the mass of the object.
첫째는 ~이다 물체의 질량

④ The apple is very small, / and doesn't have much mass, / so
사과는 매우 작고 큰 질량을 가지고 있지 않다 그래서

its pull on the Sun is absolutely tiny, / certainly much smaller /
이것이 태양에 작용하는 인력은 절대적으로 작으며 확실히 훨씬 더 작다
비교급 강조

than the pull of all the planets.
모든 행성들의 인력보다

⑤ The Earth has more mass / than tables, trees, or apples, / so
지구는 더 큰 질량을 가지고 있다 탁자, 나무, 또는 사과보다 그래서
비교급+than

almost everything in the world / is pulled towards the Earth.
지구상의 거의 모든 것이 지구를 향해 당겨진다
수동태

⑥ That's (관계부사(선행사 생략)) why apples fall from trees.
그것이 ~한 이유이다 사과가 나무에서 떨어지는

⑦ Now, / you might know [that the Sun is a great deal
이제 여러분은 알고 있을 것이다
접속사(명사절) 비교급 강조

bigger than Earth / and has much more mass].
태양이 지구보다 훨씬 더 크고 훨씬 더 큰 질량을 가지고 있다는 것을
비교급+than 비교급 강조

⑧ So why don't apples fly off / towards the Sun?
그렇다면 왜 사과는 날아가지 않을까 태양을 향해

⑨ The reason is [that the pull of gravity / also depends on
이유는 ~이다 중력의 당기는 힘이 거리에 따라 또한 달라진다
접속사(명사절)

the distance / to the object doing the pulling].
잡아당기는 물체와의
현재분사

⑩ Although the Sun has much more mass than the Earth, /
태양이 지구보다 훨씬 더 큰 질량을 가지고 있지만
접속사(부사절/양보) 비교급 강조

we are much closer to the Earth, / so we feel its gravity more.
우리가 지구에 훨씬 더 가깝다 그래서 그것의 중력을 더 많이 느낀다
비교급 강조

해석 여러분은 포크가 달로 날아가지 않으며 사과나 지구상의 그 어떤 것도 태양이 우리에게 추락하도록 하지 않는다는 것을 알고 있다. 이런 일들이 일어나지 않는 이유는 중력의 당기는 힘의 강도가 두 가지에 따라 달라지기 때문이다. 첫째는 물체의 질량이다. 사과는 매우 작고, 큰 질량을 가지고 있지 않아서, 이것이 태양에 작용하는 인력은 절대적으로 작으며, 확실히 모든 행성들의 인력보다 훨씬 더 작다. 지구는 탁자, 나무, 또는 사과보다 더 큰 질량을 가지고 있어서, 지구상의 거의 모든 것이 지구를 향해 당겨진다. 그것이 사과가 나무에서 떨어지는 이유이다. 이제, 여러분은 태양이 지구보다 크기가 훨씬 더 크고 훨씬 더 큰 질량을 가지고 있다는 것을 알고 있을 것이다. 그렇다면 왜 사과는 태양을 향해 날아가지 않을까? 이유는 중력의 당기는 힘이 또한 잡아당기는 물체와의 거리에 따라 달라지기 때문이다. 태양이 지구보다 훨씬 더 큰 질량을 가지고 있지만, 우리가 지구에 훨씬 더 가까워서 그것의 중력을 더 많이 느낀다.

해설 01 비교급 강조 수식어: even, much, still, far, a lot ...

02 주어가 3인칭 단수이므로 have는 has로 쓰고, '~보다 더 큰 질량'은 'more mass than ~'으로 쓴다.

03 태양이 지구보다 훨씬 더 큰 질량을 가지고 있지만, 우리가 지구에 훨씬 가까워서 지구의 중력을 더 많이 느낀다는 내용이 되어야 자연스럽다.

4. 구문분석 및 직독직해

① We create a picture of the world / using the examples [that most easily come to mind].
우리는 세상에 대한 그림을 만들어 낸다 / 예시를 사용하여 (분사구문) / 주격 관계대명사
가장 쉽게 떠오르는 (→ 떠오르다)
㈜ 가장 쉽게

② This is foolish, / of course, / because in reality, things don't happen more frequently / just because we can imagine them more easily.
이것은 어리석은데 / 물론 (삽입어구) / 왜냐하면 현실에서 사건들은 더 자주 (because+삽입어구+S+V)
발생하지는 않기 때문이다 / 단지 우리가 더 쉽게 상상할 수 있다는 이유로 (= things)

③ Thanks to this prejudice, / we travel through life / with an incorrect risk map / in our heads.
이 편견 때문에 (~ 덕분에, ~ 때문에(= owing to)) / 우리는 삶을 헤쳐 나간다
부정확한 위험 지도를 가지고 / 우리의 머릿속에

④ Thus, / we overestimate / the risk of being the victims / of a plane crash, a car accident, or a murder.
따라서 / 우리는 과대평가한다 / 우리가 희생자가 될 위험성을 (전치사+-ing)
비행기 추락, 자동차 사고, 또는 살인의

⑤ And we underestimate / the risk of dying / from less spectacular means, / such as diabetes or stomach cancer.
그리고 우리는 과소평가한다 / 죽을 위험성을
덜 극적인 방법으로 / 당뇨병 또는 위암과 같은 (~와 같은(= like))

⑥ The chances of bomb attacks / are much rarer than we think, / and the chances of suffering depression / are much higher.
폭탄 공격의 가능성은 / 우리가 생각하는 것보다 훨씬 더 희박하고 (비교급 강조+비교급+than)
우울증으로 고통 받을 가능성은
훨씬 더 높다 (= far / a lot)

⑦ We attach too much likelihood / to spectacular, flashy, or loud outcomes.
우리는 지나치게 많은 가능성을 부여한다 / 극적이고, 현란하고,
야단스러운 결과에

⑧ Anything silent or invisible / we downgrade / in our minds.
조용하고 보이지 않는 것은 (-thing + 형용사) / 우리는 평가절하한다 / 우리의 마음속에서

⑨ Our brains imagine impressive outcomes / more readily / than ordinary ones.
우리의 뇌는 인상적인 결과를 상상한다 / 더 쉽게 (비교급+than)
평범한 것보다 (= outcomes)

해석 우리는 가장 쉽게 떠오르는 예시를 사용하여 세상에 대한 그림을 만들어 낸다. 물론, 이것은 어리석은데, 왜냐하면 현실에서 사건들은 단지 우리가 더 쉽게 상상할 수 있다는 이유로 더 자주 발생하지는 않기 때문이다. 이 편견 때문에, 우리는 우리의 머릿속에 부정확한 위험 지도를 가지고 삶을 헤쳐 나간다. 따라서, 우리는 우리가 비행기 추락, 자동차 사고, 또는 살인의 희생자가 될 위험성을 과대평가한다. 그리고 우리는 당뇨병 또는 위암과 같은 덜 극적인 방법으로 죽을 위험성은 과소평가한다. 폭탄 공격의 가능성은 우리가 생각하는 것보다 훨씬 더 희박하고, 우울증으로 고통 받을 가능성은 훨씬 더 높다. 우리는 극적이고, 현란하고, 야단스러운 결과에 지나치게 많은 가능성을 부여한다. 우리는 조용하고 보이지 않는 것은 우리의 마음속에서 평가절하한다. 우리의 뇌는 평범한 것보다 인상적인 결과를 더 쉽게 상상한다.

해설 01 동사 happen을 수식하므로 부사의 비교급 표현을 써야 한다.

02 '폭탄 공격의 가능성'은 the chances of bomb attacks, '우리가 생각하는 것보다'는 than we think, '훨씬 더 희박하다'는 are much rarer로 쓰면 된다. 비교급을 강조하는 much를 rarer 앞에 쓰는 것에 주의한다.

03 비교 대상은 문법적으로 동일한 형태가 와야 하는데, 복수형인 outcomes가 비교 대상이므로 대명사도 복수형인 ones가 알맞다.

Unit 12 특수구문

문법 확인 p. 116

강조, 도치, 부정, 간접의문문 ❶ that ❷ do ❸ 앞
❹ 부분부정 ❺ 의문문
동격, 삽입, 생략 ❻ 동격 ❼ 삽입 ❽ 생략
개념 마무리 OX (1) × (2) × (3) ○

실전어법 개념확인 p. 117

Point ❶ that, do / 1 that 2 do
Point ❷ 주어, neither(nor) / 3 Lucky are those
4 Never before have I
Point ❸ 모두 / 항상 / 둘 다 ~인 것은 아니다 / 5 not
6 None
Point ❹ 주어, 동사, how, 추측, if / 7 who bought this
8 how special you are 9 What do you think

어법 REVIEW 1 문장 어법연습하기 p. 118

A
1 that ▸ the second train을 강조하는 「It ~ that」 강조구문
2 does it tell ▸ 부사 도치구문의 어순은 「부사 + (조)동사 + 주어」
3 none ▸ no 뒤에는 명사가 와야 하므로 none
4 why people prefer ▸ 간접의문문의 어순은 「의문사 + 주어 + 동사」
B
5 do ▸ 동사 need를 강조하는 조동사 do의 주어 수 일치
6 was the fact ▸ 보어 도치구문의 어순은 「보어 + 동사 + 주어」
7 it would be ▸ 의문사가 없는 간접의문문의 어순은 「whether + 주어 + 동사」

A
e.g. 몇 년 후에야 비로소 그 개념은 대중화되었다.
1 반대 방향으로 움직이고 있는 것은 두 번째 기차이다.
2 그러나 그것은 어디에서도 상자의 3분의 1 이상이 첨가된 설탕을 포함하고 있다는 것을 소비자들에게 말하지 않는다.
3 하지만 이 중 무엇도 그가 그의 주변 사람들의 편견과 가식에 도전하는 것을 멈추지 못했다.
4 당신은 행동을 설명하기 위한 원인을 찾을 때 사람들이 왜 외적 상황보다는 내적 기질을 우선시하기를 좋아하는지를 궁금해할 것이다.

B
e.g. 누가 더 큰 해마를 가지고 있을 것이라 추측하는가? 택시 운전사인가 버스 운전사인가?
5 수업이 열리려면 최소 다섯 명의 참가자가 꼭 필요합니다!
6 Freud가 자신의 애완견 Jofi가 그의 환자들에게 매우 도움이 되었다는 것을 거의 우연히 발견했다는 사실은 당시에 덜 알려졌다.
7 예컨대, 참가자들은 자율 주행 차량이 열 명의 보행자를 사망하게 하는 것보다는 한 명의 승객을 희생시키는 것이 더 도덕적인가에 대한 질문을 받았다.

어법 REVIEW 2 짧은 지문 어법연습하기 p. 119

A 1 (A) should they (B) never 2 (A) are likely to be winners and losers (B) do many developing countries
B 3 ② 4 ①

A
1 교육에서 측정, 성적에 대한 책임, 또는 기준이 향상을 위한 유용한 도구가 될 수 있지만, 이러한 것들이 중심적인 위치를 차지해서는 안 된다. 대신 우리는 우리의 아이들에게 인류를 지키도록 그들을 무장시킬 교육을 제공하는 것을 보장하는 데 초점을 맞추어야 한다.
▸ (A) 부정어 hardly가 앞으로 나와 강조되는 도치구문으로 「(조)동사 + 주어」의 어순인 should they가 알맞다.
(B) never와 not 둘 다 부정을 표현하지만 never는 단독으로 쓸 수 있는 반면 not은 주로 be동사나 조동사와 함께 쓰인다.

2 지구가 따뜻해짐에 따라 승자와 패자가 있을 가능성이 있다. 많은 개발도상국이 선진국보다 자연적으로 더 따뜻한 기후를 가지고 있을 뿐 아니라, 또한 농업, 임업, 관광업과 같은 기후에 민감한 부문에 더 많이 의존한다.
▸ (A) there 도치구문이므로 「there + 조동사(are likely to) + 동사원형(be) + 주어」의 어순이 알맞다.
(B) not only 다음에 도치가 되므로 do many developing countries가 알맞다.

B
3 만약 당신이 주지사가 누구인지 혹은 물 분자에 얼마나 많은 수소 원자가 있는지를 잊어버렸다면, 조용히 친구에게 이런 저런 방법으로 물어보고, 숨기기를 그만두고, 조치를 취하라. 이러한 접근법은 만약 당신이 아는 것보다 더 많은 것을 아는 척하는 흔한 행동을 했다면 당신이 그랬을 것보다 당신을 좀 더 성공적으로 만들 것이다.
▸ ② → how many hydrogen atoms are / 의문사 how 바로 뒤에 형용사나 부사가 오는 경우 하나의 의문사로 취급하므로 how many hydrogen atoms are가 알맞다.

4 동전과 주사위와는 달리, 인간은 기억이 있고, 승패에 정말로 관심을 갖는다. 하지만, 야구에서 타율은 단지 선수가 최근에 안타를 못 쳤다고 높아지는 것은 아니다. 연달아 네 번 아웃된 야구 선수가 안타를 치도록 되어 있는 것은 아니고, 연달아 네 번 안타를 친 선수가 아웃이 되도록 되어 있는 것도 아니다.

▶ ① → do / 주어 humans가 복수이고 문장의 시제가 현재이므로 강조 조동사 do가 알맞다.

어법 REVIEW 3 기출 유형 어법연습하기

pp. 120~121

1 ② 2 ③ 3 ④ 4 ⑤

1. 구문분석 및 직독직해

❶ Charisma is eminently learnable and teachable, / and in many ways, / it follows / one of Newton's famed laws of motion: / *For every action, / there is an equal and opposite reaction.*
카리스마는 분명하게 배울 수 있고 가르칠 수 있다 / 그리고 여러 면에서 / 따른다 / 뉴턴의 유명한 운동 법칙 중 하나를, / 모든 작용에 대하여 / 같은 크기이면서 반대 방향인 반작용이 존재한다
부사 ⌣ 형용사구 / one of+복수 명사(단수 취급) / there is+단수 명사

❷ That is to say [that all of charisma and human interaction / is a set of signals and cues {that lead to other signals and cues}, and there is a science to deciphering {whether certain signals and cues work the most / in your favor}].
즉 ~을 의미한다 / 모든 카리스마와 인간 상호 작용은 / 일련의 신호와 단서들이다 / 다른 신호와 단서들로 이어지는 / 그리고 판독하는 과학이 있다는 것을 / 특정 신호와 단서들이 가장 유리하게 작용하는지 아닌지를 / 자신에게
즉 / all of+단수로만 쓰이는 명사+단수 동사 / 주격 관계대명사 / 목적어

❸ In other words, / charisma can often be simplified / as a checklist of / what to do / at what time.
다시 말하면 / 카리스마는 종종 단순화될 수 있다 / 체크리스트로 / 무엇을 해야 하는지의 / 어떤 때에
조동사+be+p.p. / 빈도부사 위치(조동사 뒤, 일반동사 앞) / 의문사+to부정사

❹ However, / it will require brief forays / out of your comfort zone.
그러나 / 그것은 일시적 시도가 필요할 것이다 / 편안한 상태에서 벗어나려는

❺ Even though there may be a logically easy set of procedures / to follow, / it's still an emotional battle / to change your habits / and introduce new, uncomfortable behaviors [that you are not used to].
비록 논리적으로는 수월한 일련의 절차들이 존재할 수 있지만 / 지켜야 할 / 여전히 감정적인 분투이다 / 습관을 바꾸고 / 새롭고 불편한 행동들을 시작하는 것은 / 익숙하지 않은
접속사(부사절/양보) / 부사 ⌣ 형용사 / 형용사적 용법 / 가주어 / 진주어 / (to) / 등위접속사 병렬구조 / 주격 관계대명사 / be used to+(동)명사: ~에 익숙하다

❻ I like to say [that it's just a matter of using muscles {that have long been dormant}].
나는 ~라고 말하는 것을 좋아한다 / 이것이 단지 근육들을 사용하는 문제라고 / 오랫동안 활동을 중단한
접속사(명사절) / 주격 관계대명사 / 현재완료(계속)

❼ It will take some time / to warm them up, / but it's only through practice and action / that you will achieve your desired goal.
시간이 좀 필요할 것이다 / 그것들을 준비시키는 데 / 그러나 오직 연습과 행동을 통해서이다 / 원하는 목표를 성취하게 되는 것은
가주어 / 진주어 / 「it ~ that」 강조구문

해석 카리스마는 분명하게 배울 수 있고 가르칠 수 있으며, 그리고 여러 면에서 '모든 작용에 대하여 같은 크기이면서 반대 방향인 반작용이 존재한다.'는 뉴턴의 유명한 운동 법칙 중 하나를 따른다. 즉, 모든 카리스마와 인간 상호 작용은 다른 신호와 단서들로 이어지는 일련의 신호와 단서들이며, 그리고 특정 신호와 단서들이 자신에게 가장 유리하게 작용하는지 아닌지를 판독하는 과학이 있다는 것을 의미한다. 다시 말하면, 카리스마는 종종 어떤 때에 무엇을 해야 하는지의 체크리스트로 단순화될 수 있다. 그러나, 그것은 편안한 상태에서 벗어나려는 일시적 시도가 필요할 것이다. 비록 논리적으로는 수월한 일련의 지켜야 할 절차들이 존재할 수 있지만, 습관을 바꾸고 익숙하지 않은 새롭고 불편한 행동들을 시작하는 것은 여전히 감정적인 분투이다. 나는 이것이 단지 오랫동안 활동을 중단한 근육들을 사용하는 문제라고 말하는 것을 좋아한다. 그것들을 준비시키는 데 시간이 좀 필요하겠지만, 원하는 목표를 성취하게 되는 것은 오직 연습과 행동을 통해서이다.

해설 ② → whether certain signals and cues work / 의문사가 없는 간접의문문의 어순인 「whether + 주어 + 동사」에 따라 whether certain signals and cues work로 고쳐야 한다.

2. 구문분석 및 직독직해

❶ Have you ever thought about [how you can tell {what somebody else is feeling}]?
당신은 ~에 대해 생각해 본 적이 있는가 / 당신이 어떻게 알 수 있을지 / 다른 누군가가 어떻게 느끼고 있는지를
현재완료(경험) / 간접의문문 / 간접의문문(의문사+주어+동사)

❷ Sometimes, / friends might tell you [that they are feeling happy or sad] but, even if they do not tell you, / I am sure [that you would be able to make a good guess about {what kind of mood they are in}].
때때로 / 친구들이 당신에게 말할지도 모른다 / 그들이 행복하거나 슬프다고 / 하지만 당신에게 말하지 않는다고 해도 / 나는 확신한다 / 당신이 ~에 대해 추측을 잘 할 수 있을 것이라고 / 그들이 어떤 기분을 느끼고 있는지
접속사(명사절) / 감각동사+형용사 보어 / 접속사(부사절/양보) / 접속사(명사절) / 간접의문문

❸ You might get a clue / from the tone of voice [that they use].
당신은 단서를 얻을지도 모른다 / 목소리의 어조로부터 / 그들이 사용하는
목적격 관계대명사

❹ For example, / they may raise their voice / if they are angry / or talk in a shaky way / if they are scared.
예를 들어 / 그들은 목소리를 높일 것이고 / 그들이 화가 나 있다면 / 떠는 식으로 말할 것이다 / 그들이 두려워하고 있다면
동사원형1 / 접속사(부사절/조건) / 동사원형2(병렬구조) / 접속사(부사절/조건)

❺ 〈The other main clue [you might use] to tell [what a friend is feeling]〉 would be to look at his or her facial expression.
나머지 주요한 단서는 / 당신이 사용할 / 알기 위해 / 친구가 어떻게 느끼고 있는지 / 그나 그녀의 얼굴 표정을 보는 것일 것이다
주어 〈 〉 / (목적격 관계대명사 생략) / 부사적 용법(목적) / 간접의문문 / 동사 / 명사적 용법(보어)

❻ We have lots of muscles in our faces [which enable us to move our face / into lots of different positions].
우리는 얼굴에 많은 근육들이 있다 / 이는 우리의 얼굴을 움직일 수 있게 한다 / 많은 다른 위치로
많은 ~ / 주격 관계대명사 / enable+A+to부정사: A가 ~할 수 있게 하다

❼ This happens spontaneously / when we feel a particular
이것은 자발적으로 일어난다 우리가 특정한 감정을 느낄 때
부사절(시간의 접속사)

emotion.

해석 당신은 다른 누군가가 어떻게 느끼고 있는지를 당신이 어떻게 알 수 있을지에 대해 생각해 본 적이 있는가? 때때로, 친구들이 당신에게 그들이 행복하거나 슬프다고 말할지도 모르지만, 당신에게 말하지 않는다고 해도, 나는 당신이 그들이 어떤 기분을 느끼고 있는지에 대해 추측을 잘 할 수 있을 것이라고 확신한다. 당신은 그들이 사용하는 목소리의 어조로부터 단서를 얻을지도 모른다. 예를 들어, 그들이 화가 나 있다면 그들은 목소리를 높일 것이고, 그들이 두려워하고 있다면 떠는 식으로 말할 것이다. 친구가 어떻게 느끼고 있는지 알기 위해 당신이 사용할 나머지 주요한 단서는 그나 그녀의 얼굴 표정을 보는 것일 것이다. 우리는 얼굴에 많은 근육들이 있는데 이는 우리의 얼굴을 많은 다른 위치로 움직일 수 있게 한다. 이것은 우리가 특정한 감정을 느낄 때 자발적으로 일어난다.

해설 (A) 간접의문문의 어순은 「의문사 + 주어 + 동사」이므로 how you can이 알맞다.

(B) 의미상 주절과 종속절이 대조를 이루고 있으므로 양보의 부사절을 이끄는 접속사 even if가 알맞다.

(C) 부정대명사 another는 정관사 the와 함께 쓰지 않으므로 other가 알맞다.

3. 구문분석 및 직독직해

❶ Impressionist paintings are probably most popular; / it is
인상주의 화가의 그림은 아마도 가장 인기가 있다

an easily understood art [which does not ask the viewer /
그것은 쉽게 이해되는 미술이다 보는 사람에게 요구하지 않는
과거분사 주격 관계대명사

부사적 용법(목적)
to work hard / to understand the imagery].
열심히 노력할 것을 그 형상을 이해하기 위해
ask+A+to부정사: A가 ~하도록 요구하다

❷ Impressionism is 'comfortable' to look at, / with its
인상주의는 보기에 '편하고'
부사적 용법(형용사 수식)

summer scenes and bright colours / appealing to the eye.
여름의 장면과 밝은 색깔은 눈길을 끈다
with+목적어+현재분사

진주어 도치(동사+주어)
❸ It is important to remember, however, / that not only was
그러나 기억하는 것이 중요하다 이 새로운 그림 방식은
가주어 not only A but also B: A 뿐만 아니라 B도

this new way of painting / challenging to its public / in the way
대중들에게 도전적이었을 뿐만 아니라 그것이
the way (that): ~하는 방법

[that it was made] but also in [what was shown].
만들어진 방법에 있어 무엇이 보여지는가에 있어서도
수동태 의문사절

❹ They had never seen / such 'informal' paintings / before.
그들은 본 적이 결코 없었다 그렇게 '형식에 구애받지 않는' 그림을 이전에
과거완료 부정형

❺ The edge of the canvas / cut off the scene / in an
캔버스의 가장자리는 장면을 잘랐다 임의적으로

arbitrary way, / as if snapped with a camera.
마치 카메라로 스냅사진을 찍는 것처럼
마치 ~처럼

❻ The subject matter included / modernization of the
그 소재는 포함했다 풍경의 현대화를

landscape; / railways and factories.
기찻길과 공장과 같은

과거완료 수동태(had been+p.p.)
❼ Never before / had these subjects been considered /
이전에는 결코 이러한 대상이 여겨지지 않았다
부정어구 도치구문: 부정어구+(조)동사+주어

appropriate for artists.
화가들에게 적절하다고

해석 인상주의 화가의 그림은 아마도 가장 인기가 있다. 그것은 보는 사람에게 그 형상을 이해하기 위해 열심히 노력할 것을 요구하지 않는 쉽게 이해되는 예술이다. 인상주의는 보기에 '편하고', 여름의 장면과 밝은 색깔은 눈길을 끈다. 그러나 이 새로운 그림 방식은 그것이 만들어지는 방법에 있어 도전적이었을 뿐만 아니라, 무엇이 보여지는가에 있어서도 그랬다는 것을 기억하는 것이 중요하다. 그들은 이전에 그렇게 '형식에 구애받지 않는' 그림을 본 적이 결코 없었다. 캔버스의 가장자리는 마치 카메라로 스냅사진을 찍는 것처럼, 임의적으로 장면을 잘랐다. 그 소재는 기찻길과 공장과 같은 풍경의 현대화를 포함했다. 이전에는 이러한 대상이 결코 화가들에게 적절하다고 여겨지지 않았다.

해설 ④ → had never seen / 부정어 never는 일반동사 앞에 위치하므로 had never seen으로 고쳐야 한다.

4. 구문분석 및 직독직해

❶ In one of Silicon Valley's most innovative companies / is a
실리콘 밸리의 가장 혁신적인 회사들 중 하나에 최고 경영자가 있다
부사구 도치구문: 부사구+동사+주어

CEO [who has {what would seem like / a boring, creativity-killing
~처럼 보이는 일을 하는 지루하고 창의력을 해치는 판에 박힌 일
주격 관계대명사 관계대명사(주어)

routine}].

❷ He holds a three-hour meeting [that starts at 9:00 A.M.
그는 세 시간짜리 회의를 연다 오전 9시에 시작하는
주격 관계대명사

/ one day a week].
일주일에 하루

❸ It is never missed / or rescheduled at a different time.
그것은 걸러지지 않는다 다른 시간으로 일정이 변경되거나
과거분사1 과거분사2(병렬구조)

❹ It is mandatory — / so much so / that / even in this
그것은 의무적인데 너무 그러하여
so ~ that ...: 너무나 ~하여 …하다

global firm / all the executives know / never to schedule any
심지어 이 다국적 기업에서 모든 임원들은 알고 있다 어떠한 이동 일정도 절대로
to부정사 부정형(not(never)+to부정사)

travel [that will conflict with the meeting].
잡지 않아야 한다는 것을 그 회의와 충돌하는
주격 관계대명사

❺ At first glance / there is nothing particularly unique /
언뜻 보아 특별히 독특한 점은 없다
-thing + 부사 + 형용사

about this.
이것에 대한

❻ But [what is unique] is / the quality of ideas [that come
그러나 정말로 독특한 것은 ~이다 아이디어의 질
관계대명사(주어) 동사 주격 관계대명사

out of the regular meetings].
정기적인 회의들로부터 나오는

❼ Because the CEO did eliminate / the mental cost /
최고 경영자는 정말로 없앴기 때문에 정신적 비용을
접속사(부사절/이유)

involved in planning the meeting / or thinking about [who
회의를 계획하거나 혹은 누가 회의에 참여하고
과거분사구 동명사1 동명사2(병렬구조)

will or won't be there], people can focus / on creative
참여하지 않을지에 대해 생각하는 것과 관련된 사람들은 초점을 맞출 수 있다
간접의문문 〈주절〉

problem solving.
창의적인 문제 해결에

해석 실리콘 밸리의 가장 혁신적인 회사들 중 한 회사에 지루하고 창의력을 해치는 판에 박힌 일처럼 보이는 것을 하는 최고 경영자가 있다. 그는 일주일에 하루 오전 9시에 시작하는 세 시간짜리 회의를 연다. 그것이 걸러지거나 다른 시간으로 일정이 변경되는 일은 결코 없다. 그것은 의무적인데 너무 그러하여 심지어 이 다국적 기업의 모든 임원들은 그 회의와 충돌하는 어떠한 이동 일정도 절대로 잡지 않아야 한다는 것을 알고 있다. 언뜻 보아, 이것에 대한 특별히 독특한 점은 없다. 그러나 정말로 독특한 것은 이 정기적인 회의들로부터 나오는 아이디어의 질이다. 최고 경영자가 회의를 계획하거나 누가 회의에 참여하고 참여하지 않을지에 대해 생각하는 것과 관련된 정신적 비용을 정말로 없앴기 때문에, 사람들은 창의적인 문제 해결에 초점을 맞출 수 있다.

해설 (A) 부사구가 앞으로 나와 도치된 구문으로 문장의 주어가 a CEO이므로 is가 알맞다.
(B) 동사 is missed를 부정하는 말이 필요하므로 never가 알맞다. none은 일반적으로 명사와 함께 쓰인다.
(C) 간접의문문에서 의문사가 주어일 경우에는 어순이 「의문사(주어) + 동사」이므로 who will이 알맞다.

어법 REVIEW 4 서술형 내신 어법연습하기

pp. 122~125

1 01 where coffee originated or who first discovered it 02 그의 염소들 중 어느 것도 열매를 먹은 후 밤에 잠을 자지 않았다 03 coffee did originate / 문맥상 절의 시제가 과거이므로 강조 조동사는 did

2 01 plants 02 come chemical compounds that nourish and heal and delight the senses 03 It is this fact of plants' immobility that causes them to make chemicals.

3 01 would the hostess inform her guests 02 참치 샐러드도 닭고기 샐러드도 아닌 03 was the process influenced / 부정어구가 앞으로 나와 강조되었으므로 「(조)동사 + 주어」로 도치

4 01 누가 어떤 정보에 접근할 수 있는지 02 how the residents of those buildings present themselves 03 whether we see each other's faces / 의문사가 없는 간접의문문의 어순은 「whether + 주어 + 동사」

1. 구문분석 및 직독직해

❶ Although humans have been drinking coffee / for centuries, / it is not clear [just where coffee originated / or who first discovered it].
사람들은 커피를 마셔 왔지만 / 수세기 동안 / 분명하지 않다 / 단지 어디서 커피가 유래했는지 / 혹은 / 누가 그것을 처음 발견했는지는
(접속사(부사절/양보), 현재완료 진행형, 가주어, 진주어(간접의문문: 의문사+주어+동사), 간접의문문(의문사(주어)+동사))

❷ However, / the predominant legend has it that / a goatherd discovered coffee / in the Ethiopian highlands.
그러나 / 유력한 전설에 따르면 / 한 염소지기가 / 커피를 발견했다 / 에티오피아 고산지에서
(~에 따르면 …이다)

❸ Various dates for this legend / include / 900 BC, 300 AD, and 800 AD.
이 전설에 대한 다양한 시기는 / 포함한다 / 기원전 900년, 기원후 300년, 그리고 기원후 800년을

❹ Regardless of the actual date, / it is said [that Kaldi, the goatherd, noticed {that none of his goats slept at night / after eating berries / from 〈what would later be known as a coffee tree〉}].
실제 시기와 상관없이 / 염소지기인 Kaldi가 발견했다고 한다 / 그의 염소들 중 어느 것도 밤에 잠을 자지 않았다는 것을 / 열매를 먹은 후 / 후에 커피나무라고 알려진 것으로부터
(~와 상관없이, 동격, 가주어, 진주어, 접속사(명사절), none of+명사, 관계대명사, ~라고 알려지다)

❺ When Kaldi reported his observation / to the local monastery, / the abbot became the first person / to brew a pot of coffee / and (to) note its flavor and alerting effect / when he drank it.
Kaldi가 그의 관찰 내용을 보고했을 때 / 그 지역 수도원에 / 그 수도원장은 첫 번째 사람이 되었다 / 한 주전자의 커피를 우려내고 / 그것의 풍미와 각성 효과를 알아차린 / 그가 그것을 마셨을 때
(접속사(부사절), 형용사적 용법(to부정사1), to부정사2-병렬구조, it = coffee)

❻ 〈Word of the awakening effects and the pleasant taste / of this new beverage〉 soon spread / beyond the monastery.
잠을 깨우는 효과와 좋은 풍미에 대한 소문은 / 이 새로운 음료의 / 이내 널리 퍼졌다 / 수도원 너머로
(〈 〉 주어, 동사)

❼ The story of Kaldi might be / more fable than fact, / but at least some historical evidence indicates [that coffee did originate / in the Ethiopian highlands].
Kaldi의 이야기는 ~일지도 모른다 / 사실이라기보다 꾸며낸 이야기 / 그러나 적어도 몇몇 역사적 증거는 보여 준다 / 커피가 정말 유래했다는 것을 / 에티오피아 고산지에서
(more A than B = A rather than B, 접속사(명사절), 강조의 do)

해석 수세기 동안 사람들은 커피를 마셔 왔지만, 단지 어디서 커피가 유래했는지 혹은 누가 그것을 처음 발견했는지는 분명하지 않다. 그러나, 유력한 전설에 따르면 한 염소지기가 에티오피아 고산지에서 커피를 발견했다. 이 전설에 대한 다양한 시기는 기원전 900년, 기원후 300년, 그리고 기원후 800년을 포함한다. 실제 시기와 상관없이, 염소지기인 Kaldi가 그의 염소들 중 어느 것도 후에 커피나무라고 알려진 나무로부터 열매를 먹은 후 밤에 잠을 자지 않았다는 것을 발견했다고 한다. Kaldi가 그 지역 수도원에 그의 관찰 내용을 보고했을 때, 그 수도원장은 한 주전자의 커피를 우려내고 그가 그것을 마셨을 때 그것의 풍미와 각성 효과를 알아차린 첫 번째 사람이 되었다. 이 새로운 음료의 잠을 깨우는 효과와 좋은 풍미에 대한 소문은 이내 수도원 너머로 널리 퍼졌다. Kaldi의 이야기는 사실이라기보다 꾸며낸 이야기일지도 모르지만, 적어도 몇몇 역사적 증거는 커피가 정말 에티오피아 고산지에서 유래했다는 것을 보여준다.

해설 01 간접의문문의 어순인 「의문사 + 주어 + 동사」의 순서로 쓰되, 의문사가 주어일 경우에는 「의문사(주어) + 동사」의 어순으로 쓴다.
02 none을 사용한 전체부정이므로 '~중 어느 것도 …하지 않았다'로 해석한다.
03 강조 조동사 do는 주어의 수 및 문장의 시제에 따라 do/does/did로 바꿔 써야 한다.

2. 구문분석 및 직독직해

❶ Plants are nature's alchemists; / they are expert / at
식물들은 자연의 연금술사들이다 그것들은 전문적이다

transforming water, soil, and sunlight / into an array of
물, 토양, 그리고 햇빛을 바꾸는 데
전치사+-ing

precious substances.
귀한 물질들의 집합체로

❷ Many of these substances are beyond / the ability of human
이 물질들 중 상당수는 넘어선다 인간의 능력을

beings / to conceive.
상상할 수 있는
형용사적 용법

❸ While we were perfecting consciousness / and learning to
우리가 의식을 완성해 가고 두 발로 걷는 것을
접속사(부사절) 과거진행형(현재분사1) (현재분사2/병렬구조)

walk on two feet, / they were, by the same process of natural
배우는 동안 그것들은 자연 선택의 동일한 과정에 의해

selection, / inventing photosynthesis / and perfecting organic
광합성을 발명하고 유기 화학을 완성하고 있었다
과거진행형(현재분사1) (현재분사2/병렬구조)

chemistry.

❹ As it turns out, / many of the plants' discoveries / in
밝혀진 것처럼 식물들이 발견한 것 중 상당수가
접속사(~처럼)

chemistry and physics / have served us well.
화학과 물리학에서 우리에게 매우 도움이 되어 왔다
현재완료(계속)

❺ From plants / come chemical compounds [that nourish
식물들로부터 화합물들이 나온다
부사구 도치구문: 부사구+동사+주어 주격 관계대명사

and heal and delight the senses].
영양분을 공급하고 치료하고 감각을 즐겁게 하는

❻ Why would they go to / all this trouble?
왜 그것들은 ~을 할까 이 모든 수고를

❼ Why should plants bother / to devise the recipes / for so
왜 식물들은 애를 써야만 할까 제조법을 고안해 내고
명사적 용법(목적어)

many complex molecules / and then (to) expend the energy /
그렇게나 많은 복합 분자들의 그런 다음에 에너지를 쏟는 것에

needed to manufacture them?
그것들을 제조하는 데 필요한
과거분사구 = many complex molecules

❽ Plants can't move, / which means [they can't escape the
식물들은 움직일 수 없고 이것은 의미한다 그것들이 생물체로부터
계속적 용법의 관계대명사 (접속사 that 생략)

creatures {that feed on them}].
도망갈 수 없다는 것을 그것들을 먹이로 하는
주격 관계대명사

❾ It is this fact of plants' immobility / that causes them to
바로 식물들의 부동성(不動性)이라는 이러한 사실이
「It ~ that」 강조구문 cause+A+to부정사: A로 하여금 ~하게 하다

make chemicals.
그것들로 하여금 화학물질을 만들도록 한다

해석 식물들은 자연의 연금술사들이고, 그것들은 물, 토양, 그리고 햇빛을 다수의 귀한 물질들의 집합체로 바꾸는 데 전문적이다. 이 물질들 중 상당수는 인간이 상상할 수 있는 능력을 넘어선다. 우리가 의식을 완성해 가고 두 발로 걷는 것을 배우는 동안, 그것들은 자연 선택의 동일한 과정에 의해 광합성을 발명하고 유기 화학을 완성하고 있었다. 밝혀진 것처럼, 화학과 물리학에서 식물들이 발견한 것 중 상당수가 우리에게 매우 도움이 되어 왔다. 영양분을 공급하고 치료하고 감각을 즐겁게 하는 화합물들이 식물들로부터 나온다. 왜 그것들은 이 모든 수고를 할까? 왜 식물들은 그렇게나 많은 복합 분자들의 제조법을 고안해 내고 그런 다음에 그것들을 제조하는 데 필요한 에너지를 쏟는 것에 애를 써야만 할까? 식물들은 움직일 수 없고, 이것은 그것들이 그것들을 먹이로 하는 생물체로부터 도망갈 수 없다는 것을 의미한다. 바로 식물들의 부동성(不動性)이라는 이러한 사실이 그것들로 하여금 화학물질을 만들도록 한다.

해설 01 대조의 접속사 while을 이용하여 인간과 식물을 비교하여 설명하고 있다.

02 부사구 from plants가 앞으로 나와 강조되었으므로 도치구문의 어순에 따라 동사 come이 from plants 바로 뒤에 와야 한다.

03 강조하는 어구는 this fact of plants' immobility로, 「It ~ that」 강조구문을 사용하여 「It + be동사」와 that 사이에 강조하는 어구를 넣는다.

3. 구문분석 및 직독직해

❶ A dramatic example / of [how culture can influence our
한 극적인 예는 문화가 어떻게 우리의 생물학적인 처리 과정에 영향을
주어 간접의문문(의문사+주어+동사)

biological processes] was provided / by anthropologist Clyde
미칠 수 있는지에 대한 제시되었다 인류학자인 Clyde Kluckhohn에 의해
동사

Kluckhohn, / who spent much of his career / in the American
그는 자신의 경력의 많은 부분을 보냈다 American Southwest에서
계속적 용법의 관계대명사

Southwest / studying the Navajo culture.
Navajo 문화를 연구하며
spend+시간+-ing: ~하는 데 시간을 보내다

❷ Kluckhohn tells of a non-Navajo woman / he knew /
Kluckhohn은 Navajo인이 아닌 한 여인에 대해 말한다 그가
(목적격 관계대명사 who(m))

in Arizona [who took a somewhat perverse pleasure /
Arizona에서 알았던 다소 심술궂은 기쁨을 얻었던
주격 관계대명사

in causing a cultural response to food].
음식에 대한 문화적 반응을 이끌어 내는 것에서
in+-ing: ~하는 데 있어

❸ At luncheon parties / she often served sandwiches [filled
오찬 파티에서 그녀는 샌드위치를 자주 대접했다
과거분사구

with a light meat {that resembled tuna or chicken / but had a
흰 살 고기로 채워진 참치나 닭고기와 비슷한 그러나 독특한
주격 관계대명사

distinctive taste}].
맛이 나는

❹ Only after everyone had finished lunch / would the hostess
모든 사람이 점심 식사를 마친 후에야 비로소 그 여주인은
부사구 도치구문: 부사구+(조)동사+주어 습관

inform her guests [that {what they had just eaten} was neither
손님들에게 알려 주곤 했다 그들이 방금 먹은 것은
관계대명사(주어) neither A nor B: A도 B도 아닌

tuna salad nor chicken salad / but rather rattlesnake salad].
참치 샐러드나 닭고기 샐러드가 아니라 방울뱀 고기 샐러드였다고

❺ Invariably, / someone would vomit / upon learning /
어김없이 누군가는 먹은 것을 토하곤 했다 알게 되면
습관 upon+-ing: ~하자마자

[what they had eaten].
그들이 방금 무엇을 먹었는지
관계대명사(목적어) 대과거(had+p.p.)

❻ Here, then, / is an excellent example of how the biological
그렇다면 이것은 ~에 대한 훌륭한 예시이다
Here 도치구문(Here+동사+주어) 의문사절

process of digestion was influenced / by a cultural idea.
소화의 생물학적인 과정이 어떻게 영향을 받았는지에 대한 문화적인 관념에 의해
수동태

❼ Not only was the process influenced, / it was reversed: / the
그 과정은 영향을 받았을 뿐만 아니라 완전히 뒤집혔다
부정어구 도치구문(Not only+동사+주어)

culturally based *idea* [that rattlesnake meat is a disgusting thing
문화에 기초한 '관념'이 방울뱀 고기는 먹기에 혐오스러운 음식이라는
접속사(동격)

to eat] triggered a violent reversal / of the normal digestive
극단적인 반전을 촉발했다 정상적인 소화의 과정에
형용사적 용법 동사

process.

해석 문화가 어떻게 우리의 생물학적인 처리 과정에 영향을 미칠 수 있는지에 대한 한 극적인 예는 인류학자인 Clyde Kluckhohn에 의해 제시되었는데, 그는 자신의 경력의 많은 부분을 American Southwest에서 Navajo 문화를 연구하며 보냈다. Kluckhohn은 음식에 대한 문화적 반응을 이끌어 내는 것에서 다소 심술궂은 기쁨을 얻었던, 그가 Arizona에서 알았던 Navajo인이 아닌 한 여인에 대해 말한다. 오찬 파티에서 그녀는 참치나 닭고기와 비슷하지만 독특한 맛이 나는 흰 살 고기로 채워진 샌드위치를 자주 대접했다. 그 여주인은 모든 사람이 점심 식사를 마친 후에야 비로소 손님들에게 그들이 방금 먹은 것은 참치 샐러드나 닭고기 샐러드가 아니라 방울뱀 고기 샐러드였다고 알려 주곤 했다. 어김없이, 그들이 방금 무엇을 먹었는지 알게 되면 바로 누군가는 먹은 것을 토하곤 했다. 그렇다면, 이것은 소화의 생물학적인 과정이 어떻게 문화적인 관념에 의해 영향을 받았는지에 대한 훌륭한 예시이다. 그 과정은 영향을 받았을 뿐만 아니라, 완전히 뒤집혔다. 방울뱀 고기는 먹기에 혐오스러운 음식이라는 문화에 기초한 '관념'이 정상적인 소화의 과정에 극단적인 반전을 촉발했다.

해설 01 부사절 'only ~'가 앞으로 나와 강조되었으므로 도치구문의 어순인 「(조)동사 + 주어」의 순서로 쓴다.

02 「neither A nor B」는 'A도 B도 아닌'이라는 뜻의 전체부정 표현이다.

03 부정어구 not only가 앞으로 나와 강조되었으므로 「(조)동사 + 주어」의 어순이 알맞다.

4. 구문분석 및 직독직해

❶ The online world is an artificial universe — / entirely
온라인 세상은 인공의 세계이다

human-made and designed.
완전히 사람에 의해 만들어지고 설계된
과거분사구

❷ The design of the underlying system shapes [how we
그 근본적인 시스템의 디자인이 형성한다 우리가 어떻게
간접의문문1

appear] and [what we see / of other people].
보이고 우리가 무엇을 보는지를 다른 사람들에게서
간접의문문2

❸ It determines / the structure of conversations / and [who
그것은 결정한다 대화의 구조와
간접의문문(의문사(주어)+동사)

has access / to what information].
누가 접근할 수 있는지를 어떤 정보에
의문형용사

❹ Architects of physical cities determine / the paths [people
물리적인 도시의 건축가들은 결정한다
(목적격 관계대명사 생략)

will take] and the sights [they will see].
사람들이 가게 될 길과 그들이 보게 될 광경을
(목적격 관계대명사 생략)

❺ They affect people's mood / by creating / cathedrals [that
그들은 사람들의 기분에 영향을 미친다 지음으로써 경외감을 불러일으키는
by+-ing: ~함으로써 주격 관계대명사

inspire awe] and schools [that encourage playfulness].
대성당들과 명랑함을 북돋는 학교들을
주격 관계대명사

❻ Architects, however, do not control [how the residents of
그러나 건축가들은 통제하지는 않는다 그러한 건물들의 거주자들이 어떻게
간접의문문

those buildings / present themselves / or see each other] —
자신들을 나타내는지 또는 서로를 바라보는지를
동사1 재귀대명사(재귀 용법) 동사2

but the designers of virtual spaces do, / and they have
하지만 가상공간의 설계자들은 그렇게 하며 그들은
(= control ~ each other)

far greater influence / on the social experience / of their users.
훨씬 더 큰 영향을 준다 사회적 경험에 사용자들의
even, much, still, far(훨씬)+비교급

❼ They determine [whether we see each other's faces /
접속사(명사절)
그들은 결정한다 우리가 서로의 얼굴을 볼지
접속사(명사절) whether A or B: A인지 B인지

or instead know each other / only by name].
아니면 대신 서로를 알지를 이름만으로

❽ They can reveal / the size and makeup of an audience, / or
그들은 드러낼 수 있다 구독자의 크기와 구성을 혹은

provide the impression [that one is writing intimately / to only
인상을 줄 수 있다 한 사람이 친밀하게 글을 쓰고 있다는
접속사(동격)

a few], even if millions are in fact reading.
오직 소수에게만 실제로는 수백 만 명이 읽고 있을지라도
소수 접속사(부사절/양보)

해석 온라인 세상은 완전히 사람에 의해 만들어지고 설계된 인공의 세계이다. 그 근본적인 시스템의 디자인이 우리가 어떻게 보이고 우리가 다른 사람들에게서 무엇을 보는지를 형성한다. 그것은 대화의 구조와 누가 어떤 정보에 접근할 수 있는지를 결정한다. 물리적인 도시의 건축가들은 사람들이 가게 될 길과 그들이 보게 될 광경을 결정한다. 그들은 경외감을 불러일으키는 대성당들과 명랑함을 북돋는 학교들을 지음으로써 사람들의 기분에 영향을 미친다. 그러나, 건축가들이 그러한 건물들의 거주자들이 어떻게 자신들을 나타내는지 또는 서로를 어떻게 바라보는지를 통제하지 않지만, 가상공간의 설계자들은 그렇게 하며, 그들은 사용자들의 사회적 경험에 훨씬 더 큰 영향을 준다. 그들은 우리가 서로의 얼굴을 볼지 아니면 대신 이름만으로 서로를 알지를 결정한다. 그들은 구독자의 크기와 구성을 드러낼 수 있거나, 실제로는 수백 만 명이 읽고 있을지라도 한 사람이 오직 소수에게만 친밀하게 글을 쓰고 있다는 인상을 줄 수 있다.

해설 01 의문사 who가 주어로 쓰인 간접의문문이다.
who(주어) + has access to(동사) + what information (목적어)

02 간접의문문의 어순인 「의문사 + 주어 + 동사」의 순서로 쓰되, '자신들을 나타내다'는 재귀대명사를 쓰는 것에 유의한다.

03 의문사가 없는 간접의문문은 「if(whether) + 주어 + 동사」의 어순으로 쓴다.

MEMO

정답은
이 안에
있어!

Basic